MW00585464

MAIGRET EN AUVERGNE

L'Affaire Saint-Fiacre

Maigret à Vichy

Georges Simenon (1903-1989) est le quatrième auteur francophone le plus traduit dans le monde. Né à Liège, il débute très jeune dans le journalisme et, sous divers pseudonymes, fait ses armes en publiant un nombre incroyable de romans « populaires ». Dès 1931, il crée sous son nom le personnage du commissaire Maigret, devenu mondialement connu, et toujours au premier rang de la mythologie du roman policier. Simenon rencontre immédiatement le succès, et le cinéma s'intéresse dès le début à son œuvre. Ses romans ont été adaptés à travers le monde en plus de 70 films, pour le cinéma, et plus de 350 films de télévision. Il écrivit sous son propre nom 192 romans, dont 75 Maigret et 117 romans qu'il appelait ses « romans durs », 158 nouvelles, plusieurs œuvres autobiographiques et de nombreux articles et reportages. Insatiable voyageur, il fut élu membre de l'Académie royale de Belgique.

Paru dans Le Livre de Poche :

LES GRANDES ENQUÊTES DE MAIGRET

MAIGRET À PARIS

MAIGRET À PIGALLE

MAIGRET AUX ÉTATS-UNIS

MAIGRET DANS LES ENVIRONS DE PARIS

MAIGRET EN BRETAGNE

MAIGRET EN MER DU NORD

MAIGRET EN NORMANDIE

MAIGRET EN VENDÉE

MAIGRET ET COMPAGNIE

MAIGRET ET LA NUIT

MAIGRET ET L'AU-DELÀ

MAIGRET ET LES CAÏDS

MAIGRET ET LES FILLES DE JOIE

MAIGRET SUR LA RIVIERA

LES PREMIÈRES ENQUÊTES DE MAIGRET

GEORGES SIMENON

Maigret en Auvergne

L'Affaire Saint-Fiacre

Maigret à Vichy

PRESSES DE LA CITÉ

ISBN : 978-2-253-17571-1 – 1re publication LGF

L'Affaire Saint-Fiacre

1

La petite fille qui louchait

Un grattement timide à la porte ; le bruit d'un objet posé sur le plancher ; une voix furtive :

— Il est cinq heures et demie ! Le premier coup de la messe vient de sonner…

Maigret fit grincer le sommier du lit en se soulevant sur les coudes et tandis qu'il regardait avec étonnement la lucarne percée dans le toit en pente la voix reprit :

— Est-ce que vous communiez ?

Maintenant le commissaire Maigret était debout, les pieds nus sur le plancher glacial. Il marcha vers la porte qui fermait à l'aide d'une ficelle enroulée à deux clous. Il y eut des pas qui fuyaient et quand il fut dans le couloir il eut juste le temps d'apercevoir une silhouette de femme en camisole et en jupon blanc.

Alors il ramassa le broc d'eau chaude que Marie Tatin lui avait apporté, ferma sa porte, chercha un bout de miroir devant lequel se raser.

La bougie n'en avait plus que pour quelques minutes à vivre. Au-delà de la lucarne, c'était encore la nuit complète, une nuit froide d'hiver naissant. Quelques feuilles mortes subsistaient aux branches des peupliers de la grand-place.

Maigret ne pouvait se tenir debout qu'au centre de la mansarde, à cause de la double pente du toit. Il avait froid. Toute la nuit un filet d'air, dont il n'avait pu repérer l'origine, avait glacé sa nuque.

Mais justement cette qualité de froid le troublait en le plongeant dans une ambiance qu'il croyait avoir oubliée.

Le premier coup de la messe… Les cloches sur le village endormi… Quand il était gosse, Maigret ne se levait pas si tôt… Il attendait le deuxième coup, à six heures moins un quart, parce qu'en ce temps-là il n'avait pas besoin de se raser… Est-ce que seulement il se débarbouillait ?

On ne lui apportait pas d'eau chaude… Il arrivait que l'eau fût gelée dans le broc… Peu après ses souliers sonnaient sur la route durcie…

Maintenant, tandis qu'il s'habillait, il entendait Marie Tatin qui allait et venait dans la salle de l'auberge, secouait la grille du poêle, entrechoquait de la vaisselle, tournait le moulin à café.

Il endossa son veston, son pardessus. Avant de sortir, il prit dans son portefeuille un papier épinglé d'un papillon administratif qui portait la mention :

Police municipale de Moulins.

Transmis à toutes fins utiles à la Police Judiciaire de Paris.

Puis une feuille quadrillée. Une écriture appliquée :

Je vous annonce qu'un crime sera commis à l'église de Saint-Fiacre pendant la première messe du Jour des Morts.

Le papier avait traîné pendant plusieurs jours dans les bureaux du Quai des Orfèvres. Maigret l'avait aperçu par hasard, s'était étonné.

— Saint-Fiacre, par Matignon ?

— C'est probable, puisque cela nous est transmis par Moulins.

Et Maigret avait mis le papier dans sa poche. Saint-Fiacre ! Matignon ! Moulins ! Des mots qui lui étaient plus familiers que tous les autres.

Il était né à Saint-Fiacre, où son père avait été pendant trente ans régisseur du château ! La dernière fois qu'il s'y était rendu, c'était justement à la mort de son père, qu'on avait enterré dans le petit cimetière, derrière l'église.

... un crime sera commis... pendant la première messe...

Maigret était arrivé la veille. Il était descendu à l'unique auberge, celle de Marie Tatin.

Elle ne l'avait pas reconnu, mais il l'avait reconnue, lui, à cause de ses yeux. La petite fille qui louchait, comme on l'appelait jadis ! Une petite fille malingre qui était devenue une vieille fille encore plus maigre, louchant de plus en plus, s'agitant sans fin dans la salle, dans la cuisine, dans la cour où elle élevait des lapins et des poules !

Le commissaire descendit. En bas, c'était éclairé au pétrole. Le couvert était mis dans un coin. Du gros pain gris. Une odeur de café à la chicorée, du lait bouillant.

— Vous avez tort de ne pas communier un jour comme aujourd'hui ! Surtout que vous vous donnez la peine d'aller à la première messe… Mon Dieu ! Voilà déjà le second coup qui sonne !…

La voix des cloches était frêle. On entendit des pas sur la route. Marie Tatin s'enfuit dans sa cuisine pour y passer sa robe noire, ses gants de fil, son petit chapeau que le chignon empêchait de tenir droit.

— Je vous laisse finir de manger… Vous fermerez la porte à clef ?…

— Mais non ! Je suis prêt…

Elle fut confuse de faire la route avec un homme ! Un homme qui venait de Paris ! Elle trottait menu, penchée en avant, dans le froid matin. Des feuilles mortes voletaient sur le sol. Leur froissement sec indiquait qu'il avait gelé pendant la nuit.

Il y avait d'autres ombres qui convergeaient vers la porte vaguement lumineuse de l'église. Les cloches sonnaient toujours. Quelques lumières aux fenêtres des maisons basses : des gens qui s'habillaient en hâte pour la première messe.

Et Maigret retrouvait les sensations d'autrefois : le froid, les yeux qui picotaient, le bout des doigts gelé, un arrière-goût de café. Puis, en entrant dans l'église, une bouffée de chaleur, de lumière douce ; l'odeur des cierges, de l'encens…

— Vous m'excusez... J'ai mon prie-Dieu... dit-elle.

Et Maigret reconnut la chaise noire à accoudoir de velours rouge de la vieille Tatin, la mère de la petite fille qui louchait.

La corde que le sonneur venait de lâcher frémissait encore au fond de l'église. Le sacristain achevait d'allumer les cierges.

Combien étaient-ils, dans cette réunion fantomatique de gens mal réveillés ? Une quinzaine au plus. Il n'y avait que trois hommes : le bedeau, le sonneur et Maigret.

... un crime sera commis...

À Moulins, la police avait cru à une mauvaise plaisanterie et ne s'était pas inquiétée. À Paris, on s'était étonné de voir partir le commissaire.

Celui-ci entendait du bruit, derrière la porte placée à droite de l'autel, et il pouvait deviner seconde par seconde ce qui se passait : la sacristie, l'enfant de chœur en retard, le curé qui, sans un mot, passait sa chasuble, joignait les mains, se dirigeait vers la nef, suivi par le gamin trébuchant dans sa robe...

Le gamin était roux. Il agita sa sonnette. Le murmure des prières liturgiques commença.

... pendant la première messe...

Maigret avait regardé une à une toutes les ombres. Cinq vieilles femmes, dont trois avaient leur prie-Dieu réservé. Une grosse fermière. Des paysannes plus jeunes et un enfant…

Un bruit d'auto, dehors. Le grincement d'une portière. Des pas menus, légers, et une dame en deuil qui traversait toute l'église.

Dans le chœur, il y avait un rang de stalles, réservées aux gens du château, des stalles dures, en vieux bois tout poli. Et c'est là que la femme s'installa, sans bruit, suivie par le regard des paysannes.

Requiem aeternam dona eis, Domine…

Maigret eût peut-être encore pu donner la réplique au prêtre. Il sourit en pensant que jadis il préférait les messes de mort aux autres, parce que les oraisons sont plus courtes. Il se souvenait de messes célébrées en seize minutes !

Mais déjà il ne regardait plus que l'occupante de la stalle gothique. Il apercevait à peine son profil. Il hésitait à reconnaître la comtesse de Saint-Fiacre.

Dies irae, dies illa…

C'était bien elle, pourtant ! Mais quand il l'avait vue pour la dernière fois elle avait vingt-cinq ou vingt-six ans. C'était une femme grande, mince, mélancolique, qu'on apercevait de loin dans le parc.

Et maintenant elle devait avoir soixante ans bien sonnés… Elle priait ardemment… Elle avait un visage émacié, des mains trop longues, trop fines, qui étreignaient un missel…

Maigret était resté au dernier rang des chaises de paille, celles qu'à la grand-messe on fait payer cinq centimes mais qui sont gratuites aux messes basses.

... un crime sera commis...

Il se leva avec les autres au premier Évangile. Des détails le sollicitaient de toutes parts et des souvenirs s'imposaient à lui. Par exemple, il pensa soudain :

— Le Jour des Morts, le même prêtre célèbre trois messes...

De son temps, il déjeunait chez le curé, entre la seconde et la troisième. Un œuf à la coque et du fromage de chèvre !

C'était la police de Moulins qui avait raison ! Il ne pouvait pas y avoir de crime ! Le sacristain avait pris place au bout des stalles, quatre places plus loin que la comtesse. Le sonneur était parti à pas lourds, comme un directeur de théâtre qui ne se soucie pas d'assister à son spectacle.

D'hommes, il n'y avait plus que Maigret et le prêtre, un jeune prêtre au regard passionné de mystique. Il ne se pressait pas, comme le vieux curé que le commissaire avait connu. Il n'escamotait pas la moitié des versets.

Les vitraux pâlissaient. Dehors, le jour se levait. Une vache meuglait dans une ferme.

Et bientôt tout le monde courbait l'échine pour l'Élévation. La grêle sonnette de l'enfant de chœur tintait.

Il n'y eut que Maigret à ne pas communier. Toutes les femmes s'avancèrent vers le banc, mains jointes, visage hermétique. Des hosties, si pâles qu'elles semblaient irréelles, passaient un instant dans les mains du prêtre.

Le service continuait. La comtesse avait le visage dans les mains.

Pater Noster…

Et ne nos inducas in tentationem…

Les doigts de la vieille dame se disjoignaient, découvraient le faciès tourmenté, ouvraient le missel.

Encore quatre minutes ! Les oraisons. Le dernier Évangile ! Et ce serait la sortie ! Et il n'y aurait pas eu de crime !

Car l'avertissement disait bien : *la première messe…*

La preuve que c'était fini, c'est que le bedeau se levait, pénétrait dans la sacristie…

La comtesse de Saint-Fiacre avait à nouveau la tête entre les mains. Elle ne bougeait pas. La plupart des autres vieilles étaient aussi rigides.

Ite missa est… La messe est dite…

Alors seulement Maigret sentit combien il avait été angoissé. Il s'en était à peine rendu compte. Il poussa un involontaire soupir. Il attendit avec impatience la fin du dernier Évangile, en pensant qu'il allait respirer l'air frais du dehors, voir les gens s'agiter, les entendre parler de choses et d'autres…

Les vieilles s'éveillaient toutes à la fois. Les pieds remuaient sur les froids carreaux bleus du temple. Une paysanne se dirigea vers la sortie, puis une autre.

Le sacristain parut avec un éteignoir et un filet de fumée bleue remplaça la flamme des bougies.

Le jour était né. Une lumière grise pénétrait dans la nef en même temps que des courants d'air.

Il restait trois personnes… Deux… Une chaise remuait… Il ne restait plus que la comtesse et les nerfs de Maigret se crispèrent d'impatience…

Le sacristain, qui avait terminé sa tâche, regarda Mme de Saint-Fiacre. Une hésitation passa sur son visage. Au même moment le commissaire s'avança.

Ils furent deux tout près d'elle, à s'étonner de son immobilité, à chercher à voir le visage que cachaient les mains jointes.

Maigret, impressionné, toucha l'épaule. Et le corps vacilla, comme si son équilibre n'eût tenu qu'à un rien, roula par terre, resta inerte.

La comtesse de Saint-Fiacre était morte.

On avait transporté le corps dans la sacristie où on l'avait étendu sur trois chaises mises côte à côte. Le sacristain était sorti en courant pour aller chercher le médecin du hameau.

Et Maigret en oubliait ce que sa présence avait d'insolite. Il mit plusieurs minutes à comprendre l'interrogation soupçonneuse que contenait le regard ardent du prêtre.

— Qui êtes-vous ? questionna enfin celui-ci. Comment se fait-il que…

— Commissaire Maigret, de la Police Judiciaire.

Il regarda le curé en face. C'était un homme de trente-cinq ans, aux traits réguliers mais si graves qu'ils évoquaient la foi farouche des moines d'autrefois.

Un trouble profond l'agitait. Une voix moins ferme murmura :

— Vous ne voulez pas dire que… ?

On n'avait pas encore osé dévêtir la comtesse. On avait posé en vain un miroir sur ses lèvres. On avait écouté son cœur qui ne battait plus.

— Je ne vois pas de blessure… se contenta de répliquer Maigret.

Et il regardait autour de lui ce décor immuable auquel trente années n'avaient changé aucun détail. Les burettes étaient à la même place et la chasuble préparée pour la messe suivante, et la robe et le surplis de l'enfant de chœur.

Le jour sale qui pénétrait par une fenêtre en ogive délayait les rayons d'une lampe à huile.

Il faisait à la fois chaud et froid. Le prêtre était assailli par des pensées terribles.

— On ne peut pourtant pas prétendre…

Un drame ! Maigret ne comprit pas tout d'abord. Mais des souvenirs de son enfance continuaient à remonter comme des bulles d'air.

… Une église où un crime a été commis doit être à nouveau sanctifiée par l'évêque…

Comment pouvait-il y avoir eu crime ? On n'avait pas entendu de coup de feu ! Personne ne s'était approché de la comtesse ! Pendant toute la messe, Maigret ne l'avait pour ainsi dire pas quittée des yeux !

Et il n'y avait pas de sang versé, pas de blessure apparente !

— La seconde messe est à sept heures, n'est-ce pas ?

Ce fut un soulagement d'entendre les pas lourds du médecin, un bonhomme sanguin que l'atmosphère impressionna et qui regarda tour à tour le commissaire et le curé.

— Morte ? questionna-t-il.

Il n'hésita pourtant pas, lui, à dégrafer le corsage, pendant que le prêtre détournait la tête. Des pas lourds dans l'église. Puis la cloche que le sonneur mettait en branle. Le premier coup de la messe de sept heures.

— Je ne vois qu'une embolie pour… Je n'étais pas le médecin attitré de la comtesse, qui préférait se faire soigner par un confrère de Moulins… Mais j'ai été appelé deux ou trois fois au château… Elle avait le cœur très malade…

La sacristie était exiguë. Les trois hommes et le cadavre y tenaient à peine. Deux enfants de chœur arrivaient, car la messe de sept heures était une grand-messe.

— Sa voiture doit être dehors ! dit Maigret. Il faut la faire transporter chez elle.

Et il sentait toujours peser sur lui le regard angoissé du prêtre. Celui-ci avait-il deviné quelque chose ? Toujours est-il que, pendant que le sacristain, aidé par le chauffeur, conduisait le corps vers la voiture, il s'approcha du commissaire.

— Vous êtes sûr que… Il me reste deux messes à dire… C'est le Jour des Morts… Mes fidèles sont…

Puisque la comtesse était morte d'une embolie, est-ce que Maigret n'avait pas le droit de rassurer le curé ?

— Vous avez entendu ce qu'a dit le docteur…

— Pourtant vous êtes venu ici, aujourd'hui, justement à cette messe…

Maigret fit un effort pour ne pas se troubler.

— Un hasard, monsieur le curé… Mon père est enterré dans votre cimetière…

Et il hâta le pas vers l'auto, un coupé d'un vieux modèle, dont le chauffeur tournait la manivelle. Le médecin ne savait que faire. Il y avait quelques personnes sur la place, qui ne comprenaient rien à ce qui arrivait.

— Venez avec nous…

Mais le cadavre prenait toute la place à l'intérieur. Maigret et le médecin se serrèrent à côté du siège.

— Vous avez l'air étonné par ce que je vous ai dit… murmura le praticien qui n'avait pas encore repris tout son aplomb. Si vous connaissiez la situation, vous comprendriez peut-être… La comtesse…

Il se tut en regardant le chauffeur en livrée noire qui conduisait sa voiture d'un air absent. On traversait la grand-place en pente, bornée d'une part par l'église érigée sur le talus, de l'autre par l'étang Notre-Dame qui, ce matin-là, était d'un gris vénéneux.

L'auberge de Marie Tatin était à droite, la première maison du village. À gauche, c'était une allée bordée de chênes et, tout au fond, la masse sombre du château.

Un ciel uniforme, aussi froid qu'une patinoire.

— Vous savez que cela va faire des drames… C'est pour cela que le curé tire une sale tête.

Le Dr Bouchardon était un paysan, fils de paysans. Il portait un costume de chasse brun, des hautes bottes de caoutchouc.

— Je partais au canard dans les étangs…

— Vous n'allez pas à la messe ?

Le docteur fit un clin d'œil.

— Remarquez que cela ne m'empêchait pas d'être copain avec l'ancien curé… Mais celui-ci…

On pénétrait dans le parc. On distinguait maintenant les détails du château, les fenêtres du rez-de-chaussée aveuglées par les volets, les deux tours d'angle, seules parties anciennes du bâtiment.

Quand la voiture stoppa près du perron, Maigret plongea le regard par les fenêtres grillagées, à ras du sol, et il entrevit les cuisines remplies de buée, une grosse femme occupée à plumer des perdreaux.

Le chauffeur ne savait que faire, n'osait pas ouvrir les portières du coupé.

— Monsieur Jean ne doit pas être levé…

— Appelez n'importe qui… Il y a d'autres domestiques dans la maison ?…

Maigret avait les narines humides. Il faisait vraiment froid. Il resta debout dans la cour avec le médecin qui se mit à bourrer une pipe.

— Qui est ce monsieur Jean ?

Bouchardon haussa les épaules en esquissant un drôle de sourire.

— Vous allez le voir.

— Mais enfin, qui est-ce ?

— Un jeune homme... Un charmant jeune homme...

— Un parent ?

— Si vous voulez !... À sa manière !... Bah ! autant vous le dire tout de suite... C'est l'amant de la comtesse... Officiellement, c'est son secrétaire...

Et Maigret regardait le docteur dans les yeux, se souvenait d'avoir été à l'école avec lui ! Seulement, personne ne le reconnaissait ! Il avait quarante-deux ans ! Il avait pris de l'embonpoint !

Le château, il le connaissait mieux que quiconque ! Surtout les communs ! Il lui suffisait de faire quelques pas pour apercevoir la maison du régisseur, où il était né.

Et c'étaient peut-être ces souvenirs qui le troublaient à ce point ! Surtout le souvenir de la comtesse de Saint-Fiacre telle qu'il l'avait connue : une jeune femme qui avait personnifié, pour le gamin du peuple qu'il était, toute la féminité, toute la grâce, toute la noblesse...

Elle était morte ! On l'avait poussée, comme une chose inerte, dans le coupé, et on avait dû replier ses jambes ! On n'avait même pas rattaché son corsage et du linge blanc jaillissait du noir de la robe de deuil !

... un crime sera commis...

Mais le médecin affirmait qu'elle était morte d'une embolie ! Quel démiurge avait pu prévoir cela ? Et pourquoi convoquer la police ?

On courait, dans le château. Des portes s'ouvraient et se refermaient. Un maître d'hôtel, qui n'était qu'à moitié en livrée, entrouvrait l'huis principal, hésitait à s'avancer. Un homme se montrait derrière lui, en pyjama, les cheveux en désordre, les yeux fatigués.

— Qu'est-ce que c'est ? criait-il.

— Le maquereau ! grogna le médecin cynique à l'oreille de Maigret.

La cuisinière avait été alertée aussi. Par la fenêtre de son sous-sol, elle regardait en silence. Des lucarnes s'ouvraient sous les combles, dans les chambres de domestiques.

— Eh bien ! Qu'est-ce qu'on attend pour transporter la comtesse dans son lit ? tonna Maigret avec indignation.

Tout cela lui semblait sacrilège, parce que cela ne concordait pas avec ses souvenirs d'enfance. Il en ressentait un malaise non seulement moral mais physique !

… un crime sera commis…

La cloche sonnait le second coup de la messe. Les gens devaient se presser. Il y avait des fermiers qui venaient de loin, en carriole ! Et ils avaient apporté des fleurs à déposer sur les tombes du cimetière !

Jean n'osait pas s'approcher. Le maître d'hôtel, qui avait ouvert la portière, restait atterré, sans en faire davantage.

— Madame la comtesse… Madame la… balbutiait-il.

— Alors ?… Vous allez la laisser là ?… Hein ?…

Pourquoi diable le docteur avait-il un sourire ironique ?

Maigret usa d'autorité.

— Allons ! Deux hommes... Vous ! (il désignait le chauffeur)... et vous ! (il désignait le domestique)... Transportez-la dans sa chambre...

Et tandis qu'ils se penchaient vers le coupé, une sonnerie retentit dans le hall.

— Le téléphone !... C'est étrange, à cette heure-ci !... grommela Bouchardon.

Jean n'osait pas aller répondre. Il semblait avoir perdu conscience. Ce fut Maigret qui se précipita à l'intérieur, décrocha l'appareil.

— Allô !... Oui, le château...

Et une voix toute proche :

— Voulez-vous me passer ma mère ? Elle doit être rentrée de la messe...

— Qui est à l'appareil ?

— Le comte de Saint-Fiacre... D'ailleurs, cela ne vous regarde pas... Passez-moi ma mère...

— Un instant... Voulez-vous me dire d'où vous téléphonez ?...

— De Moulins ! Mais, sacrebleu, je vous dis de...

— Venez ! Cela vaudra mieux ! se contenta d'articuler Maigret en raccrochant.

Et il dut se coller au mur pour laisser passer le corps que transportaient les deux domestiques.

2

Le missel

— Vous entrez ? questionna le médecin dès que la morte fut étendue sur son lit. J'ai besoin de quelqu'un pour m'aider à la déshabiller.

— Nous trouverons une femme de chambre ! dit Maigret.

Et, en effet, Jean monta à l'étage au-dessus et en revint un peu plus tard en compagnie d'une femme d'une trentaine d'années qui jetait autour d'elle des regards effrayés.

— Filez ! grommela alors le commissaire à l'adresse des domestiques qui ne demandaient pas mieux.

Il retint Jean par la manche, le regarda des pieds à la tête, l'amena dans l'embrasure d'une fenêtre.

— Dans quels termes êtes-vous avec le fils de la comtesse ?

— Mais… je…

Le jeune homme était maigre et son pyjama rayé, d'une propreté douteuse, n'ajoutait pas à son prestige. Son regard fuyait celui de Maigret. Il avait la manie de tirer sur ses doigts comme pour les allonger.

— Attendez ! l'interrompit le commissaire. Nous allons parler net, afin de gagner du temps.

Derrière la lourde porte de chêne de la chambre, on entendait des allées et venues, le grincement des ressorts du lit, des ordres donnés à mi-voix à la femme de chambre par le Dr Bouchardon : on dévêtait la morte !

— Quelle est exactement votre situation au château ? Depuis combien de temps y êtes-vous ?

— Depuis quatre ans…

— Vous connaissiez la comtesse de Saint-Fiacre ?

— Je… c'est-à-dire que je lui ai été présenté par des amis communs… Mes parents venaient d'être ruinés par le krach d'une petite banque de Lyon… Je suis entré ici comme homme de confiance, pour m'occuper des affaires personnelles de…

— Pardon ! Que faisiez-vous auparavant ?

— Je voyageais… J'écrivais des articles de critique d'art…

Maigret ne sourit pas. L'atmosphère, d'ailleurs, ne prêtait pas à l'ironie.

Le château était vaste. Du dehors, il ne manquait pas d'allure. Mais l'intérieur avait un aspect aussi miteux que le pyjama du jeune homme. Partout de la poussière, des vieilles choses sans beauté, un amas d'objets inutiles. Les tentures étaient fanées.

Et sur les murs, on voyait des traces plus claires qui prouvaient que des meubles avaient été enlevés.

Les plus beaux, évidemment ! Ceux qui avaient quelque valeur !

— Vous êtes devenu l'amant de la comtesse…

— Chacun est libre d'aimer qui…

— Imbécile ! gronda Maigret en tournant le dos à son interlocuteur.

Comme si les choses n'étaient pas évidentes par elles-mêmes ! Il n'y avait qu'à regarder Jean ! Il n'y avait qu'à respirer quelques instants l'air du château ! Et surprendre les regards des domestiques !

— Vous saviez que son fils allait venir ?

— Non… Qu'est-ce que cela peut me faire ?

Et son regard fuyait toujours. De la main droite, il tiraillait les doigts de la main gauche.

— Je voudrais bien m'habiller… Il fait froid… Mais pourquoi la police s'occupe-t-elle de… ?

— Allez vous habiller, oui !

Et Maigret poussa la porte de la chambre, évita de regarder vers le lit sur lequel la morte était entièrement nue.

La chambre ressemblait au reste de la maison. Elle était trop vaste, trop froide, encombrée de vieux objets dépareillés. En voulant s'accouder au marbre de la cheminée, Maigret s'aperçut qu'il était cassé.

— Vous avez trouvé quelque chose ? demanda le commissaire à Bouchardon. Un instant… Vous voulez nous laisser, mademoiselle ?

Et il referma la porte derrière la femme de chambre, alla coller son front à la fenêtre, laissant errer son regard sur le parc tout feutré de feuilles mortes et de grisaille.

— Je ne puis que vous confirmer ce que je vous ai dit tout à l'heure. La mort est due à un arrêt brusque du cœur.

— Provoqué par ?...

Geste vague du médecin, qui jeta une couverture sur le cadavre et rejoignit Maigret à la fenêtre, alluma sa pipe.

— Peut-être par une émotion... Peut-être par le froid... Est-ce qu'il faisait froid dans l'église ?

— Au contraire ! Bien entendu, vous n'avez trouvé aucune trace de blessure ?

— Aucune !

— Pas même la trace à peine perceptible d'une piqûre ?

— J'y ai pensé... Rien !... Et la comtesse n'a absorbé aucun poison... Vous voyez qu'il serait difficile de prétendre...

Maigret avait le front dur. Il apercevait à gauche, sous les arbres, le toit rouge de la maison du régisseur où il était né.

— En deux mots... La vie du chateau ?... questionna-t-il à mi-voix.

— Vous en savez autant que moi... Une de ces femmes qui sont des modèles de bonne conduite jusqu'à quarante ou quarante-cinq ans... C'est alors que le comte est mort, que le fils est allé à Paris poursuivre ses études...

— Et ici ?

— Il est venu des secrétaires, qui restaient plus ou moins longtemps... Vous avez vu le dernier...

— La fortune ?

— Le château est hypothéqué… Trois fermes sur quatre sont vendues… De temps en temps un antiquaire vient chercher ce qui a encore de la valeur…

— Et le fils ?

— Je le connais mal ! On dit que c'est un numéro…

— Je vous remercie !

Maigret allait sortir. Bouchardon le poursuivit.

— Entre nous, je serais curieux de savoir par quel hasard vous étiez précisément à l'église ce matin…

— Oui ! c'est étrange…

— J'ai l'impression de vous avoir déjà vu quelque part…

— C'est possible…

Et Maigret hâta le pas le long du couloir. Il avait la tête un peu vide, parce qu'il n'avait pas assez dormi. Peut-être aussi avait-il pris froid à l'auberge de Marie Tatin. Il aperçut Jean qui descendait l'escalier, vêtu d'un complet gris mais encore chaussé de pantoufles. Au même moment une voiture à échappement libre pénétrait dans la cour du château.

C'était une petite auto de course, peinte en jaune canari, longue, étroite, inconfortable. Un homme en manteau de cuir faisait l'instant d'après irruption dans le hall, retirait son casque, lançait :

— Hello ! Quelqu'un !… Tout le monde dort encore, ici ?…

Mais il aperçut Maigret qu'il regarda curieusement.

— Qu'est-ce que… ?

— Chut !… Il faut que je vous parle…

À côté du commissaire, Jean était pâle, inquiet. En passant, le comte de Saint-Fiacre lui envoya un léger coup de poing à l'épaule, plaisanta :

— Toujours ici, crapule !

Il n'avait pas l'air de lui en vouloir. Seulement de le mépriser profondément.

— Il ne se passe rien de grave, au moins ?

— Votre mère est morte ce matin, à l'église.

Maurice de Saint-Fiacre avait trente ans, le même âge que Jean. Ils étaient de même taille, mais le comte était large, un peu gras. Et tout son être, surtout dans son vêtement de cuir, respirait une vie allègre. Ses yeux clairs étaient gais, moqueurs.

Il fallut les paroles de Maigret pour lui faire froncer les sourcils.

— Qu'est-ce que vous dites ?

— Venez par ici.

— Ça, par exemple !... Moi qui...

— Qui... ?

— Rien ! Où est-elle ?...

Il était ahuri, dérouté. Dans la chambre, il souleva juste assez la couverture pour apercevoir le visage de la morte.

Pas d'explosion de douleur. Pas de larmes. Pas de gestes dramatiques. Seulement deux mots murmurés.

— Pauvre vieille !...

Jean avait cru devoir marcher jusqu'à la porte et l'autre l'aperçut, lui lança :

— Sors d'ici, toi !

Il devenait nerveux. Il marchait de long en large. Il se heurta au docteur.

— De quoi est-elle morte, Bouchardon ?

— Arrêt du cœur, monsieur Maurice… Mais le commissaire en sait peut-être plus que moi à ce sujet…

Le jeune homme se tourna vivement vers Maigret.

— Vous êtes de la police ?… Qu'est-ce que… ?

— Voulez-vous que nous ayons une conversation de quelques minutes ?… J'aimerais faire les cent pas sur la route… Vous restez ici, docteur ?…

— C'est que j'allais chasser et…

— Eh bien ! vous irez chasser un autre jour !

Maurice de Saint-Fiacre suivit Maigret en regardant le sol devant lui d'un air rêveur. Quand ils atteignirent l'allée principale du château, la messe de sept heures finissait et les fidèles, plus nombreux qu'à la première messe, sortaient, formaient des groupes sur le parvis. Quelques personnes pénétraient déjà dans le cimetière et les têtes seules dépassaient du mur.

À mesure que le jour se levait, le froid devenait plus vif, sans doute à cause de la bise qui balayait les feuilles mortes d'un bout de la place à l'autre, les faisait tournoyer comme des oiseaux au-dessus de l'étang Notre-Dame.

Maigret bourrait sa pipe. N'était-ce pas la principale raison pour laquelle il avait entraîné son compagnon dehors ? Pourtant, dans la chambre même de la morte, le docteur fumait. Maigret avait l'habitude de fumer n'importe où.

Mais pas au château ! C'était un endroit à part qui, pendant toute sa jeunesse, avait représenté ce qu'il y a de plus inaccessible !

— Aujourd'hui, le comte m'a appelé dans sa bibliothèque pour travailler avec lui ! disait son père avec une pointe d'orgueil.

Et le gamin qu'était Maigret en ce temps-là regardait de loin, avec respect, la voiture d'enfant poussée par une nurse, dans le parc. Le bébé, c'était Maurice de Saint-Fiacre !

— Quelqu'un a-t-il intérêt à la mort de votre mère ?

— Je ne comprends pas… Le docteur vient de dire…

Il était anxieux. Il avait des gestes saccadés. Il prit vivement le papier que Maigret lui tendait et qui annonçait le crime.

— Qu'est-ce que cela veut dire ?… Bouchardon parle d'un arrêt du cœur et…

— Un arrêt du cœur que quelqu'un a prévu quinze jours auparavant !

Des paysans les regardaient de loin. Les deux hommes approchaient de l'église, marchant lentement, suivant le cours de leurs pensées.

— Qu'est-ce que vous veniez faire au château ce matin ?

— C'est justement ce que je suis en train de me dire… articula le jeune homme. Vous me demandiez il y a un instant si… Eh bien ! oui… Il y a quelqu'un qui avait intérêt à la mort de ma mère… C'est moi !

Il ne raillait pas. Son front était soucieux. Il salua par son nom un homme qui passait en bicyclette.

— Puisque vous êtes de la police, vous avez déjà dû comprendre la situation… D'ailleurs, cet animal de Bouchardon n'a pas manqué de parler… Ma mère était une pauvre vieille… Mon père est mort… Je suis parti… Restée toute seule, je crois bien qu'elle a eu la cervelle un peu dérangée… Elle a d'abord passé son temps à l'église… Puis…

— Les jeunes secrétaires !

— Je ne pense pas que ce soit ce que vous croyez et ce que Bouchardon voudrait insinuer… Pas du vice !… Mais un besoin de tendresse… Le besoin de soigner quelqu'un… Que ces jeunes gens en aient profité pour aller plus loin… Tenez ! cela ne l'empêchait pas de rester dévote… Elle devait avoir des crises de conscience atroces, tiraillée qu'elle était entre sa foi et ce… cette…

— Vous disiez que votre intérêt… ?

— Vous savez qu'il ne reste pas grand-chose de notre fortune… Et des gens comme ce monsieur que vous avez vu ont les dents longues… Mettons que dans trois ou quatre ans il ne serait rien resté du tout…

Il était nu-tête. Il se passa les doigts dans les cheveux. Puis, regardant Maigret en face et marquant un temps d'arrêt, il ajouta :

— Il me reste à vous dire que je venais ici aujourd'hui pour demander quarante mille francs à ma mère… Et ces quarante mille francs, j'en ai besoin pour couvrir un chèque qui, sans cela, sera sans provision… Vous voyez comme tout s'enchaîne !…

Il arracha une branche à une haie que l'on côtoyait. Il semblait faire un violent effort pour ne pas se laisser déborder par les événements.

— Et dire que j'ai amené Marie Vassiliev avec moi !

— Marie Vassiliev ?

— Mon amie ! Je l'ai laissée dans son lit, à Moulins… Elle est capable, tout à l'heure, de louer une voiture et d'accourir… C'est complet, quoi !

On éteignait seulement la lampe, dans l'auberge de Marie Tatin où quelques hommes buvaient du rhum. L'autocar faisant le service de Moulins allait partir, à moitié vide.

— Elle ne méritait pas ça ! fit la voix rêveuse de Maurice.

— Qui ?

— Maman !

Et à ce moment, il avait quelque chose d'enfantin, malgré sa taille, son commencement d'embonpoint. Peut-être même fut-il enfin sur le point de pleurer ?

Les deux hommes faisaient les cent pas à proximité de l'église, parcourant sans cesse le même chemin, tantôt face à l'étang, tantôt en lui tournant le dos.

— Dites, commissaire ! Il n'est pourtant pas possible qu'on l'ait tuée… ou alors je ne m'explique pas…

Maigret y pensait, et si intensément qu'il en oubliait son compagnon. Il se remémorait les moindres détails de la première messe.

La comtesse à son banc… Personne ne s'était approché d'elle… Elle avait communié… Elle s'était agenouillée ensuite, le visage dans les mains… Puis elle avait ouvert son missel… Un peu plus tard, elle avait à nouveau le visage entre les mains…

— Vous permettez un instant ?

Maigret gravit les marches du perron, pénétra dans l'église où le sacristain préparait déjà l'autel pour la grand-messe. Le sonneur, un paysan fruste chaussé de lourds souliers à clous, rectifiait l'alignement des chaises.

Le commissaire marcha droit vers les stalles, se pencha, appela le bedeau qui se retournait.

— Qui a ramassé le missel ?

— Quel missel ?

— Celui de la comtesse… Il est resté ici…

— Vous croyez ?…

— Viens ici, toi ! dit Maigret au sonneur. Tu n'as pas vu le missel qui se trouvait à cette place ?

— Moi ?

Ou bien il était idiot, ou bien il le faisait. Maigret était nerveux. Il aperçut Maurice de Saint-Fiacre qui se tenait dans le fond de la nef.

— Qui s'est approché de ce banc ?

— La femme du docteur occupait cette place à la messe de sept heures…

— Je croyais que le docteur n'était pas croyant.

— Lui, peut-être ! Mais sa femme…

— Eh bien ! vous annoncerez à tout le village qu'il y a une grosse récompense pour celui qui me rapportera le missel.

— Au château ?

— Non ! Chez Marie Tatin.

Dehors, Maurice de Saint-Fiacre marchait à nouveau à côté de lui.

— Je ne comprends rien à cette histoire de missel.

— Arrêt du cœur, n'est-ce pas ?... Cela peut être provoqué par une forte émotion... Et cela a eu lieu un peu après la communion, c'est-à-dire après que la comtesse eut ouvert son missel... Supposez que, dans ce missel...

Mais le jeune homme secoua la tête d'un air découragé.

— Je ne vois aucune nouvelle capable d'émouvoir ma mère à ce point... D'ailleurs, ce serait tellement... tellement odieux...

Il en avait la respiration difficile. Il regardait le château d'un œil sombre.

— Allons boire quelque chose !

Ce n'était pas vers le château qu'il se dirigeait, mais vers l'auberge où son entrée créa une gêne. Les quatre paysans qui buvaient, du coup, n'étaient plus chez eux ! Ils saluaient avec un respect mêlé de crainte.

Marie Tatin accourait de la cuisine en s'essuyant les mains à son tablier. Elle balbutiait :

— Monsieur Maurice... Je suis encore toute bouleversée par ce qu'on raconte... Notre pauvre comtesse...

Elle pleurait, elle ! Elle devait pleurer éperdument chaque fois que quelqu'un mourait au village.

— Vous étiez à la messe aussi, n'est-ce pas ?... dit-elle, prenant Maigret à témoin. Quand je pense qu'on ne s'est aperçu de rien. C'est ici qu'on est venu m'annoncer...

C'est toujours gênant, en pareil cas, de manifester moins de chagrin que des gens qui devraient être indifférents. Maurice écoutait ces condoléances en essayant de cacher son impatience et, par contenance, il alla prendre sur l'étagère une bouteille de rhum, en emplit deux verres.

Ses épaules furent secouées d'un frisson tandis qu'il buvait d'un trait et il dit à Maigret :

— Je crois que j'ai pris froid en venant, ce matin…

— Tout le monde, dans le pays, est enrhumé, monsieur Maurice…

Et, à Maigret :

— Vous devriez faire attention aussi ! Cette nuit, je vous ai entendu tousser…

Les paysans s'en allaient. Le poêle était rouge.

— Un jour comme aujourd'hui ! disait Marie Tatin.

Et on ne pouvait savoir si elle regardait Maigret ou le comte, à cause de la dissymétrie de ses yeux.

— Vous ne voulez pas manger quelque chose ? Tenez ! J'ai été tellement bouleversée, quand on m'a dit… que je n'ai même pas pensé à changer de robe…

Elle s'était contentée de passer un tablier sur la robe noire qu'elle ne mettait que pour aller à la messe. Son chapeau était resté sur une table.

Maurice de Saint-Fiacre but un second verre de rhum, regarda Maigret comme pour lui demander ce qu'il devait faire.

— Allons ! dit le commissaire.

— Vous venez déjeuner ici ? J'ai tué un poulet et…

Mais les deux hommes étaient déjà dehors. Devant l'église, il y avait quatre ou cinq carrioles dont les chevaux étaient attachés aux arbres. On voyait des têtes aller et venir au-dessus du mur bas du cimetière. Et, dans la cour du château, l'auto jaune apportait la seule tache de couleur vive.

— Le chèque est barré ? questionna Maigret.

— Oui ! Mais il sera présenté demain.

— Vous travaillez beaucoup ?

Un silence. Le bruit de leurs pas sur la route durcie. Le frôlement des feuilles mortes emportées par le vent. Les chevaux qui s'ébrouaient.

— Je suis très exactement ce qu'on appelle un propre-à-rien ! J'ai fait un peu de tout… Tenez !… Les quarante mille… Je voulais monter une société de cinéma… Avant, je commanditais une affaire de T.S.F…

Une détonation sourde, à droite, au-delà de l'étang Notre-Dame. On aperçut un chasseur qui marchait à grands pas vers la bête qu'il avait tuée et sur laquelle son chien s'acharnait.

— C'est Gautier, le régisseur… dit Maurice. Il a dû partir à la chasse avant que…

Alors, brusquement, il eut une crise d'énervement, frappa le sol de son talon, grimaça, faillit laisser échapper un sanglot.

— Pauvre vieille !… grommela-t-il, les lèvres retroussées. C'est… c'est tellement ignoble !… Et ce petit saligaud de Jean qui…

Comme par enchantement, on découvrit celui-ci qui arpentait la cour du château, côte à côte avec le docteur, et qui devait lui tenir un discours passionné, car il gesticulait de ses bras maigres.

Dans le vent, on pouvait repérer, par instants, des odeurs de chrysanthèmes.

3

L'enfant de chœur

Il n'y avait pas de soleil pour déformer les images, pas de grisaille non plus pour estomper les contours. Chaque chose se découpait avec une netteté cruelle : le tronc des arbres, les branches mortes, les cailloux et surtout les vêtements noirs des gens venus au cimetière. Les blancs, par contre, pierres tombales ou plastrons empesés, bonnets des vieilles, prenaient une valeur irréelle, perfide : des blancs trop blancs, qui détonnaient.

Sans la bise sèche qui coupait les joues, on eût pu se croire sous une cloche de verre un peu poussiéreuse.

— Je vous reverrai tout à l'heure !

Maigret quittait le comte de Saint-Fiacre devant la grille du cimetière. Une vieille, assise sur un petit banc qu'elle avait apporté, essayait de vendre des oranges et du chocolat.

Les oranges ! Grosses ! Pas mûres ! Et glacées… Cela allongeait les dents, raclait la gorge mais, quand il avait dix ans, Maigret les dévorait quand même, parce que c'étaient des oranges.

Il avait relevé le col de velours de son pardessus. Il ne regardait personne. Il savait qu'il devait tourner à gauche et que la tombe qu'il cherchait était la troisième après le cyprès.

Partout, alentour, le cimetière était fleuri. La veille, des femmes avaient lavé certaines pierres à la brosse et au savon. Les grillages étaient repeints.

Ci-gît Évariste Maigret…

— Pardon ! On ne fume pas…

Le commissaire se rendit à peine compte qu'on lui parlait. Il fixa enfin le sonneur, qui était en même temps gardien du cimetière, poussa sa pipe tout allumée dans sa poche.

Il ne parvenait pas à penser à une seule chose à la fois. Des souvenirs affluaient, souvenirs de son père, d'un camarade qui s'était noyé dans l'étang Notre-Dame, de l'enfant du château dans sa voiture si bien carrossée…

Des gens le regardaient. Il les regardait. Il avait déjà vu ces têtes-là. Mais alors, cet homme qui avait un gosse sur les bras, par exemple, et que suivait une femme enceinte, était un bambin de quatre ou cinq ans…

Maigret n'avait pas de fleurs. La tombe était ternie. Il sortit, maussade, grommela à mi-voix, ce qui fit se retourner tout un groupe :

— Il faudrait avant tout retrouver le missel !

Il n'avait pas envie de rentrer au château. Là-bas, quelque chose l'écœurait, l'indignait même.

Certes, il n'avait aucune illusion sur les hommes. Mais il était furieux qu'on vînt salir ses souvenirs d'enfance ! La comtesse surtout, qu'il avait toujours vue noble et belle comme un personnage de livre d'images…

Et voilà que c'était une vieille toquée qui entretenait des gigolos !

Même pas ! Ce n'était pas franc, avoué ! Le fameux Jean jouait les secrétaires ! Il n'était pas beau, pas très jeune !

Et la pauvre vieille, comme disait son fils, était tiraillée entre le château et l'église !

Et le dernier comte de Saint-Fiacre allait être arrêté pour émission de chèque sans provision !

Quelqu'un marchait devant Maigret, le fusil à l'épaule, et le commissaire s'avisa soudain qu'il se dirigeait vers la maison du régisseur. Il crut reconnaître la silhouette qu'il avait vue de loin dans les champs.

Quelques mètres séparaient les deux hommes qui atteignaient la cour où quelques poules étaient blotties contre un mur, à l'abri du vent, plumes frémissantes.

— Hé !…

L'homme au fusil se retourna.

— Vous êtes le régisseur des Saint-Fiacre ?

— Et vous ?

— Commissaire Maigret, de la Police Judiciaire.

— Maigret ?

Le régisseur était frappé par ce nom, mais ne parvenait pas à préciser ses souvenirs.

— On vous a mis au courant ?

— On vient de m'avertir... J'étais à la chasse... Mais qu'est-ce que la police... ?

C'était un homme petit, râblé, gris de poil, avec une peau sillonnée de rides fines et profondes, des prunelles qui avaient l'air de s'embusquer derrière d'épais sourcils.

— On m'a dit que le cœur...

— Où allez-vous ?

— Je ne vais quand même pas entrer au château avec mes bottes gluantes de boue et mon fusil...

La tête d'un lapin pendait de la carnassière. Maigret regardait la maison vers laquelle on se dirigeait.

— Tiens ! On a changé la cuisine...

Un regard méfiant se fixa sur lui.

— Il y a bien quinze ans ! grommela le régisseur.

— Comment vous appelle-t-on ?

— Gautier... Est-ce vrai que monsieur le comte est arrivé sans que...

Tout cela était hésitant, réticent. Et Gautier n'offrait pas à Maigret d'entrer chez lui. Il poussait sa porte.

Le commissaire n'entra pas moins, tourna à droite, vers la salle à manger qui sentait le biscuit et le vieux marc.

— Venez un instant, monsieur Gautier... On n'a pas besoin de vous là-bas... Et moi, j'ai quelques questions à vous poser...

— Vite ! disait une voix de femme dans la cuisine. Il paraît que c'est affreux...

Et Maigret tâtait la table de chêne, aux angles ornés de lions sculptés. C'était la même que de son temps ! On l'avait revendue au nouveau régisseur à la mort du père.

— Vous prendrez bien quelque chose ?

Gautier choisissait une bouteille dans le buffet, peut-être pour gagner du temps.

— Que pensez-vous de ce monsieur Jean ?... Au fait, quel est son nom de famille ?...

— Métayer... Une assez bonne famille de Bourges...

— Il coûtait cher à la comtesse ?

Gautier remplissait les verres d'eau-de-vie, mais gardait un silence obstiné.

— Qu'est-ce qu'il avait à faire au château ? Comme régisseur, je suppose que vous vous occupez de tout...

— De tout !

— Alors ?

— Il ne faisait rien... Quelques lettres personnelles... Au début, il prétendait faire gagner de l'argent à madame la comtesse, grâce à ses connaissances financières... Il a acheté des valeurs qui ont dégringolé en quelques mois... Mais il affirmait qu'il regagnerait le tout et davantage grâce à un nouveau procédé de photographie qu'un de ses amis a inventé... Cela a coûté une centaine de mille francs à madame la comtesse et l'ami a disparu... Enfin, en dernier lieu, il y a eu une histoire de reproduction des clichés... Je n'y connais rien... Quelque chose comme de la photogravure ou de l'héliogravure, mais meilleur marché...

— Jean Métayer était très occupé !

— Il se remuait beaucoup pour rien... Il écrivait des articles au *Journal de Moulins* et on était obligé de les accepter à cause de madame la comtesse... C'est là qu'il faisait des essais de ses clichés et le directeur n'osait pas le mettre à la porte... À votre santé !...

Et, brusquement inquiet :

— Il ne s'est rien passé entre lui et monsieur le comte ?

— Rien du tout.

— Je suppose que c'est un hasard que vous soyez ici... Il n'y a pas de raison, puisqu'il s'agit d'une maladie de cœur...

L'ennui, c'est qu'il n'y avait pas moyen de rencontrer le regard du régisseur. Il essuyait ses moustaches, passait dans la chambre voisine.

— Vous permettez que je me change ?... Je devais aller à la grand-messe et maintenant...

— Je vous reverrai ! dit Maigret en s'en allant.

Et il n'avait pas refermé la porte qu'il entendait la femme, restée invisible, questionner :

— Qui est-ce ?

On avait mis des pavés de grès, dans la cour, à la place où autrefois il jouait aux billes sur la terre battue.

Des groupes endimanchés remplissaient entièrement la place et des chants d'orgues filtraient de l'église. Les enfants, dans leur costume neuf, n'osaient pas jouer. Et partout des mouchoirs sortaient des poches. Les nez étaient rouges. On se mouchait bruyamment.

Des bribes de phrases parvenaient à Maigret.

— C'est un agent de police de Paris…

— … Paraît qu'il est venu rapport à la vache qui a crevé l'autre semaine chez Mathieu…

Un jeune homme tout faraud, une fleur rouge à la boutonnière de son veston de serge bleu marine, le visage bien lavé, les cheveux brillants de cosmétique, osa lancer au commissaire :

— On vous attend chez Tatin, rapport au gars qui a volé…

Et il poussait ses camarades du coude, contenait un rire qui fusait quand même tandis qu'il détournait la tête.

Il n'avait rien inventé. Chez Marie Tatin, maintenant, l'atmosphère était plus chaude, plus épaisse. On avait fumé des pipes et des pipes. Une famille de paysans, à une table, mangeait les victuailles apportées de la ferme et buvait de grands bols de café. Le père coupait avec son canif une saucisse séchée.

Les jeunes buvaient de la limonade, les vieux du marc. Et Marie Tatin trottinait sans arrêt.

Dans un coin, une femme se leva à l'arrivée du commissaire, fit un pas vers lui, troublée, hésitante, la lèvre humide. Elle avait la main sur l'épaule d'un gamin dont Maigret reconnut les cheveux roux.

— C'est monsieur le commissaire ?

Tout le monde regardait de son côté.

— Je veux d'abord vous dire, monsieur le commissaire, qu'on a toujours été honnête dans la famille ! Et pourtant on est pauvre… Vous comprenez ?… Quand j'ai vu que Ernest…

Le gosse, tout pâle, regardait fixement devant lui, sans manifester la moindre émotion.

— C'est toi qui as pris le missel ? questionna Maigret en se penchant.

Pas de réponse. Un regard aigu, farouche.

— Réponds donc à monsieur le commissaire…

Mais le gamin ne desserrait pas les dents. Ce fut vite fait ! La mère lui envoya une gifle qui se marqua en rouge sur la joue gauche. La tête du gosse oscilla un moment. Les yeux devinrent un peu plus humides, les lèvres frémirent, mais il ne bougea pas.

— Est-ce que tu vas répondre, malheur de ma vie ?

Et, à Maigret :

— Voilà les enfants d'aujourd'hui ! Il y a des mois qu'il pleure pour que je lui achète un missel ! Un gros comme celui de monsieur le curé ! Est-ce que vous imaginez ça ?… Alors, quand on m'a parlé du missel de madame la comtesse, j'ai tout de suite pensé… Et puis ! cela m'avait étonné de le voir revenir entre la deuxième messe et la troisième, parce que d'habitude il mange au presbytère… Je suis allée dans la chambre et j'ai trouvé ça sous le matelas…

Une seconde fois la main de la mère s'abattit sur la joue de l'enfant, qui ne fit pas un geste pour parer le coup.

— À son âge, je ne savais pas lire, moi ! N'empêche que je n'aurais jamais eu assez de vice pour voler un livre…

Il régnait dans l'auberge un silence respectueux. Maigret avait le missel dans les mains.

— Je vous remercie, madame…

Il avait hâte de l'examiner. Il fit mine de marcher vers le fond de la salle.

— Monsieur le commissaire…

La femme le rappelait. Elle était déroutée.

— On m'avait dit qu'il y avait une récompense… Ce n'est pas parce que Ernest…

Maigret lui tendit vingt francs, qu'elle rangea soigneusement dans son réticule. Après quoi elle entraîna son fils vers la porte en grondant :

— Et toi, gibier de bagne, tu vas voir ce que tu prendras…

Le regard de Maigret rencontra celui du gamin. Ce fut l'affaire de quelques secondes. N'empêche qu'ils comprirent l'un et l'autre qu'ils étaient amis.

Peut-être parce que Maigret, jadis, avait eu envie – sans jamais en posséder ! – d'un missel doré sur tranche, avec non seulement l'ordinaire de la messe, mais tous les textes liturgiques sur deux colonnes, en latin et en français.

— À quelle heure rentrerez-vous déjeuner ?

— Je ne sais pas.

Maigret faillit monter dans sa chambre pour examiner le missel mais le souvenir du toit qui laissait passer mille courants d'air lui fit choisir la grand-route.

C'est en marchant lentement vers le château qu'il ouvrit le livre relié aux armes des Saint-Fiacre. Ou plutôt il ne l'ouvrit pas. Le missel s'ouvrit de lui-même, à une page où un papier était intercalé entre deux feuillets.

Page 221. *Prière après la Communion.*

Ce qu'il y avait là, c'était un morceau de journal découpé à la diable et qui, dès le premier examen, avait drôle d'allure, comme s'il eût été mal imprimé.

Paris 1er novembre. Un dramatique suicide a eu lieu ce matin dans un appartement de la rue de Miromesnil occupé depuis plusieurs années par le comte de Saint-Fiacre et son amie, une Russe nommée Marie V…

Après avoir déclaré à son amie qu'il avait honte du scandale provoqué par certain membre de sa famille, le comte s'est tiré une balle de browning dans la tête et est mort quelques minutes plus tard sans avoir repris connaissance.

Nous croyons savoir qu'il s'agit d'un drame de famille particulièrement pénible et que la personne dont il est question ci-dessus n'est autre que la mère du désespéré.

Une oie qui divaguait sur le chemin tendait vers Maigret son bec large ouvert par la fureur. Les cloches sonnaient à toute volée et la foule sortait lentement, en piétinant, de la petite église d'où s'échappaient des odeurs d'encens et de cierges éteints.

Maigret avait poussé dans la poche de son pardessus le missel trop épais qui déformait le vêtement. Il s'était arrêté pour examiner ce terrible bout de papier.

L'arme du crime ! Un morceau de journal grand de sept centimètres sur cinq !

La comtesse de Saint-Fiacre se rendait à la première messe, s'agenouillait dans la stalle qui depuis deux siècles était réservée à ceux de sa famille.

Elle communiait. C'était prévu. Elle ouvrait son missel afin de lire la *Prière après la Communion.*

L'arme était là ! Et Maigret tournait le bout de papier en tous sens. Il lui trouvait quelque chose d'équivoque. Il observa entre autres l'alignement des caractères et fut persuadé que l'impression n'avait pas été faite sur rotative, comme c'est le cas pour un véritable journal.

Il s'agissait d'une simple épreuve, tirée à plat, à la main. La preuve, c'est que l'envers de la feuille portait exactement le même texte.

On ne s'était pas donné la peine de raffiner, ou bien on n'en avait pas eu le temps. La comtesse, d'ailleurs, aurait-elle l'idée de retourner le papier ? Ne serait-elle pas morte avant, d'émotion, d'indignation, de honte, d'angoisse ?

La physionomie de Maigret était effrayante, parce qu'il n'avait jamais vu un crime aussi lâche en même temps qu'aussi habile.

Et l'assassin avait eu l'idée d'avertir la police !

En supposant que le missel n'eût pas été retrouvé…

Oui ! C'était cela ! Le missel ne devait pas être retrouvé ! Et, dès lors, il était impossible de parler d'un crime, d'accuser qui que ce fût ! La comtesse était morte d'un arrêt brusque du cœur !

Il fit soudain demi-tour. Il arriva chez Marie Tatin alors que tout le monde parlait de lui et du missel.

— Vous savez où habite le petit Ernest ?

— Trois maisons après l'épicerie, dans la grand-rue…

Il s'y précipita. Une bicoque sans étage. Des agrandissements photographiques du père et de la mère au mur, des deux côtés du buffet. La femme, déjà déshabillée, était dans la cuisine qui sentait le rôti de bœuf.

— Votre fils n'est pas ici ?

— Il se déshabille. Ce n'est pas la peine qu'il salisse ses vêtements du dimanche… Vous avez vu comme je l'ai secoué !… Un enfant qui n'a que de bons exemples sous les yeux et qui…

Elle ouvrait une porte, criait :

— Viens ici, mauvais sujet !

Et on apercevait le gosse en caleçon, qui essayait de se cacher.

— Laissez-le s'habiller ! dit Maigret. Je lui parlerai après…

La femme continuait à préparer le déjeuner. Son mari devait être chez Marie Tatin à prendre l'apéritif.

Enfin la porte s'ouvrit et Ernest entra, sournois, vêtu de son costume de semaine dont les pantalons étaient trop longs.

— Viens te promener avec moi…

— Vous voulez… ? s'exclama la femme. Mais alors… Ernest… Va vite mettre ton beau costume…

— Ce n'est pas la peine, madame !… Viens, mon petit bonhomme…

La rue était déserte. Toute la vie du pays était concentrée sur la place, au cimetière et chez Marie Tatin.

— Demain, je te ferai cadeau d'un missel encore plus gros, avec les premières lettres de chaque verset en rouge…

Le gosse en fut ahuri. Ainsi, le commissaire savait qu'il existait des missels avec des lettrines rouges, comme celui qui figurait sur l'autel ?

— Seulement, tu vas me dire franchement où tu as pris celui-là ! Je ne te gronderai pas…

C'était curieux de voir naître chez le gamin la vieille méfiance paysanne ! Il se taisait ! Il était déjà sur la défensive !

— Est-ce sur le prie-Dieu que tu l'as trouvé ?

Silence ! Il avait les joues et le dessus du nez piquetés de taches de rousseur. Ses lèvres charnues s'essayaient à l'impassibilité.

— Tu n'as pas compris que j'étais ton grand ami ?

— Oui… Vous avez donné vingt francs à maman…

— Et alors ?…

Le gosse tenait sa vengeance.

— En rentrant, maman m'a dit qu'elle ne m'avait giflé que pour la frime et elle m'a donné cinquante centimes…

Tac ! Il savait ce qu'il faisait, celui-là ! Quelles pensées roulait-il dans sa tête trop grosse pour son corps maigre ?

— Et le sacristain ?

— Il ne m'a rien dit…

— Qui a pris le missel sur le prie-Dieu ?

— Je ne sais pas…

— Et toi, où l'as-tu trouvé ?

— Sous mon surplis, dans la sacristie... Je devais aller manger au presbytère. J'avais oublié mon mouchoir... En bougeant le surplis, j'ai senti quelque chose de dur...

— Le sacristain était là ?

— Il était dans l'église, occupé à éteindre les cierges... Vous savez ! ceux avec les lettres rouges coûtent très cher...

Autrement dit, quelqu'un avait pris le missel sur le prie-Dieu, l'avait caché momentanément dans la sacristie, sous le surplis de l'enfant de chœur, avec l'idée, évidemment, de venir le reprendre !

— Tu l'as ouvert ?

— Je n'ai pas eu le temps... Je voulais avoir mon œuf à la coque... Parce que le dimanche...

— Je sais...

Et Ernest se demanda comment cet homme de la ville pouvait savoir que le dimanche il avait un œuf et des confitures au presbytère.

— Tu peux aller...

— C'est vrai que j'aurai... ?

— Un missel, oui... Demain... Au revoir, mon garçon...

Maigret lui tendit la main et le gamin fut un instant à hésiter avant de donner la sienne.

— Je sais bien que ce sont des blagues ! dit-il néanmoins en s'éloignant.

Un crime en trois temps : quelqu'un avait composé ou fait composer l'article, à l'aide d'une linotype, qu'on ne trouve que dans un journal ou dans une imprimerie très importante.

Quelqu'un avait glissé le papier dans le missel en choisissant la page.

Et quelqu'un avait repris le missel, l'avait caché momentanément sous le surplis, dans la sacristie.

Peut-être le même homme avait-il tout fait ? Peut-être chaque geste avait-il un auteur différent ? Peut-être deux de ces gestes avaient-ils le même auteur ?

Comme il passait devant l'église, Maigret vit le curé qui en sortait et qui se dirigeait vers lui. Il l'attendit sous les peupliers, près de la marchande d'oranges et de chocolat.

— Je vais au château… dit-il en rejoignant le commissaire. C'est la première fois que je célèbre la messe sans même savoir ce que je fais… L'idée qu'un crime…

— C'est bien un crime ! laissa tomber Maigret.

Ils marchèrent en silence. Sans mot dire, le commissaire tendit le bout de papier à son compagnon qui le lut, le rendit.

Et ils parcoururent encore cent mètres sans prononcer une parole.

— Le désordre appelle le désordre… Mais c'était une pauvre créature…

Ils devaient l'un et l'autre tenir leur chapeau, à cause de la bise qui redoublait de violence.

— Je n'ai pas eu assez d'énergie… ajoutait le prêtre d'une voix sombre.

— Vous ?

— Tous les jours elle me revenait… Elle était prête à rentrer dans les voies du Seigneur… Mais tous les jours, là-bas…

Il y eut de l'âpreté dans son accent.

— Je ne voulais pas y aller ! Et pourtant c'était mon devoir...

Ils faillirent s'arrêter, parce que deux hommes marchaient le long de la grande allée du château et qu'ils allaient les rencontrer. On reconnaissait le docteur, avec sa barbiche brune, et, près de lui, le maigre et long Jean Métayer qui discourait toujours avec fièvre. L'auto jaune était dans la cour. On devinait que Métayer n'osait pas rentrer au château tant que le comte de Saint-Fiacre y était.

Une lumière équivoque sur le village. Une situation équivoque ! Des allées et venues imprécises !

— Venez ! dit Maigret.

Et le docteur dut dire la même chose au secrétaire qu'il entraîna jusqu'au moment où il put lancer :

— Bonjour, monsieur le curé ! Vous savez ! je suis en mesure de vous rassurer... Tout mécréant que je sois, je devine votre angoisse à l'idée qu'un crime a pu être commis dans votre église... Eh bien ! non... La science est formelle... *Notre* comtesse est morte d'un arrêt du cœur...

Maigret s'était approché de Jean Métayer.

— Une question...

Il sentait le jeune homme nerveux, haletant d'angoisse.

— Quand êtes-vous allé pour la dernière fois au *Journal de Moulins* ?

— Je... attendez...

Il allait parler. Mais sa méfiance fut mise en éveil. Il lança au commissaire un regard soupçonneux.

— Pourquoi me demandez-vous ça ?

— Peu importe !

— Je suis obligé de répondre ?

— Vous êtes libre de vous taire !

Peut-être pas tout à fait une tête de dégénéré, mais une tête inquiète, tourmentée. Une nervosité fort au-dessus de la moyenne, capable d'intéresser le Dr Bouchardon, qui parlait au curé.

— Je sais que c'est à moi qu'on fera des misères !... Mais je me défendrai...

— Entendu ! Vous vous défendrez !

— Je veux d'abord voir un avocat... C'est mon droit... D'ailleurs, à quel titre êtes-vous... ?

— Un instant ! Vous avez fait du droit ?

— Deux ans !

Il essayait de reprendre contenance, de sourire.

— Il n'y a ni plainte, ni flagrant délit... Donc, vous n'avez aucune qualité pour...

— Très bien ! Dix sur dix !

— Le docteur affirme...

— Et moi, je prétends que la comtesse a été tuée par le plus répugnant des saligauds. Lisez ceci !

Et Maigret lui tendit le papier imprimé. Tout raide, soudain, Jean Métayer regarda son compagnon comme s'il allait lui cracher au visage.

— Un... vous avez dit un... ? Je ne vous permets...

Et le commissaire, lui posant doucement la main sur l'épaule :

— Mais, mon pauvre garçon, je ne vous ai encore rien dit, *à vous* ! Où est le comte ? Lisez toujours. Vous me rendrez ce papier tout à l'heure...

Une flamme de triomphe dans les yeux de Métayer.

— Le comte discute chèques avec le régisseur !... Vous les trouverez dans la bibliothèque !...

Le prêtre et le docteur marchaient devant et Maigret entendit la voix du médecin qui disait :

— Mais non, monsieur le curé ! C'est humain ! Archihumain ! Si seulement vous aviez fait un peu de physiologie au lieu d'éplucher les textes de saint Augustin...

Et le gravier crissait sous les pas des quatre hommes qui gravirent lentement les marches du perron rendues plus blanches et plus dures par le froid.

4

Marie Vassiliev

Maigret ne pouvait être partout. Le château était vaste. C'est pourquoi il n'eut qu'une idée approximative des événements de la matinée.

C'était l'heure où, le dimanche et les jours de fête, les paysans retardent le moment de rentrer chez eux, savourant le plaisir d'être en groupe, bien habillés, sur la place du village ou bien au café. Quelques-uns étaient déjà ivres. D'autres parlaient trop fort. Et les gosses aux habits roides regardaient leur papa avec admiration.

Au château de Saint-Fiacre, Jean Métayer, le teint jaunâtre, s'était dirigé, tout seul, vers le premier étage, où on l'entendait aller et venir dans une pièce.

— Si vous voulez venir avec moi… disait le docteur au prêtre.

Et il l'entraînait vers la chambre de la morte.

Au rez-de-chaussée, un large corridor courait tout le long du bâtiment, percé d'un rang de portes.

Maigret percevait un bourdonnement de voix. On lui avait dit que le comte de Saint-Fiacre et le régisseur étaient dans la bibliothèque.

Il voulut y pénétrer, se trompa de porte, se trouva dans le salon. La porte de communication avec la bibliothèque était ouverte. Dans un miroir à cadre doré, il aperçut l'image du jeune homme, assis sur un coin de bureau, l'air accablé, et celle du régisseur, bien calé sur ses courtes pattes.

— Vous auriez dû comprendre que ce n'était pas la peine d'insister ! disait Gautier. Surtout quarante mille francs !

— Qui est-ce qui m'a répondu au téléphone ?

— Monsieur Jean, naturellement !

— Si bien qu'il n'a même pas fait la commission à ma mère !

Maigret toussa, pénétra dans la bibliothèque.

— De quelle communication téléphonique parlez-vous ?

Et Maurice de Saint-Fiacre répondit sans embarras :

— De celle que j'ai eue avant-hier avec le château. Comme je vous l'ai déjà dit, j'avais besoin d'argent. Je voulais demander à ma mère la somme nécessaire. Mais c'est ce... ce... enfin ce monsieur Jean, comme on dit ici, que j'ai eu au bout du fil...

— Et il vous a répondu qu'il n'y avait rien à faire ? Vous êtes venu quand même...

Le régisseur observait les deux hommes. Maurice avait quitté le bureau sur lequel il était perché.

— Ce n'est d'ailleurs pas pour parler de cela que j'ai pris Gautier à part ! dit-il avec nervosité. Je ne vous ai pas caché la situation, commissaire. Demain, plainte sera déposée contre moi. Il est bien évident que, ma mère morte, je suis le seul héritier naturel. J'ai donc demandé à Gautier de trouver les quarante mille francs pour demain matin… Eh bien ! il paraît que c'est impossible…

— Tout à fait impossible ! répéta le régisseur.

— Soi-disant, on ne peut rien faire avant l'intervention du notaire, qui ne réunira les intéressés qu'après les obsèques. Et Gautier ajoute que, même sans cela, il serait difficile de trouver quarante mille francs à emprunter sur les biens qui restent…

Il s'était mis à marcher de long en large.

— C'est clair, n'est-ce pas ? C'est net ! Il y a des chances pour qu'on ne me laisse même pas conduire le deuil… Mais, au fait… Une question encore… Vous avez parlé de crime… Est-ce que… ?

— Il n'y a pas et il n'y aura probablement pas de plainte déposée, dit Maigret. Le Parquet ne sera donc pas saisi de l'affaire…

— Laissez-nous, Gautier !

Et, dès que le régisseur fut sorti, à regret :

— Un crime, vraiment ?

— Un crime qui ne regarde pas la police officielle !

— Expliquez-vous… Je commence à…

Mais on entendit une voix de femme dans le hall, accompagnée de la voix plus grave du régisseur. Maurice sourcilla, se dirigea vers la porte qu'il ouvrit d'un geste brusque.

— Marie ? Qu'est-ce que… ?

— Maurice ! Pourquoi ne me laisse-t-on pas entrer ?... C'est intolérable ! Il y a une heure que j'attends à l'hôtel...

Elle parlait avec un accent étranger très prononcé. C'était Marie Vassiliev, qui était arrivée de Moulins dans un vieux taxi qu'on voyait dans la cour.

Elle était grande, très belle, d'une blondeur peut-être artificielle. Voyant que Maigret la détaillait, elle se mit à parler anglais avec volubilité et Maurice lui répondit dans la même langue.

Elle lui demandait s'il avait de l'argent. Il répondait qu'il n'en était plus question, que sa mère était morte, qu'elle devait regagner Paris, où il la rejoindrait bientôt.

Alors elle ricanait :

— Avec quel argent ? Je n'ai même pas de quoi payer le taxi !

Et Maurice de Saint-Fiacre commençait à s'affoler. La voix aiguë de sa maîtresse résonnait dans le château et donnait à la scène un air de scandale.

Le régisseur était toujours dans le corridor.

— Si tu restes ici, je resterai avec toi ! déclarait Marie Vassiliev.

Et Maigret ordonnait à Gautier :

— Renvoyez la voiture et payez le chauffeur.

Le désordre croissait. Non pas un désordre matériel, réparable, mais un désordre moral qui semblait contagieux. Gautier lui-même perdait pied.

— Il faut pourtant que nous causions, commissaire... vint dire le jeune homme.

— Pas maintenant !

Et il lui montrait la femme d'une élégance agressive qui allait et venait dans la bibliothèque et dans le salon avec l'air d'en faire l'inventaire.

— De qui est ce stupide portrait, Maurice ? s'écriait-elle en riant.

Des pas dans l'escalier. Maigret vit passer Jean Métayer, qui avait revêtu un ample pardessus et qui tenait à la main un sac de voyage. Métayer devait se douter qu'on ne le laisserait pas partir, car il s'arrêta devant la porte de la bibliothèque, attendit.

— Où allez-vous ?

— À l'auberge ! Il est plus digne de ma part de…

Maurice de Saint-Fiacre, pour se débarrasser de sa maîtresse, la conduisait vers une chambre de l'aile droite du château. Tous deux continuaient à discuter en anglais.

— C'est vrai qu'on ne trouverait pas à emprunter quarante mille francs sur le château ? demanda Maigret au régisseur.

— Ce serait difficile.

— Eh bien ! faites quand même l'impossible, dès demain matin !

Le commissaire hésita à sortir. Au dernier moment il se décida à gagner le premier étage et là une surprise l'attendait. Tandis qu'en bas les gens s'agitaient comme sans but, on avait mis de l'ordre, là-haut, dans la chambre de la comtesse de Saint-Fiacre.

Le docteur, aidé de la femme de chambre, avait fait la toilette du cadavre.

Ce n'était plus l'atmosphère équivoque et sordide du matin ! Ce n'était plus le même corps.

La morte, vêtue d'une chemise de nuit blanche, était étendue sur son lit à baldaquin dans une attitude paisible et digne, les mains jointes sur un crucifix.

Déjà il y avait des cierges allumés, de l'eau bénite et un brin de buis dans une coupe.

Bouchardon regarda Maigret qui entrait et il eut l'air de dire : « Eh bien ! Qu'est-ce que vous en pensez ? Est-ce du beau travail ? »

Le prêtre priait en remuant les lèvres sans bruit. Il resta seul avec la morte tandis que les deux autres s'en allaient.

Les groupes s'étaient raréfiés, sur la place, devant l'église. À travers les rideaux des maisons, on voyait les familles attablées pour le déjeuner.

L'espace de quelques secondes, le soleil essaya de percer la couche de nuages mais l'instant d'après déjà le ciel redevenait glauque et les arbres frissonnaient de plus belle.

Jean Métayer était installé dans le coin proche de la fenêtre et il mangeait machinalement en regardant la route vide. Maigret avait pris place à l'autre bout de la salle de l'auberge. Entre eux deux, il y avait une famille d'un village voisin, arrivée dans une camionnette, qui avait apporté ses provisions et à qui Marie Tatin servait à boire.

La pauvre Tatin était affolée. Elle ne comprenait plus rien aux événements. D'habitude, elle ne louait que de temps en temps une chambre mansardée à un ouvrier qui venait faire des réparations au château ou dans une ferme.

Et voilà qu'outre Maigret elle avait un nouveau pensionnaire : le secrétaire de la comtesse.

Elle n'osait questionner personne. Toute la matinée elle avait entendu les choses effrayantes racontées par ses clients. Elle avait entendu entre autres parler de police !

— J'ai bien peur que le poulet soit trop cuit… dit-elle en servant Maigret.

Et le ton était le même que pour dire, par exemple : « J'ai peur de tout ! Je ne sais pas ce qui se passe ! Sainte Vierge, protégez-moi ! »

Le commissaire la regardait avec attendrissement. Elle avait toujours eu ce même aspect craintif et souffreteux.

— Te souviens-tu, Marie, de…

Elle écarquillait les yeux. Elle esquissait déjà un mouvement de défense.

— … de l'histoire des grenouilles !

— Mais… qui…

— Ta mère t'avait envoyée cueillir des champignons, dans le pré qui est derrière l'étang Notre-Dame… Trois gamins jouaient de ce côté… Ils ont profité d'un moment où tu pensais à autre chose pour remplacer les champignons par des grenouilles, dans le panier… Et tout le long du chemin tu avais peur parce que des choses grouillaient…

Depuis quelques instants elle le regardait avec attention et elle finit par balbutier :

— Maigret ?

— Attention ! Il y a monsieur Jean qui a fini son poulet et qui attend la suite.

Et voilà Marie Tatin qui n'était plus la même, qui était plus troublée encore, mais avec des bouffées de confiance.

Quelle drôle de vie ! Des années et des années sans un petit incident, sans rien qui vînt rompre la monotonie des jours. Et puis, tout d'un coup, des événements incompréhensibles, des drames, des choses qu'on ne lit même pas dans les journaux !

Tout en servant Jean Métayer et les paysans, elle lançait parfois à Maigret un regard complice. Quand il eut fini, elle proposa timidement :

— Vous prendrez bien un petit verre de marc ?

— Tu me tutoyais, jadis, Marie !

Elle rit. Non, elle n'osait plus !

— Mais tu n'as pas déjeuné, toi !

— Oh si ! Je mange toujours à la cuisine, sans m'arrêter... Une bouchée maintenant... Une bouchée plus tard...

Une moto passa sur la route. On distingua vaguement un jeune homme plus élégant que la plupart des habitants de Saint-Fiacre.

— Qui est-ce ?

— Vous ne l'avez pas vu ce matin ? Émile Gautier, le fils du régisseur.

— Où va-t-il ?

— Sans doute à Moulins ! C'est presque un jeune homme de la ville. Il travaille dans une banque...

On voyait des gens sortir de chez eux, se promener sur la route ou se diriger vers le cimetière.

Chose étrange, Maigret avait sommeil. Il se sentait harassé comme s'il eût fourni un effort exceptionnel.

Et ce n'était pas parce qu'il s'était levé à cinq heures et demie du matin, ni parce qu'il avait pris froid.

C'était plutôt l'ambiance qui l'écrasait. Il se sentait atteint personnellement par le drame, écœuré.

Oui, écœuré ! C'était bien le mot ! Il n'avait jamais imaginé qu'il retrouverait son village dans ces conditions. Jusqu'à la tombe de son père, dont la pierre était devenue toute noire et où on était venu lui interdire de fumer !

En face de lui, Jean Métayer paradait. Il se savait observé. Il mangeait en s'efforçant d'être calme, voire d'esquisser un vague sourire méprisant.

— Un verre d'alcool ? lui proposa, à lui aussi, Marie Tatin.

— Merci ! je ne bois jamais d'alcool…

Il était bien élevé. Il tenait, en toutes circonstances, à faire montre de sa bonne éducation. À l'auberge, il mangeait avec les mêmes gestes précieux qu'au château.

Son repas fini, il demanda :

— Vous avez le téléphone ?

— Non, mais en face, à la cabine…

Il traversa la route, pénétra dans l'épicerie tenue par le sacristain, où était installée la cabine. Il dut demander une communication lointaine car on le vit attendre longtemps dans la boutique, fumant cigarette sur cigarette.

Quand il revint, les paysans avaient quitté l'auberge. Marie Tatin lavait les verres en prévision des vêpres qui amèneraient de nouveaux clients.

— À qui avez-vous téléphoné ? Remarquez que je puis le savoir en allant jusqu'à l'appareil…

— À mon père, à Bourges.

La voix était sèche, agressive.

— Je lui ai demandé de m'envoyer immédiatement un avocat.

Il faisait penser à un ridicule roquet qui montre les dents avant qu'on fasse mine de le toucher.

— Vous êtes si sûr que cela d'être inquiété ?

— Je vous prierai de ne plus m'adresser la parole avant l'arrivée de mon avocat. Croyez que je regrette qu'il n'existe qu'une seule auberge dans le pays.

Entendit-il le mot que grommela le commissaire en s'éloignant ?

— Crétin !... Sale petit crétin...

Et Marie Tatin, sans savoir pourquoi, avait peur de rester seule avec lui.

La journée devait être marquée jusqu'au bout par le signe du désordre, de l'indécision, sans doute parce que personne ne se sentait qualifié pour prendre la direction des événements.

Maigret, engoncé dans son lourd pardessus, errait dans le village. On le voyait tantôt sur la place de l'église, tantôt aux environs du château dont les fenêtres s'éclairaient les unes après les autres.

Car la nuit tombait vite. L'église était illuminée, toute vibrante de la voix des orgues. Le sonneur ferma la grille du cimetière.

Et des groupes à peine visibles dans la nuit s'interrogeaient. On ne savait pas s'il convenait de défiler au chevet de la morte. Deux hommes partirent les premiers, furent reçus par le maître d'hôtel qui ignorait lui aussi ce qu'il devait faire. Il n'y avait pas de plateau préparé pour les cartes de visite. On chercha Maurice de Saint-Fiacre pour lui demander son avis et la Russe répondit qu'il était allé prendre l'air.

Elle était couchée, elle, tout habillée, et elle fumait des cigarettes à bout de carton.

Alors le domestique laissa entrer les gens en esquissant un geste d'indifférence.

Ce fut le signal. Au sortir des vêpres, il y eut des conciliabules.

— Mais si ! Le père Martin et le jeune Bonnet y sont déjà allés !

Tout le monde y alla, en procession. Le château était mal éclairé. Les paysans longeaient le couloir et les silhouettes se découpaient tour à tour sur chaque fenêtre. On tirait les enfants par la main. On les secouait pour les empêcher de faire du bruit.

L'escalier ! Le corridor du premier étage ! Et enfin la chambre, où ces gens pénétraient pour la première fois.

Il n'y avait là que la domestique de la comtesse qui assistait avec effroi à l'invasion. Les gens faisaient le signe de croix avec un brin de buis trempé dans l'eau bénite. Les plus audacieux murmuraient à mi-voix :

— On dirait qu'elle dort !

Et d'autres, en écho :

— Elle n'a pas souffert…

Puis les pas résonnaient sur le parquet disjoint. Les marches de l'escalier craquaient. On entendait :

— Chut !… Tiens bien la rampe…

La cuisinière, dans sa cuisine en sous-sol, ne voyait que les jambes des gens qui passaient.

Maurice de Saint-Fiacre rentra au moment où la maison était ainsi envahie. Il regarda les paysans avec des yeux ronds. Les visiteurs se demandaient s'ils devaient lui parler. Mais il se contenta de les saluer de la tête et de pénétrer dans la chambre de Marie Vassiliev où on entendit parler anglais.

Maigret, lui, était dans l'église. Le bedeau, l'éteignoir à la main, allait de cierge en cierge. Le prêtre retirait ses vêtements sacerdotaux dans la sacristie.

À gauche et à droite, les confessionnaux avec leurs petits rideaux verts destinés à abriter les pénitents des regards. Maigret se souvenait du temps où son visage n'arrivait pas assez haut pour être caché par le rideau.

Derrière lui, le sonneur, qui ne l'avait pas vu, fermait la grande porte, tirait les verrous.

Alors soudain le commissaire traversa la nef, pénétra dans la sacristie où le prêtre s'étonna de le voir surgir.

— Excusez-moi, monsieur le curé ! Avant toutes choses, je voudrais vous poser une question…

Devant lui, le visage régulier du prêtre était grave, mais il semblait à Maigret que les yeux étaient brillants de fièvre.

— Ce matin, il s'est passé un événement troublant. Le missel de la comtesse, qui se trouvait sur son prie-Dieu, a soudain disparu et a été retrouvé caché sous le surplis de l'enfant de chœur, dans cette pièce même…

Silence. Le bruit des pas du sacristain sur le tapis de l'église. Les pas plus lourds du sonneur qui s'en allait par une porte latérale.

— Quatre personnes seulement ont pu... Je vous demande de m'excuser... L'enfant de chœur, le sacristain, le sonneur et...

— Moi !

La voix était calme. Le visage du prêtre n'était éclairé que d'un côté par la flamme mobile d'une bougie. D'un encensoir, un mince filet de fumée bleue montait en spirales vers le plafond.

— C'est... ?

— C'est moi qui ai pris le missel et qui l'ai posé ici, en attendant...

La boîte à hosties, les burettes, la sonnette à deux sons étaient à leur place comme au temps où le petit Maigret était enfant de chœur.

— Vous saviez ce que contenait le missel ?

— Non.

— Dans ce cas...

— Je suis obligé de vous demander de ne plus me poser de questions, monsieur Maigret. C'est le secret de la confession...

Association involontaire d'idées. Le commissaire se souvint du catéchisme, dans la salle à manger du presbytère. Et de l'image d'Épinal qui s'était composée dans son esprit quand le vieux curé avait raconté l'histoire d'un prêtre du Moyen Âge qui s'était laissé arracher la langue plutôt que de trahir le secret du confessionnal.

Il la retrouvait telle quelle sur sa rétine, après trente-cinq ans.

— Vous connaissez l'assassin... murmura-t-il cependant.

— Dieu le connaît... Excusez-moi... Je dois aller voir un malade...

On sortit par le jardin du presbytère. Une petite grille séparait celui-ci de la route. Des gens, là-bas, quittaient le château, restaient groupés à quelque distance pour discuter de l'événement.

— Vous croyez, monsieur le curé, que votre place n'est pas...

Mais on se heurtait au docteur qui grommelait dans sa barbiche :

— Dites donc, curé ! Vous ne trouvez pas que cela finira par ressembler à une foire ?... Il faut qu'on aille mettre de l'ordre, là-bas, ne fût-ce que pour sauvegarder le moral des paysans !... Ah ! vous êtes ici, commissaire !... Eh bien ! vous faites du joli... À cette heure, la moitié du village accuse le jeune comte de... Surtout depuis l'arrivée de cette femme !... Le régisseur va voir les fermiers pour réunir les quarante mille francs qui, paraît-il, sont nécessaires à...

— Zut !

Maigret s'éloignait. Il en avait trop gros sur le cœur. Et ne l'accusait-on pas d'être la cause de ce désordre ? Quelle maladresse avait-il commise ? Qu'est-ce qu'il avait fait, lui ? Il aurait tout donné pour voir les événements se dérouler dans une atmosphère de dignité !

Il marcha à grands pas vers l'auberge, qui était à moitié pleine. Il n'entendit qu'une bribe de phrase :

— Paraît que si on ne les trouve pas il ira en prison...

Marie Tatin était l'image de la désolation. Elle allait et venait, alerte, trottinant comme une vieille, bien qu'elle n'eût pas plus de quarante ans.

— C'est pour vous, la limonade ?... Qui a commandé deux bocks ?...

Dans son coin, Jean Métayer écrivait, en levant parfois la tête pour prêter l'oreille aux conversations.

Maigret s'approcha de lui, ne put lire les pattes de mouches mais vit que les alinéas étaient bien divisés, avec seulement quelques ratures, et précédés chacun d'un chiffre :

1°.....

2°.....

3°.....

Le secrétaire préparait sa défense, en attendant son avocat !

Une femme disait à deux mètres de là :

— Il n'y avait même pas de draps propres et on a dû aller en demander à la femme du régisseur...

Pâle, les traits tirés, mais le regard volontaire, Jean Métayer écrivait :

4°.....

5

Le deuxième jour

Maigret eut ce sommeil agité et voluptueux tout ensemble qu'on n'a que dans une chambre froide de campagne qui sent l'étable, les pommes d'hiver et le foin. Partout autour de lui voletaient des courants d'air. Et les draps étaient glacés, sauf à l'endroit exact, au creux moelleux, intime, qu'il avait réchauffé de son corps. Si bien que, recroquevillé, il évitait de faire le moindre mouvement.

À plusieurs reprises, il avait entendu la toux sèche de Jean Métayer dans la mansarde voisine. Puis ce furent les pas furtifs de Marie Tatin qui se levait.

Il resta encore quelques minutes au lit. Quand il eut allumé la bougie, le courage lui manqua pour faire sa toilette avec l'eau glaciale du broc et il remit ce soin à plus tard, descendit en pantoufles, sans faux col.

En bas, Marie Tatin versait du pétrole sur le feu qui ne voulait pas prendre. Elle avait les cheveux roulés sur des épingles et elle rougit en voyant surgir le commissaire.

— Il n'est pas encore sept heures… Le café n'est pas prêt…

Maigret avait une petite inquiétude. Dans son demi-sommeil, une demi-heure auparavant, il croyait avoir entendu passer une auto. Or, Saint-Fiacre n'est pas sur la grand-route. Il n'y a guère que l'autobus à traverser le village, une fois par jour.

— L'autobus n'est pas parti, Marie ?

— Jamais avant huit heures et demie ! Et plus souvent neuf heures…

— C'est déjà la messe que l'on sonne ?

— Oui ! L'hiver, elle est à sept heures, l'été à six… Si vous voulez vous réchauffer.

Elle lui montrait le feu qui flambait enfin.

— Tu ne peux pas te décider à me tutoyer ?

Maigret s'en voulut en surprenant un sourire de coquetterie sur le visage de la pauvre fille.

— Le café sera fait dans cinq minutes…

Il ne ferait pas jour avant huit heures. Le froid était encore plus vif que la veille. Maigret, le col du pardessus relevé, le chapeau enfoncé jusqu'aux yeux, marcha lentement vers la tache lumineuse de l'église.

Ce n'était plus jour de fête. Il y avait en tout trois femmes dans la nef. Et la messe avait quelque chose de bâclé, de furtif. Le prêtre allait trop vite d'un coin de l'autel à l'autre. Trop vite il se retournait, bras étendus, pour murmurer en dévorant des syllabes :

— *Dominus vobiscum !*

L'enfant de chœur, qui avait peine à le suivre, disait *Amen* à contretemps, se précipitait sur sa sonnette.

Est-ce que la panique allait recommencer ? On entendait le murmure des prières liturgiques et parfois une aspiration de l'officiant qui, entre deux mots, reprenait haleine.

— *Ite missa est...*

Est-ce que cette messe-là avait duré douze minutes ? Les trois femmes se levaient. Le curé récitait le dernier Évangile. Une auto s'arrêtait devant l'église et bientôt on entendait des pas hésitants sur le parvis.

Maigret était resté dans le fond de la nef, debout tout contre la porte. Aussi, quand celle-ci s'ouvrit, le nouveau venu se trouva-t-il littéralement nez à nez avec lui.

C'était Maurice de Saint-Fiacre. Il fut si surpris qu'il faillit battre en retraite en murmurant :

— Pardon... je...

Mais il fit un pas en avant, s'efforça de reprendre son aplomb.

— La messe est finie ?

Il était dans un état flagrant de nervosité. Ses yeux étaient cernés comme s'il n'eût pas dormi de la nuit. Et, en ouvrant la porte, il avait apporté du froid avec lui.

— Vous venez de Moulins ?

Les deux hommes parlaient du bout des lèvres tandis que le prêtre récitait la prière après l'Évangile et que les femmes fermaient leur livre de messe, reprenaient parapluie et sac à main.

— Comment le savez-vous ?... Oui... je...

— Voulez-vous que nous sortions ?

Le prêtre et l'enfant de chœur étaient entrés dans la sacristie et le bedeau éteignait les deux cierges qui avaient suffi à la messe basse.

L'horizon, dehors, était un peu plus clair. Le blanc des maisons proches se détachait de la pénombre. L'auto jaune était là, entre les arbres de la place.

Le malaise de Saint-Fiacre était évident. Il regardait Maigret avec quelque surprise, étonné peut-être de le voir non rasé, sans faux col sous son manteau.

— Vous vous êtes levé bien tôt !... murmurait le commissaire.

— Le premier train, qui est un rapide, part de Moulins à sept heures trois...

— Je ne comprends pas ! Vous n'avez pas pris le train puisque...

— Vous oubliez Marie Vassiliev...

C'était tout simple ! Et naturel ! La présence de la maîtresse de Maurice ne pouvait qu'être gênante au château ! Il la conduisait donc à Moulins en auto, la mettait dans le train de Paris, revenait et, en passant, pénétrait dans l'église éclairée.

Et pourtant Maigret n'était pas satisfait. Il essayait de suivre les regards anxieux du comte qui semblait attendre ou craindre quelque chose.

— Elle n'a pas l'air commode ! insinua le commissaire.

— Elle a connu des jours meilleurs. Alors, elle est très susceptible... L'idée que je pourrais avoir envie de cacher notre liaison...

— Qui dure depuis longtemps ?

— Un peu moins d'un an... Marie n'est pas intéressée... Il y a eu des moments pénibles...

Son regard s'était enfin fixé sur un point. Maigret le suivit et aperçut, derrière lui, le curé qui venait de sortir de l'église. Il eut l'impression que les deux regards se croisaient, que le prêtre se montrait aussi embarrassé que le comte de Saint-Fiacre.

Le commissaire allait l'interpeller. Mais déjà, avec une hâte maladroite, le curé lançait vers les deux hommes un salut assez bref et pénétrait dans le presbytère, comme s'il fuyait.

— Il n'a pas l'aspect d'un curé de campagne…

Maurice ne répondit pas. Par la fenêtre éclairée on voyait le prêtre attablé devant son petit déjeuner, la servante qui lui apportait une cafetière fumante.

Des gamins, sac au dos, commençaient à se diriger vers l'école. La surface de l'étang Notre-Dame devenait couleur de miroir.

— Quelles dispositions avez-vous prises pour… commença Maigret.

Et son interlocuteur, beaucoup trop vivement :

— Pour quoi ?

— Pour les obsèques… Est-ce que, cette nuit, quelqu'un a veillé dans la chambre mortuaire ?

— Non ! Il en a été question un moment… Gautier a prétendu que cela ne se faisait plus…

On entendit le roulement d'un moteur à deux temps, dans la cour du château. Quelques instants plus tard une moto passait sur la route et se dirigeait vers Moulins. Maigret reconnut le fils Gautier, qu'il avait aperçu la veille. Il était vêtu d'un imperméable beige, coiffé d'une casquette à petits carreaux.

Maurice de Saint-Fiacre ne savait quelle contenance prendre. Il n'osait pas remonter dans sa voiture. Et il n'avait rien à dire au commissaire.

— Gautier a trouvé les quarante mille francs ?

— Non... Oui... c'est-à-dire...

Maigret le regarda curieusement, surpris de le voir se troubler à tel point.

— Les a-t-il trouvés, oui ou non ? J'ai eu l'impression, hier, qu'il y mettait de la mauvaise volonté. Car, malgré tout, malgré les hypothèques et les dettes, on réalisera beaucoup plus que cette somme...

Eh bien, non ! Maurice ne répondait pas ! Il avait l'air affolé, sans raison apparente. Et la phrase qu'il prononça n'avait aucun lien avec la conversation précédente.

— Dites-moi franchement, commissaire... Est-ce que vous me soupçonnez ?

— De quoi ?

— Vous le savez bien... J'ai besoin de savoir...

— Je n'ai pas plus de raisons de vous soupçonner qu'un autre... répondit évasivement Maigret.

Et son compagnon sauta sur cette affirmation.

— Merci !... Eh bien ! c'est ce qu'il faut dire aux gens... Vous comprenez ?... Sinon, ma position n'est pas tenable...

— À quelle banque votre chèque doit-il être présenté ?

— Au Comptoir d'Escompte...

Une femme se dirigeait vers le lavoir, poussant une brouette qui supportait deux paniers de linge. Le prêtre, chez lui, marchait de long en large en lisant son bréviaire mais le commissaire avait l'impression qu'il lançait des regards anxieux aux deux hommes.

— Je vais vous rejoindre au château.

— Maintenant ?

— Dans un instant, oui.

C'était net : Maurice de Saint-Fiacre n'y tenait pas du tout ! Il montait dans sa voiture comme un condamné ! Et, derrière les vitres du presbytère, on pouvait voir le prêtre qui le regardait partir.

Maigret voulait tout au moins aller mettre un faux col. Au moment où il arrivait en face de l'auberge, Jean Métayer sortait de l'épicerie. Il s'était contenté de passer un manteau sur son pyjama. Il regarda le commissaire d'un air triomphant.

— Coup de téléphone ?

Et le jeune homme de répliquer avec aigreur :

— Mon avocat arrive à huit heures cinquante.

Il était sûr de lui. Il renvoya des œufs à la coque qui n'étaient pas assez cuits et tapota une marche sur la table, du bout des doigts.

De la lucarne de sa chambre, où il était allé s'habiller, Maigret voyait la cour du château, la voiture de course, Maurice de Saint-Fiacre qui semblait ne pas savoir que faire. Ne se disposait-il pas à revenir à pied vers le village ?

Le commissaire se hâta. Quelques instants plus tard, il marchait, lui, vers le château.

Et ils se rencontrèrent à moins de cent mètres de l'église.

— Où alliez-vous ? questionna Maigret.

— Nulle part ! Je ne sais pas…

— Peut-être prier à l'église ?

Et voilà que ces mots suffisaient à faire pâlir son compagnon, comme s'ils eussent eu un sens mystérieux et terrible.

Maurice de Saint-Fiacre n'était pas bâti pour le drame. En apparence, c'était un garçon grand et fort, un homme sportif, d'une santé magnifique.

Si on y regardait de plus près, on découvrait sa mollesse. Sous les muscles un peu noyés de graisse, il n'y avait guère d'énergie. Il venait sans doute de passer une nuit sans sommeil et il en paraissait tout dégonflé.

— Vous avez fait imprimer des faire-part ?

— Non.

— Pourtant… la famille… les châtelains du pays…

Le jeune homme s'emporta.

— Ils ne viendraient pas ! Vous devez bien vous en douter ! Auparavant, oui ! Quand mon père vivait… À la saison de la chasse, il y avait jusqu'à trente invités à la fois au château, pendant des semaines…

Maigret le savait mieux que quiconque, lui qui, lors des battues, aimait, à l'insu de ses parents, à revêtir la blouse blanche d'un rabatteur !

— Depuis…

Et Maurice esquissa un geste qui signifiait : « Dégringolade… saloperie… »

On devait parler dans tout le Berry de la vieille folle qui gâchait la fin de sa vie avec ses soi-disant secrétaires ! Et des fermes qu'on vendait les unes après les autres ! Et du fils qui faisait l'imbécile à Paris !

— Est-ce que vous croyez que l'enterrement pourra avoir lieu demain ?… Vous comprenez ?… Il vaut mieux que cette situation dure aussi peu de temps que possible...

Une charrette de fumier passait lentement et ses larges roues semblaient moudre les cailloux de la route. Le jour était levé, un jour plus gris que la veille, mais avec moins de vent. Maigret aperçut de loin Gautier qui traversait la cour et qui voulut se diriger vers lui.

Et c'est alors que se passa une chose étrange.

— Vous permettez ?... dit le commissaire à son compagnon, en s'éloignant dans la direction du château.

Il avait à peine parcouru cent mètres qu'il se retournait. Maurice de Saint-Fiacre était sur le seuil du presbytère. Il devait avoir sonné à la porte. Or, quand il se vit surpris, il s'éloigna vivement sans attendre de réponse.

Il ne savait où aller. Tout son maintien prouvait qu'il était affreusement mal à l'aise. Le commissaire arrivait à la hauteur du régisseur qui l'avait vu venir vers lui et qui attendait, l'air rogue.

— Qu'est-ce que vous désirez ?

— Un simple renseignement. Vous avez trouvé les quarante mille francs dont le comte a besoin ?

— Non ! Et je défie n'importe qui de les trouver dans le pays ! Tout le monde sait ce que vaut sa signature.

— Si bien que ?...

— Il se débrouillera comme il pourra ! Cela ne me regarde pas !

Saint-Fiacre revenait sur ses pas. On devinait qu'il avait une envie folle de faire une démarche et que, pour une raison ou pour une autre, cela lui était impossible. Prenant une décision, il s'avança vers le château, s'arrêta près des deux hommes.

— Gautier ! Vous viendrez chercher mes ordres dans la bibliothèque.

Il allait partir.

— À tout à l'heure, commissaire ! ajouta-t-il avec effort.

Quand Maigret passa devant le presbytère, il eut la sensation très nette d'être observé à travers les rideaux. Mais il n'en eut pas la certitude car, avec le jour, on avait éteint la lumière à l'intérieur.

Un taxi stationnait devant l'auberge de Marie Tatin. Dans la salle, un homme d'une cinquantaine d'années, tiré à quatre épingles, pantalon rayé et veston noir bordé de soie, était attablé avec Jean Métayer.

À l'entrée du commissaire, il se leva avec empressement, se précipita, la main tendue.

— On me dit que vous êtes officier de Police Judiciaire… Permettez-moi de me présenter… Maître Tallier, du barreau de Bourges… Vous prendrez bien quelque chose avec nous ?…

Jean Métayer s'était levé, mais son attitude montrait qu'il n'approuvait pas la cordialité de son avocat.

— Aubergiste !… Servez-nous, je vous en prie…

Et, conciliant :

— Qu'est-ce que vous prenez ?… Avec ce froid, que diriez-vous d'un grog général ?… Trois grogs, mon enfant…

L'enfant, c'était la pauvre Marie Tatin qui n'était pas habituée à ces façons.

— J'espère, commissaire, que vous excuserez mon client… Si je comprends bien, il s'est montré quelque peu méfiant à votre égard… Mais n'oubliez pas que c'est un garçon de bonne famille, qui n'a rien à se reprocher et que les soupçons qu'il a sentis autour de lui ont indigné… Sa mauvaise humeur d'hier, si je puis dire, est la meilleure preuve de son absolue innocence…

Avec lui, il n'y avait pas besoin d'ouvrir la bouche. Il se chargeait de tout, questions et réponses, tout en esquissant des gestes suaves.

— Bien entendu, je ne suis pas encore au courant de tous les détails… Si je comprends bien, la comtesse de Saint-Fiacre est morte hier, pendant la première messe, d'un arrêt du cœur… D'autre part, on a trouvé dans son missel un papier qui laisse supposer que cette mort a été provoquée par une émotion violente… Est-ce que le fils de la victime – qui était comme par hasard à proximité – a porté plainte ?… Non !… Et, d'ailleurs, je pense que la plainte serait irrecevable… Les manœuvres criminelles – si manœuvres criminelles il y a – ne sont pas assez caractérisées pour motiver un arrêt de la Chambre des mises en accusation…

» Nous sommes bien d'accord, n'est-ce pas ?… Pas de plainte ! Donc pas d'action judiciaire…

» Ce qui n'empêche pas que je comprenne l'enquête que vous poursuivez personnellement, à titre officieux…

» Mon client ne peut pas se contenter de n'être pas poursuivi. Il faut qu'il soit lavé de tout soupçon…

» Suivez-moi bien… Quelle était, en somme, sa situation au château ?… Celle d'un enfant adoptif… La comtesse, restée seule, séparée d'un fils qui ne lui a donné que des déboires, a été réconfortée par le dévouement et la droiture de son secrétaire…

» Mon client n'est pas un désœuvré… Il ne s'est pas contenté de vivre sans souci comme il aurait pu le faire au château… Il a travaillé… Il a cherché des placements… Il s'est même penché sur des inventions récentes…

» Était-ce bien lui qui avait intérêt à la mort de sa bienfaitrice ?… Dois-je en dire davantage ?… Non ! n'est-il pas vrai ?…

» Et c'est ce que je veux, commissaire, vous aider à établir…

» J'ajoute que j'aurai auparavant quelques mesures indispensables à prendre, de concert avec le notaire… Jean Métayer est un garçon confiant… Jamais il n'a imaginé que de pareils événements se produiraient…

» Ce qui lui appartient est au château, mêlé à ce qui appartient à la défunte comtesse…

» Or, dès à présent, d'autres sont arrivés là-bas, qui ont sans doute l'intention de mettre la main sur…

— Quelques pyjamas et de vieilles pantoufles ! grogna Maigret en se levant.

— Pardon ?

Pendant toute cette conversation, Jean Métayer avait pris des notes dans un petit carnet. Ce fut lui qui calma son avocat qui se levait à son tour.

— Laissez ! J'ai compris dès la première minute que j'avais un ennemi en la personne du commissaire ! Et j'ai appris depuis qu'il appartenait indirectement au château, où il est né à l'époque où son père était régisseur des Saint-Fiacre. Je vous ai mis en garde, maître… C'est vous qui avez voulu…

L'horloge marquait dix heures. Maigret calculait que le train de Marie Vassiliev devait être arrivé depuis une demi-heure à la Gare de Lyon.

— Vous m'excuserez ! dit-il. Je vous verrai en temps voulu.

— Mais…

Il pénétra à son tour dans l'épicerie d'en face dont la sonnette tinta. Il attendit un quart d'heure la communication avec Paris.

— C'est vrai que vous êtes le fils de l'ancien régisseur ?

Maigret était plus fatigué que par dix enquêtes normales. Il ressentait une véritable courbature, à la fois morale et physique.

— Voici Paris…

— Allô !… Le Comptoir d'Escompte ?… Ici, la Police Judiciaire… Un renseignement, s'il vous plaît… Est-ce qu'un chèque signé Saint-Fiacre a été présenté ce matin ?… Vous dites qu'il a été présenté à neuf heures ?… Donc, pas de provision… Allô !… Ne coupez pas, mademoiselle… Vous avez prié le porteur de le présenter une seconde fois ?… Très bien !… Ah ! c'est ce que je voulais savoir… Une jeune femme, n'est-ce pas ?… Il y a un quart d'heure ?… Et elle a versé les quarante mille francs ?… Je vous remercie…

Bien entendu ! Payez !... Non ! Non ! il n'y a rien de particulier... Du moment que le versement a été fait...

Et Maigret sortit de la cabine en poussant un grand soupir de lassitude.

Maurice de Saint-Fiacre, au cours de la nuit, avait trouvé les quarante mille francs et il avait envoyé sa maîtresse à Paris pour les verser à la banque !

Au moment où le commissaire quittait l'épicerie, il aperçut le curé qui sortait de chez lui, son bréviaire à la main, et qui se dirigeait vers le château.

Alors il accéléra le pas, courut presque pour arriver à la porte en même temps que le prêtre.

Il le rata de moins d'une minute. Quand il atteignit la cour d'honneur, la porte se refermait sur le curé. Et quand il sonna, il y avait des pas au fond du couloir, du côté de la bibliothèque.

6

Les deux camps

— Je vais voir si monsieur le comte peut...

Mais le commissaire ne laissa pas au maître d'hôtel le temps d'achever sa phrase. Il pénétra dans le couloir, se dirigea vers la bibliothèque, tandis que le domestique poussait un soupir de résignation. Il n'y avait même plus moyen de sauver les apparences ! Les gens entraient comme dans un moulin ! C'était la débâcle !

Avant d'ouvrir la porte de la bibliothèque, Maigret marqua un temps d'arrêt, mais ce fut en vain car il ne perçut aucun bruit. C'est même ce qui donna à son entrée quelque chose d'impressionnant.

Il frappa, pensant que le prêtre était peut-être ailleurs. Mais aussitôt une voix s'éleva, très nette, très ferme, dans le silence absolu de la pièce :

— Entrez !

Maigret poussait la porte, s'arrêtait par hasard sur une bouche de chaleur. Debout, légèrement appuyé à la table gothique, le comte de Saint-Fiacre le regardait.

À côté de lui, fixant le tapis, le prêtre gardait une immobilité rigoureuse, comme si un mouvement eût suffi à le trahir.

Qu'est-ce qu'ils faisaient là, l'un et l'autre, sans parler, sans bouger ? Il eût été moins gênant d'interrompre une scène pathétique que de tomber dans ce silence si profond que la voix semblait y tracer des cercles concentriques, comme un caillou dans l'eau.

Une fois de plus Maigret sentit la fatigue de Saint-Fiacre. Quant au prêtre, il était atterré et ses doigts s'agitaient sur son bréviaire.

— Excusez-moi de vous déranger…

Cela fit l'effet d'une ironie et pourtant ce n'était pas voulu. Mais dérange-t-on des gens aussi inertes que des objets ?

— J'ai des nouvelles de la banque…

Le regard du comte se posa sur le curé et ce regard était dur, presque rageur.

Toute la scène allait se poursuivre sur ce rythme. On eût dit des joueurs d'échecs réfléchissant, le front dans la main, restant silencieux plusieurs minutes avant de bouger un pion, retombant ensuite dans l'immobilité.

Mais ce n'était pas la réflexion qui les immobilisait ainsi. Maigret fut persuadé que c'était la peur d'un faux mouvement, d'une manœuvre maladroite. Entre eux trois, il y avait une équivoque. Et chacun n'avançait son pion qu'à regret, prêt à le reprendre.

— Je suis venu chercher des instructions pour les obsèques ! éprouva le besoin de dire le prêtre.

Ce n'était pas vrai ! Un pion mal placé ! Si mal placé que le comte de Saint-Fiacre sourit.

— Je prévoyais votre coup de téléphone à la banque ! dit-il. Et je vais vous avouer la raison pour laquelle je me suis décidé à cette démarche : c'était pour me débarrasser de Marie Vassiliev, qui ne voulait pas quitter le château… Je lui ai laissé croire que c'était de première importance…

Et dans les yeux du prêtre, maintenant, Maigret lisait l'angoisse, la réprobation.

« Le malheureux ! devait-il penser. Il s'enferre ! Il tombe dans le piège. Il est perdu… »

Le silence. Le craquement d'une allumette et les bouffées de tabac que le commissaire exhalait une à une en questionnant :

— Gautier a trouvé l'argent ?

Un temps d'hésitation, très court.

— Non, commissaire… Je vais vous dire…

Ce n'était pas sur le visage de Saint-Fiacre que le drame se jouait : c'était sur celui du curé ! Il était pâle. Ses lèvres avaient un pli amer. Il se contenait pour ne pas intervenir.

— Écoutez-moi, monsieur…

Il n'en pouvait plus.

— Voulez-vous interrompre cette conversation jusqu'à ce que nous ayons eu ensemble un entretien…

Le même sourire que tout à l'heure sur les lèvres de Maurice. Il faisait froid dans la pièce trop vaste où les plus beaux livres de la bibliothèque manquaient. Du feu était préparé dans l'âtre. Il suffisait d'y jeter une allumette.

— Vous avez un briquet ou…

Et pendant qu'il se penchait sur la cheminée le prêtre lançait à Maigret un regard désolé, suppliant.

— Maintenant, dit le comte en revenant vers les deux hommes, je vais, en quelques mots, éclaircir la situation. Pour une raison que j'ignore, monsieur le curé, qui est plein de bonne volonté, est persuadé que c'est moi qui ai… pourquoi avoir peur des mots ?… qui ai tué ma mère !… Car c'est bien un crime, n'est-ce pas ? même s'il ne tombe pas tout à fait sous le coup de la loi…

Le prêtre ne bougeait plus, gardait cette immobilité tremblante de l'animal qui sent un danger fondre sur lui et qui ne peut y faire face.

— Monsieur le curé devait être très dévoué à ma mère… Il a sans doute voulu éviter qu'un scandale s'abattît sur le château… Hier au soir, il m'a envoyé par le sacristain quarante billets de mille francs ainsi qu'un petit mot…

Et le regard du prêtre disait, sans aucun doute possible : « Malheureux ! Vous vous perdez ! »

— Voici le billet ! poursuivait Saint-Fiacre.

Maigret lut à mi-voix :

— *Soyez prudent. Je prie pour vous.*

Ouf ! Cela faisait l'effet d'une bouffée d'air frais. Du coup, Maurice de Saint-Fiacre ne se sentait plus rivé au sol, condamné à l'immobilité. Du coup aussi il perdit cette gravité qui n'était pas dans son tempérament.

Il se mit à aller et venir, la voix plus légère.

— Voilà, commissaire, la raison pour laquelle vous m'avez vu ce matin rôder autour de l'église et du presbytère... Les quarante mille francs, qu'il faut évidemment considérer comme un prêt, je les ai acceptés, d'abord, comme je vous l'ai dit, pour éloigner ma maîtresse... – excusez-moi, monsieur le curé !... – ensuite parce qu'il aurait été particulièrement déplaisant de me voir arrêté en ce moment... Mais nous restons tous debout comme si... Asseyez-vous donc, je vous en prie...

Il alla ouvrir la porte, écouta un bruit à l'étage audessus.

— Le défilé recommence ! murmura-t-il. Je crois qu'il faudra téléphoner à Moulins pour qu'on installe une chapelle ardente...

Puis, sans transition :

— Je suppose que maintenant vous comprenez ! L'argent accepté, il me restait à jurer à monsieur le curé que je n'étais pas coupable. Il m'était difficile de le faire devant vous, commissaire, sans accroître encore vos soupçons... C'est tout !... Comme si vous deviniez ma pensée, vous ne m'avez pas laissé seul un instant, ce matin, aux alentours de l'église... Monsieur le curé est arrivé ici, je ne sais pas encore pourquoi, car, au moment où vous êtes entré, il hésitait à parler...

Son regard se voila. Pour dissiper la rancœur qui l'assaillait il rit, d'un rire pénible.

— C'est simple, n'est-ce pas ? Un homme qui a mené une vie de bâton de chaise et qui a signé des chèques sans provision... Le vieux Gautier m'évite !... Il doit être persuadé, lui aussi, que...

Il regarda soudain le prêtre avec étonnement.

— Eh bien ! monsieur le curé... Qu'est-ce que vous avez ?...

Le prêtre, en effet, était lugubre. Son regard évita le jeune homme, tenta d'éviter de même les yeux de Maigret.

Maurice de Saint-Fiacre comprit, s'écria avec plus d'amertume :

— Voilà ! On ne me croit pas encore... Et c'est justement celui qui veut m'aider à me sauver qui est persuadé de ma culpabilité...

Il alla ouvrir la porte une fois de plus, appela, oubliant la présence de la morte dans la maison :

— Albert !... Albert !... Plus vite que cela, sacrebleu !... Apportez-nous à boire...

Et le maître d'hôtel entra, se dirigea vers un placard où il prit du whisky et des verres. On se taisait. On le regardait faire. Maurice de Saint-Fiacre remarqua avec un drôle de sourire :

— De mon temps, il n'y avait pas de whisky au château.

— C'est monsieur Jean...

— Ah !

Il en avala une large rasade, alla refermer la porte à clef derrière le domestique.

— Il y a comme ça des tas de choses qui ont changé... grommela-t-il pour lui-même.

Mais il ne perdait pas le prêtre de vue et celui-ci, de plus en plus mal à l'aise, balbutia :

— Vous m'excuserez... Il faut que j'aille faire le catéchisme...

— Un moment… Vous continuez à être sûr de ma culpabilité, monsieur le curé… Mais non ! Ne niez pas… Les curés, ça ne sait pas mentir… Seulement il y a certains points que je voudrais éclaircir… Car vous ne me connaissez pas… Vous n'étiez pas à Saint-Fiacre de mon temps… Vous avez seulement entendu parler de moi… Des indices matériels, il n'y en a pas… Le commissaire, qui a assisté au drame, en sait quelque chose…

— Je vous en prie… balbutia le prêtre.

— Non !… Vous ne buvez pas ?… À votre santé, commissaire…

Et son regard était sombre. Il suivait son idée, farouchement.

— Il y a des tas de gens qu'on pourrait soupçonner… Or, c'est moi que, vous, vous soupçonnez exclusivement… Et je suis en train de me demander pourquoi… Cela m'a empêché de dormir, cette nuit… J'ai pensé à toutes les raisons possibles et en fin de compte je crois avoir trouvé… Qu'est-ce que ma mère vous a dit ?

Cette fois, le prêtre devint exsangue.

— Je ne sais rien… balbutia-t-il.

— Je vous en prie, monsieur le curé… Vous m'avez aidé, soit !… Vous m'avez fait remettre ces quarante mille francs qui me donnent le temps de respirer et d'enterrer décemment ma mère… Je vous en remercie de tout cœur… Seulement, en même temps, vous faites peser sur moi vos soupçons… Vous priez pour moi… C'est trop, ou pas assez…

Et la voix commençait à se nuancer de colère, de menace.

— J'ai d'abord pensé avoir cette explication avec vous en dehors de la présence de M. Maigret… Eh bien ! à présent, je suis heureux qu'il soit ici… Plus j'y réfléchis, plus je pressens quelque chose de trouble…

— Monsieur le comte, je vous conjure de ne pas me torturer davantage…

— Et moi, monsieur le curé, je vous préviens que vous ne sortirez pas d'ici avant de m'avoir dit la vérité !

C'était un autre homme. Il était poussé à bout. Et, comme tous les faibles, comme tous les doux, il devenait d'une férocité exagérée.

On devait entendre ses éclats de voix dans la chambre mortuaire, située juste au-dessus de la bibliothèque.

— Vous étiez en relations suivies avec ma mère… Je suppose que Jean Métayer était un fidèle de votre église, lui aussi… Lequel des deux a dit quelque chose ?… Ma mère, n'est-ce pas ?…

Maigret se souvint des mots entendus la veille :

— *Le secret de la confession*…

Il comprit la torture du prêtre, ses angoisses, son regard de martyr sous l'avalanche de phrases de Saint-Fiacre.

— Qu'est-ce qu'elle a pu vous dire ?… Je la connais, allez !… J'ai pour ainsi dire assisté au commencement de la glissade… Nous sommes entre gens qui n'ignorent rien de la vie…

Il regarda autour de lui avec une sourde colère.

— Il fut un temps où on n'entrait dans cette pièce qu'en retenant son souffle, parce que mon père, le *maître*, y travaillait… Il n'y avait pas de whisky dans les placards… Mais les rayons étaient chargés de livres comme les rayons d'une ruche sont saturés de miel…

Et Maigret s'en souvenait, lui aussi !

— *Le comte travaille…*

Et ces mots suffisaient à faire attendre les fermiers pendant deux heures dans l'antichambre !

— *Le comte m'a fait venir dans la bibliothèque…*

Et le père de Maigret en était troublé, parce que cela prenait figure d'événement important.

— Il ne gaspillait pas les bûches, mais se contentait d'un réchaud à pétrole, qu'il plaçait tout près de lui, pour suppléer au calorifère… disait Maurice de Saint-Fiacre.

Et, au prêtre affolé :

— Vous n'avez pas connu ça… Vous avez connu le château en désordre… Ma mère qui avait perdu son mari… Ma mère dont le fils unique faisait des bêtises à Paris et ne venait ici que pour réclamer de l'argent… Alors, les secrétaires…

Ses prunelles étaient si brillantes que Maigret s'attendait à voir couler une larme.

— Qu'est-ce qu'elle vous a dit ?… Elle avait peur de me voir arriver, n'est-ce pas ?… Elle savait qu'il y aurait un nouveau trou à combler, quelque chose à vendre pour me sauver la mise une fois de plus…

— Vous devriez vous calmer ! dit le curé d'une voix mate.

— Pas avant de savoir… si vous m'avez soupçonné sans me connaître, dès les premiers instants…

Maigret intervint.

— Monsieur le curé avait fait disparaître le missel... dit-il lentement.

Il avait déjà compris, lui ! Il tendait la perche à Saint-Fiacre. Il imaginait la comtesse, tiraillée entre le péché et le remords... Ne craignait-elle pas le châtiment ?... N'avait-elle pas un peu honte devant son fils ?...

C'était une inquiète, une malade ! Et pourquoi, dans le secret du confessionnal, n'eût-elle pas dit un jour :

— *J'ai peur de mon fils...*

Car elle devait avoir peur. L'argent qui passait à des Jean Métayer était de l'argent des Saint-Fiacre qui revenait à Maurice. Est-ce qu'il ne viendrait pas demander des comptes ? Est-ce que...

Et Maigret sentait que ces idées naissaient dans le cerveau du jeune homme, encore confuses. Il aidait à les préciser.

— Monsieur le curé ne peut rien dire si la comtesse a parlé sous le secret de la confession...

Ce fut net. Maurice de Saint-Fiacre coupa court à la conversation.

— Vous m'excuserez, monsieur le curé... J'oubliais votre catéchisme... Ne m'en veuillez pas de...

Il tourna la clef dans la serrure, ouvrit la porte.

— Je vous remercie... Dès que... dès que ce sera possible, je vous remettrai les quarante mille francs... Car je suppose qu'ils ne vous appartiennent pas...

— Je les ai demandés à Mme Ruinard, la veuve de l'ancien notaire...

— Merci... Au revoir...

Il faillit refermer la porte d'une poussée brusque, mais il se contint, regarda Maigret dans les yeux en martelant :

— Saloperie !

— Il a voulu...

— Il a voulu me sauver, je sais !... Il a tenté d'éviter le scandale, de recoller tant bien que mal les morceaux du château de Saint-Fiacre... Ce n'est pas cela !...

Et il se versa du whisky.

— C'est à cette pauvre femme que je pense !... Tenez ! vous avez vu Marie Vassiliev... Et toutes les autres, à Paris... Celles-là n'ont pas de crises de conscience... Mais elle !... Et remarquez que ce qu'elle cherchait avant tout, auprès de ce Métayer, c'était de l'affection à dépenser... Puis elle se précipitait vers le confessionnal... Elle devait se considérer comme un monstre... De là à craindre ma vengeance... Ha ! Ha !...

Ce rire-là était terrible !

— Vous me voyez, indigné, attaquant ma mère pour... Et ce curé qui n'a pas compris !... Il voit la vie selon des textes !... Du vivant de ma mère, il a dû essayer de la sauver d'elle-même... Ma mère morte, il a cru de son devoir de me sauver... Mais, à l'heure qu'il est, je parie qu'il reste persuadé que c'est moi qui...

Il regarda fixement le commissaire dans les yeux, articula :

— Et vous ?

Et, comme Maigret ne répondait pas :

— Car il y a un crime... Un crime que seule une crapule de la pire espèce a pu commettre... Un sale petit lâche !... C'est vrai que la Justice ne peut rien contre lui ?... J'ai entendu parler de cela ce matin... Mais je vais vous dire une chose, commissaire, et je vous permets de la retenir contre moi... Cette petite crapule, quand je la tiendrai, eh bien ! c'est à moi, à moi tout seul qu'elle aura affaire... Et je n'aurai pas besoin de revolver ! Non, pas d'arme... Rien que ces mains-là...

L'alcool devait exagérer son exaltation. Il s'en aperçut car il se passa la main sur le front, se regarda dans le miroir et s'adressa à lui-même une grimace moqueuse.

— N'empêche que, sans le curé, on me bouclait avant même les obsèques ! Je n'ai pas été très gentil avec lui... La femme de l'ancien notaire qui paie mes dettes... Qui est-ce ?... Je ne me souviens même pas d'elle...

— La dame qui s'habille toujours en blanc... La maison qui a une grille à flèches dorées, sur le chemin de Matignon...

Maurice de Saint-Fiacre se calmait. Sa fièvre n'avait été qu'un feu de paille. Il commença à se verser à boire, hésita, avala le contenu de son verre d'un trait, avec une moue de dégoût.

— Vous entendez ?

— Quoi ?

— Les gens du pays qui défilent, là-haut ! Je devrais être là, en grand deuil, les yeux rouges, à serrer les mains d'un air accablé ! Une fois dehors, ils se mettent à discuter...

Et, soupçonneux :

— Mais, au fait, pourquoi, si, comme vous dites, la Justice n'est pas saisie de l'affaire, restez-vous dans le pays ?

— Il pourrait y avoir du nouveau...

— Est-ce que, si je découvrais le coupable, vous m'empêcheriez de...

Les doigts crispés étaient plus éloquents qu'un discours.

— Je vous laisse, trancha Maigret. Il faut que j'aille surveiller le deuxième camp...

— Le deuxième camp ?

— Celui de l'auberge ! Jean Métayer et son avocat, qui est arrivé ce matin...

— Il a pris un avocat ?

— C'est un garçon prévoyant... Ce matin, les personnages se situaient ainsi : au château, vous et le curé ; à l'auberge, le jeune homme et son conseiller...

— Vous croyez qu'il a été capable... ?

— Vous m'excusez si je me sers ?

Et Maigret but un verre d'alcool, essuya ses lèvres, bourra une dernière pipe avant de partir.

— Bien entendu, vous ne savez pas vous servir d'une linotype ?

Un haussement d'épaules.

— Je ne sais me servir de rien... C'est bien le malheur !...

— Dans aucun cas vous ne quitterez le village sans me prévenir, n'est-ce pas ?

Un regard grave, profond. Et une voix grave et profonde :

— Je vous le promets !

Maigret sortait. Il allait descendre le perron quand un homme se trouva à côté de lui sans qu'il eût pu deviner d'où il venait.

— Excusez-moi, monsieur le commissaire... Je voudrais que vous m'accordiez quelques instants d'entretien... J'ai entendu dire...

— Quoi ?

— Que vous étiez presque de la maison... Votre père était du métier... Voulez-vous me faire l'honneur de prendre un verre chez moi...

Et le régisseur à barbiche grise entraînait son compagnon à travers les cours. Tout était préparé, chez lui. Une bouteille de marc dont l'étiquette annonçait l'âge vénérable. Des gâteaux secs. Une odeur de choux au lard venait de la cuisine.

— D'après ce que j'ai entendu dire, vous avez connu le château dans de tout autres conditions... Quand j'y suis arrivé, moi, le désordre commençait... Il y avait un jeune homme de Paris qui... C'est du marc qui date de l'ancien comte... Sans sucre, je suppose ?

Maigret fixait la table aux lions sculptés qui tenaient dans leur gueule des anneaux de cuivre. Et une fois encore il ressentit sa fatigue physique et morale. Jadis, il n'avait le droit d'entrer dans cette pièce qu'en pantoufles, à cause du parquet ciré.

— Je suis très embarrassé... Et c'est à vous que je veux demander conseil... Nous sommes de pauvres gens... Vous connaissez le métier de régisseur, qui n'enrichit pas son homme...

» Certains samedis qu'il n'y avait pas d'argent dans la caisse, j'ai payé moi-même les ouvriers agricoles...

» D'autres fois, j'ai avancé de l'argent pour des achats de bestiaux que les métayers réclamaient…

— Autrement dit, en deux mots, la comtesse vous devait de l'argent !

— Madame la comtesse n'entendait rien aux affaires… L'argent filait de tous les côtés… Il n'y a que pour les choses indispensables qu'on n'en trouvait pas…

— Et c'est vous qui…

— Votre père aurait fait comme moi, n'est-ce pas ? Il y a des moments où il ne faut pas laisser voir aux gens du pays que la caisse est vide… J'ai pris sur mes économies…

— Combien ?

— Encore un petit verre ?… Je n'ai pas fait le compte… Au moins soixante-dix mille… Et maintenant encore, pour l'enterrement, c'est moi qui…

Une image s'imposa à Maigret : le petit bureau de son père, près des écuries, le samedi à cinq heures. Toutes les personnes occupées au château, depuis les lingères jusqu'aux journaliers, attendaient dehors. Et le vieux Maigret, installé devant le bureau couvert de percale verte, faisait des petits tas avec des pièces d'argent. Chacun passait à son tour, traçait sa signature ou une croix sur le registre…

— Je me demande maintenant comment je vais récupérer… Pour des gens comme nous, c'est…

— Oui, je comprends ! Vous avez fait changer la cheminée !

— C'est-à-dire qu'elle était en bois… Le marbre fait mieux…

— Beaucoup mieux ! grogna Maigret.

— Vous comprenez ! Tous les créanciers vont s'abattre ! Il faudra vendre ! Et, avec les hypothèques...

Le fauteuil dans lequel Maigret était assis était neuf, comme la cheminée, et devait sortir d'un magasin du boulevard Barbès. Il y avait un phonographe sur le buffet.

— Si je n'avais pas de fils, cela me serait égal, mais Émile a sa carrière à faire... Je ne veux pas brusquer les choses...

Une gamine traversa le corridor.

— Vous avez une fille aussi ?

— Non ! C'est une enfant du pays, qui vient faire les gros travaux.

— Eh bien ! nous en reparlerons, monsieur Gautier. Excusez-moi, mais j'ai encore beaucoup de choses à faire...

— Un dernier petit verre ?

— Merci... Vous avez dit dans les soixante-quinze mille, n'est-il pas vrai ?

Et il s'en alla, les mains dans les poches, traversa le troupeau d'oies, longea l'étang Notre-Dame qui ne clapotait plus. L'horloge de l'église sonnait midi.

Chez Marie Tatin, Jean Métayer et l'avocat mangeaient. Sardines, filets de harengs et saucisson comme hors-d'œuvre. Sur la table voisine, les verres qui avaient contenu les apéritifs.

Les deux hommes étaient gais. Ils accueillirent Maigret par des regards ironiques. Ils se lançaient des clins d'œil. La serviette du maître du barreau était refermée.

— Vous avez trouvé des truffes pour le poulet, au moins ? demandait ce dernier.

Pauvre Marie Tatin ! Elle en avait trouvé une toute petite boîte, à l'épicerie, mais elle ne parvenait pas à l'ouvrir. Elle n'osait pas l'avouer.

— J'en ai trouvé, monsieur !

— Alors, en vitesse ! L'air du pays creuse terriblement !

Ce fut Maigret qui alla à la cuisine et qui, avec son couteau, tailla dans le fer-blanc de la boîte tandis que la femme qui louchait balbutiait à voix basse :

— Je suis confuse... je...

— Ta gueule, Marie ! grogna-t-il.

Un camp... Deux camps... Trois camps ?

Il éprouva le besoin de plaisanter pour échapper aux réalités.

— À propos ! le curé m'a prié de t'apporter trois cents jours d'indulgences ! Histoire de compenser tes péchés !

Et Marie Tatin, qui ne comprenait pas la plaisanterie, regardait son énorme compagnon avec, à la fois, de la crainte et une respectueuse affection.

7

Les rendez-vous de Moulins

Maigret avait téléphoné à Moulins pour commander un taxi. Il fut d'abord surpris d'en voir arriver un dix minutes à peine après son coup de téléphone mais, comme il se dirigeait vers la porte, l'avocat qui achevait son café intervint.

— Pardon ! C'est le nôtre… Cependant, si vous y voulez une place…

— Merci…

Jean Métayer et l'avocat partirent les premiers, dans une grande bagnole qui portait encore les armes de son ancien propriétaire. Un quart d'heure plus tard, Maigret s'en allait à son tour et, chemin faisant, tout en bavardant avec le chauffeur, il observait le pays.

Le décor était monotone : deux rangs de peupliers le long de la route ; des terres labourées à perte de vue, avec, parfois, un rectangle de taillis, l'œil glauque d'un étang.

Les maisons n'étaient pour la plupart que des bicoques. Et cela se concevait, puisqu'il n'existait pas de petits propriétaires.

Rien que de grands domaines, dont l'un, celui du duc de T..., englobait trois villages.

Celui des Saint-Fiacre avait comporté deux mille hectares, avant les ventes successives.

Comme moyen de transport, un vieil autobus parisien racheté par un paysan et qui faisait une fois par jour la route entre Moulins et Saint-Fiacre.

— Pour être la campagne, c'est la campagne ! disait le chauffeur du taxi. Maintenant, vous ne voyez encore rien. Mais en plein hiver...

On descendit la grand-rue de Moulins alors que l'horloge de Saint-Pierre marquait deux heures et demie. Maigret se fit arrêter en face du Comptoir d'Escompte, paya la course. Au moment où il se détournait du taxi pour se diriger vers la banque, une femme sortait de celle-ci, tenant un gamin par la main.

Et le commissaire, précipitamment, plongea vers une vitrine afin de n'être pas remarqué. La femme était une paysanne endimanchée, le chapeau en équilibre sur les cheveux, la taille raidie par un corset. Elle marchait à pas dignes, traînant le gosse derrière elle, sans s'inquiéter davantage de lui que d'un colis.

C'était la mère d'Ernest, le rouquin qui servait la messe à Saint-Fiacre.

La rue était animée. Ernest aurait bien voulu s'arrêter aux étalages mais il était amarré dans le sillage de la jupe noire. Pourtant sa mère se pencha pour lui dire quelque chose. Et, comme si c'eût été décidé d'avance, elle pénétra avec lui chez un marchand de jouets.

Maigret n'osait pas trop s'approcher. Il fut néanmoins renseigné par les coups de sifflet qui ne tardèrent pas à éclater dans la boutique. On essayait tous les sifflets imaginables et, en fin de compte, l'enfant de chœur dut se décider pour un sifflet de boy-scout, à deux sons.

Quand il sortit, il le portait en sautoir, mais sa mère l'entraînait toujours, l'empêchait de se servir de l'instrument dans la rue.

Une succursale de banque comme toutes celles de province. Un long comptoir de chêne. Cinq employés penchés sur des bureaux. Maigret se dirigea vers le guichet surmonté des mots *Comptes courants* et un employé se leva, attendit son bon plaisir.

Maigret voulait se renseigner sur l'état exact de la fortune des Saint-Fiacre et surtout sur les opérations des dernières semaines, voire des derniers jours, qui étaient susceptibles de fournir une indication.

Mais il fut un moment sans rien dire, à observer le jeune homme qui gardait une attitude correcte, sans impatience.

— Émile Gautier, je suppose ?

Il l'avait vu passer deux fois en moto, mais il n'avait pas distingué ses traits. Ce qui le renseignait, c'était une ressemblance frappante avec le régisseur du château.

Pas tant une ressemblance de détails qu'une ressemblance de race. Mêmes origines paysannes : traits dessinés et ossature épaisse.

Même degré d'évolution, ou presque, qui se traduisait par une peau un peu plus soignée que celle des cultivateurs, par un regard intelligent, par une assurance d'homme « instruit ».

Mais Émile n'était pas encore un garçon de la ville. Ses cheveux, bien que cosmétiqués, restaient rebelles, se dressaient en un épi au sommet du crâne. Ses joues étaient roses, avec cet aspect bien lavé des farauds de village, le dimanche matin.

— C'est moi.

Il n'était pas troublé. Maigret était sûr d'avance que c'était un employé modèle, en qui son directeur avait toute confiance, et qui aurait rapidement de l'avancement.

Un costume noir, fait sur mesure, mais par un tailleur du pays, dans une serge inusable. Son père portait des faux cols en celluloïd. Il portait, lui, des cols souples, mais la cravate était encore montée sur un appareil.

— Vous me reconnaissez ?

— Non ! Je suppose que vous êtes le policier…

— Et je désirerais quelques renseignements sur la situation du compte Saint-Fiacre.

— C'est facile ! Je suis chargé de ce compte comme des autres.

Il était poli, bien élevé. À l'école, il avait dû être le préféré des instituteurs.

— Passez-moi le compte Saint-Fiacre ! dit-il à une employée assise derrière lui.

Et il laissa errer le regard sur une grande feuille jaune.

— Est-ce une récapitulation que vous voulez, le montant du solde ou des renseignements généraux ?

Au moins, il était précis !

— Les renseignements généraux sont bons ?

— Venez par ici, voulez-vous ?... On pourrait nous entendre...

Et ils gagnèrent le fond de la pièce, en restant séparés par le comptoir de chêne.

— Mon père a dû vous dire que la comtesse était très désordonnée... À tous moments, j'ai dû arrêter au passage des chèques qui n'étaient pas provisionnés... Remarquez qu'elle l'ignorait... Elle tirait des chèques sans s'inquiéter de l'état de son compte... Alors, quand je lui téléphonais pour la mettre au courant, elle s'affolait... Ce matin encore, trois chèques barrés ont été présentés et j'ai été obligé de les retourner... J'ai ordre de ne rien payer avant que...

— La ruine est complète ?

— Pas à proprement parler... Trois métairies sur cinq sont vendues... Les deux autres hypothéquées, ainsi que le château... La comtesse possédait une maison de rapport à Paris, ce qui lui faisait quand même une petite rente... Mais quand, d'un seul coup, elle virait quarante ou cinquante mille francs au compte de son fils, cela déséquilibrait tout... J'ai toujours tenté ce que j'ai pu... Je faisais représenter les effets deux ou trois fois... Mon père...

— A avancé de l'argent, je sais.

— C'est tout ce que je puis vous dire... À l'heure qu'il est, le solde créditeur est exactement de sept cent soixante-quinze francs... Remarquez que les impôts fonciers de l'année dernière ne sont pas payés et que l'huissier a fait la semaine dernière une première sommation…

— Jean Métayer est au courant ?

— De tout ! Et même un peu plus qu'au courant.

— Que voulez-vous dire ?

— Rien !

— Vous ne pensez pas qu'il vit dans la lune ?

Mais Émile Gautier, discret, évita de répondre.

— C'est tout ce que vous voulez savoir ?

— Y a-t-il d'autres habitants de Saint-Fiacre qui ont leur compte à votre agence ?

— Non !

— Personne n'est venu aujourd'hui faire une opération ? Toucher un chèque, par exemple ?

— Personne.

— Et vous êtes resté sans cesse au guichet ?

— Je ne l'ai pas quitté !

Il n'était pas troublé. C'était toujours un bon employé répondant comme il se doit à un personnage officiel.

— Désirez-vous voir le directeur ? Bien qu'il ne puisse pas vous en dire plus que moi…

Les lampes s'allumaient. Le mouvement, dans la grand-rue, était presque celui d'une grande ville et, devant les cafés, il y avait de longues files de voitures.

Un cortège passait : deux chameaux et un jeune éléphant qui portaient des calicots-réclames pour un cirque installé sur la place de la Victoire.

Dans une épicerie, Maigret aperçut la mère du rouquin qui tenait toujours celui-ci par la main et qui achetait des conserves.

Un peu plus loin, il heurta presque Métayer et son avocat qui marchaient, l'air affairé, en discutant. L'avocat disait :

— ... ils sont obligés de le bloquer...

Ils ne virent pas le commissaire et ils continuèrent à se diriger vers le Comptoir d'Escompte.

On est forcé de se rencontrer dix fois par après-midi, dans une ville dont une rue de cinq cents mètres de long résume toute l'activité.

Maigret se rendait à l'imprimerie du *Journal de Moulins.* Les bureaux étaient en façade : des vitrines modernes, en béton, avec un étalage copieux de photographies de presse et les dernières nouvelles manuscrites, au crayon bleu, sur de longues bandes de papier.

Mandchourie. L'agence Havas communique que...

Mais, pour gagner l'imprimerie, il fallait s'engager dans une impasse obscure. On était guidé par le vacarme de la rotative. Dans un atelier désolé, des hommes en blouse travaillaient devant les hautes tables de marbre. Dans une cage vitrée, au fond, les deux linotypes et leur tac-tac de mitrailleuse.

— Le chef d'atelier, s'il vous plaît...

Il fallait hurler, littéralement, à cause du tonnerre des machines. L'odeur d'encre prenait à la gorge. Un petit homme en blouse bleue qui rangeait des lignes de composition dans une forme mit la main en cornet à son oreille.

— Vous êtes le chef d'atelier.

— Le metteur en page !

Maigret prit dans son portefeuille le texte qui avait tué la comtesse de Saint-Fiacre. L'homme, assurant des lunettes à cercle d'acier devant ses yeux, le regarda en se demandant ce que cela voulait dire.

— Cela sort de chez vous ?

— Comment ?…

Des gens passaient en courant avec des piles de journaux.

— Je vous demande si cela a été imprimé ici.

— Venez !

Dans la cour, cela allait mieux. Il y faisait froid, mais du moins pouvait-on parler à voix presque normale.

— Qu'est-ce que vous m'avez demandé ?

— Reconnaissez-vous les caractères ?

— C'est du Cheltenham corps 9…

— De chez vous ?

— Presque toutes les linotypes sont équipées en Cheltenham.

— Il y a d'autres linotypes à Moulins ?

— Pas à Moulins… Mais à Nevers, à Bourges, à Châteauroux, à Autun, à…

— Ce document n'a rien de spécial ?

— Il a été imprimé au taquoir… On a voulu faire croire que c'était découpé dans un journal, n'est-ce pas ?… On m'a demandé une fois de faire la même chose, pour une farce…

— Ah !

— Il y a quinze ans au moins… Au temps où nous composions encore le journal à la main…

— Et le papier ne vous donne pas d'indication ?

— Presque tous les journaux de province ont le même fournisseur. C'est du papier allemand… Vous m'excuserez... Il faut que je boucle la forme... C'est pour l'édition de la Nièvre...

— Vous connaissez Jean Métayer ?

L'homme haussa les épaules.

— Qu'est-ce que vous en pensez ?

— Si on l'écoutait, il connaîtrait le métier mieux que nous. Il est un peu tapé... On le laisse tripoter à l'atelier, à cause de la comtesse qui est une amie du patron...

— Il sait se servir d'une linotype ?

— Hum !... Qu'il dit !...

— Enfin, il serait capable de composer cet entrefilet ?

— Avec deux bonnes heures devant lui... Et en recommençant dix fois la même ligne...

— Lui est-il arrivé, ces derniers temps, de s'installer devant une linotype ?

— Est-ce que je sais, moi ? Il va ! Il vient ! Il nous embête tous avec ses procédés de clichage... Vous m'excuserez... Le train n'attend pas... Et ma forme n'est pas bouclée...

Ce n'était pas la peine d'insister. Maigret faillit s'introduire à nouveau dans l'atelier, mais l'agitation qui y régnait le découragea. Les minutes de ces gens étaient comptées. Tout le monde courait. Les porteurs le bousculaient en se précipitant vers la sortie.

Il parvint pourtant à prendre à part un apprenti qui roulait une cigarette.

— Qu'est-ce qu'on fait avec les lignes de plomb quand elles ont servi ?

— On les refond.

— Tous les combien de jours ?

— Tous les deux jours... Tenez ! la fondeuse est là-bas, dans le coin... Attention ! C'est chaud...

Maigret sortit, un peu las, peut-être un peu découragé. La nuit était tout à fait tombée. Le pavé était clair, plus clair que d'habitude, à cause du froid. Devant un magasin de confection, un vendeur qui battait la semelle et qui avait un rhume de cerveau s'approchait des passants.

— Un pardessus d'hiver ?... Belle draperie anglaise à partir de deux cents francs... Entrez ! Cela n'engage à rien...

Un peu plus loin, devant le *Café de Paris*, où l'on entendait s'entrechoquer les billes de billard, Maigret aperçut la voiture jaune du comte de Saint-Fiacre.

Il entra, chercha l'homme des yeux et, ne le trouvant pas, s'assit sur une banquette. C'était le café élégant. Sur une estrade, trois musiciens accordaient les instruments, composaient le numéro d'ordre du morceau à l'aide de trois cartons portant chacun un chiffre.

Du bruit, dans la cabine téléphonique.

— Un demi ! commanda Maigret au garçon.

— Blonde ou brune ?

Mais le commissaire essayait d'entendre la voix dans la cabine. Il n'y parvint pas. Saint-Fiacre sortit et la caissière lui demanda :

— Combien de communications ?

— Trois.

— Avec Paris, n'est-ce pas ?... Trois fois huit vingt-quatre...

Le comte aperçut Maigret et se dirigea très naturellement vers lui, s'assit à son côté.

— Vous ne m'avez pas dit que vous veniez à Moulins ! Je vous aurais amené avec ma voiture… Il est vrai qu'elle n'est pas fermée et que par le temps qu'il fait…

— Vous avez téléphoné à Marie Vassiliev ?

— Non ! Je ne vois pas pourquoi je vous cacherais la vérité… Un demi aussi, garçon… Ou plutôt non ! Quelque chose de chaud… un grog… J'ai téléphoné à un certain M. Wolf… Si vous ne le connaissez pas, d'autres doivent le connaître, Quai des Orfèvres… Un usurier, si vous voulez… J'ai eu quelquefois recours à lui… Je viens d'essayer de…

Maigret le regarda curieusement.

— Vous lui avez demandé de l'argent ?

— À n'importe quel taux ! Il a d'ailleurs refusé ! Ne me regardez pas ainsi ! Cet après-midi, je suis passé à la banque…

— À quelle heure ?

— Vers trois heures… Le jeune homme que vous savez et son avocat en sortaient…

— Vous tentiez de retirer de l'argent ?

— J'ai essayé ! Surtout ne croyez pas que je veuille vous inspirer de la pitié ! Il y a des gens qui, dès qu'il s'agit d'argent, ont des pudeurs. Moi pas… Eh bien ! les quarante mille francs envoyés à Paris et le train de Marie Vassiliev payé, il me reste à peu près trois cents francs en poche. Je suis arrivé ici sans rien prévoir… J'ai juste le complet que je porte… À Paris je dois quelques milliers de francs à la tenancière du meublé, qui ne laissera pas sortir mes effets…

Il parlait en regardant rouler les billes sur le tapis vert du billard. Ceux qui jouaient étaient des petits jeunes gens de la ville qui avaient parfois des coups d'œil envieux à la tenue élégante du comte.

— C'est tout ! J'aurais voulu tout au moins être en deuil pour les obsèques. Il n'y a pas un tailleur du pays qui me fasse deux jours de crédit... À la banque, on m'a répondu que le compte de ma mère était bloqué et qu'au surplus le crédit s'élevait à sept cents et quelques francs... Et savez-vous qui m'a fait cette agréable commission ?

— Le fils de votre régisseur !

— Comme vous dites !

Il avala une gorgée de grog brûlant et se tut, regardant toujours le billard. L'orchestre commençait une valse viennoise que scandait curieusement le bruit des billes.

Il faisait chaud. L'atmosphère du café était grise, en dépit des lampes électriques. C'était l'ancien café de province, avec une seule concession au modernisme, un placard qui annonçait : *cocktails 6 francs.*

Maigret fumait lentement. Il fixait lui aussi le billard éclairé violemment par des abat-jour en carton vert. De temps en temps la porte s'ouvrait et après quelques secondes on était surpris par une bouffée d'air glacé.

— Mettons-nous dans le fond...

C'était la voix de l'avocat de Bourges. Il passa devant la table des deux hommes, suivi de Jean Métayer qui portait des gants de laine blanche.

Mais tous deux regardaient droit devant eux. Ils ne virent le premier groupe qu'une fois assis.

Les deux tables se faisaient presque face. Il y eut une légère rougeur sur les joues de Métayer, qui commanda d'une voix manquant de fermeté :

— Un chocolat !

Et Saint-Fiacre de plaisanter à mi-voix :

— Chérie, va !

Une femme prenait place à égale distance des deux tables, adressait au garçon un sourire de bonne camaraderie, murmurait :

— Comme toujours !

On lui apporta un cherry. Elle se poudra, remit du rouge sur ses lèvres. Et, entre ses cils qui battaient, elle hésitait à braquer son regard vers une table ou vers l'autre.

Était-ce Maigret, large et confortable, qu'il fallait attaquer ? Était-ce l'avocat, plus élégant, qui la détaillait déjà avec un petit sourire ?

— Et voilà ! Je conduirai le deuil en gris ! murmura le comte de Saint-Fiacre. Je ne peux pourtant pas emprunter un complet noir au maître d'hôtel ! Ni endosser une jaquette de mon défunt père !

À part l'avocat, intéressé par la femme, tout le monde regardait le billard le plus proche.

Il y en avait trois. Deux étaient occupés. Des bravos crépitaient au moment où les musiciens achevaient leur morceau. Et, du coup, on entendait à nouveau des bruits de verres et de soucoupes.

— Trois portos, trois !

La porte s'ouvrait, se refermait. Le froid entrait, était digéré peu à peu par la chaleur ambiante.

Les lampes du troisième billard s'allumèrent sur un geste de la caissière, qui avait les commutateurs électriques derrière le dos.

— Trente points ! dit une voix.

Et, à l'adresse du garçon :

— Un quart Vichy… Non ! Un Vittel-fraise…

C'était Émile Gautier, qui enduisait soigneusement de craie bleue le bout de sa canne. Puis il mettait le marqueur à zéro. Son compagnon était le sous-directeur de la banque, plus âgé de dix ans, avec des moustaches brunes en pointe.

Ce n'est qu'au troisième coup – qu'il rata – que le jeune homme aperçut Maigret. Il salua, un peu gêné. Dès lors, il fut tellement absorbé par le jeu qu'il n'eut plus le temps de voir qui que ce fût.

— Bien entendu, si vous n'avez pas peur du froid, il y a une place dans ma voiture… dit Maurice de Saint-Fiacre. Vous me permettez de vous offrir quelque chose ? Vous savez ! je n'en suis tout de même pas encore à un apéritif près…

— Garçon ! disait Jean Métayer à voix haute. Vous me demanderez le 17 à Bourges !

Le numéro de son père ! Un peu plus tard, il s'enfermait dans la cabine.

Maigret fumait toujours. Il avait commandé un second demi. Et la femme, peut-être parce qu'il était le plus gros, avait enfin jeté son dévolu sur lui. Chaque fois qu'il se tournait de son côté, elle lui souriait comme s'ils eussent été de vieilles connaissances.

Elle se doutait bien peu qu'il était en train de penser à *la vieille*, comme disait le fils lui-même, qui était couchée au premier étage, là-bas, au château, et devant qui les paysans défilaient en se poussant du coude.

Mais ce n'était pas dans cet état qu'il la voyait. Il l'imaginait à une époque où il n'y avait pas encore d'autos devant le *Café de Paris* et où on n'y buvait pas de cocktails.

Dans le parc du château, grande et souple, racée comme une héroïne de roman populaire, près de la voiture d'enfant poussée par la nurse…

Maigret n'était qu'un gamin dont les cheveux, comme ceux d'Émile Gautier et comme ceux du rouquin, s'obstinaient à se dresser en épi au milieu du crâne.

Est-ce qu'il n'était pas jaloux du comte, le matin où le couple était parti vers Aix-les-Bains, dans une auto (une des premières du pays) toute pleine de fourrures et de parfum ? On ne voyait pas le visage sous la voilette. Le comte avait de grosses lunettes. Cela ressemblait à un enlèvement héroïque. Et la nounou tenait la main du bébé, l'agitait pour un adieu…

Maintenant, on aspergeait la vieille d'eau bénite et la chambre sentait la bougie.

Affairé, Émile Gautier tournait autour du billard, jouait en fantaisie, comptait à mi-voix, important :

— Sept…

Il visait à nouveau. Il gagnait. Son chef à moustaches pointues disait d'une voix aigre :

— Formidable !

Deux hommes s'observaient, par-dessus le tapis vert : Jean Métayer, à qui parlait sans cesse le souriant avocat, et le comte de Saint-Fiacre, qui arrêta le garçon d'un geste mou.

— La même chose !

Maigret, lui, pensait maintenant à un sifflet de boy-scout. Un beau sifflet à deux sons, en bronze, comme il n'en avait jamais eu.

8

L'invitation à dîner

— Encore un coup de téléphone ! soupira Maigret en voyant Métayer se lever une fois de plus.

Il le suivit des yeux, constata qu'il ne pénétrait ni dans la cabine, ni dans les lavabos. D'autre part, l'avocat grassouillet n'était plus assis que sur la pointe des fesses, comme quelqu'un qui hésite à se lever. Il regardait le comte de Saint-Fiacre. On eût même dit qu'il hésitait à esquisser un sourire.

Était-ce Maigret qui était de trop ? Cette scène, en tout cas, rappelait au commissaire certaines histoires de jeunesse : trois ou quatre copains, dans une brasserie semblable ; deux femmes à l'autre bout de la salle. Les discussions, les hésitations, le garçon qu'on appelle pour le charger d'un billet…

L'avocat était dans le même état d'énervement. Et la femme installée à deux tables de Maigret s'y méprit, crut que c'était elle qui était visée. Elle sourit, ouvrit son sac et se mit un peu de poudre.

— Je reviens à l'instant ! dit le commissaire à son compagnon.

Il traversa la salle dans la direction suivie par Métayer, vit une porte qu'il n'avait pas remarquée et qui ouvrait sur un large couloir orné d'un tapis rouge. Au fond, un comptoir avec un grand livre, un standard téléphonique, une employée. Métayer était là, achevant une conversation avec cette dernière. Il la quitta au moment précis où Maigret s'avançait.

— Merci, mademoiselle… Vous dites dans la première rue à gauche ?

Il ne se cachait pas du commissaire. Il ne paraissait pas être ennuyé de sa présence. Au contraire ! Et dans son regard il y avait une petite flamme joyeuse.

— J'ignorais que ce fût un hôtel… dit Maigret à la jeune fille.

— Vous êtes descendu ailleurs ?… Vous avez eu tort… C'est même le premier hôtel de Moulins…

— N'avez-vous pas eu comme voyageur le comte de Saint-Fiacre ?

Elle faillit rire. Puis soudain elle devint grave.

— Qu'est-ce qu'il a fait ? questionna-t-elle avec quelque inquiétude. Voilà la seconde fois en cinq minutes que…

— Où avez-vous envoyé mon prédécesseur ?

— Il veut savoir si le comte de Saint-Fiacre est sorti pendant la nuit de samedi à dimanche… Je ne peux pas répondre maintenant, car le veilleur de nuit n'est pas arrivé… Alors ce monsieur m'a demandé si nous avons un garage et il y est allé…

Parbleu ! Maigret n'avait qu'à suivre Métayer !

— Et le garage est dans la première rue à gauche ! dit-il, un peu vexé quand même.

— C'est cela ! il reste ouvert toute la nuit.

Jean Métayer avait décidément fait vite car, quand Maigret entra dans la rue en question, il en sortait en sifflotant. Le gardien cassait la croûte dans un coin.

— C'est pour la même chose que ce monsieur qui sort… L'auto jaune… Est-on venu la prendre pendant la nuit de samedi à dimanche ?…

Il y avait déjà une coupure de dix francs sur la table. Maigret y déposa une seconde.

— Vers minuit, oui !

— Et on l'a ramenée ?

— Peut-être à trois heures du matin…

— Elle était sale ?

— Comme ci, comme ça… Vous savez, le temps est au sec…

— Ils étaient deux, n'est-ce pas ? Un homme et une femme…

— Non ! Un homme tout seul.

— Petit et maigre ?

— Mais non ! Très grand, au contraire, et bien portant.

Le comte de Saint-Fiacre, évidemment !

Quand Maigret rentra dans le café, l'orchestre sévissait à nouveau et la première chose qu'il remarqua fut qu'il n'y avait plus personne dans le coin de Métayer et de son compagnon.

Il est vrai que quelques secondes plus tard il retrouvait l'avocat assis à sa propre place, à côté du comte de Saint-Fiacre.

À la vue du commissaire, il se leva de la banquette.

— Veuillez m'excuser… Mais non ! Reprenez votre place, je vous en prie…

Ce n'était pas pour s'en aller. Il s'assit sur la chaise, en face. Il était très animé, avec des roseurs aux pommettes, comme quand on s'empresse d'en finir avec une démarche délicate. Son regard semblait chercher Jean Métayer qu'on ne voyait pas.

— Vous allez comprendre, monsieur le commissaire… Je ne me serais pas permis de me rendre au château… C'est normal… Mais puisque le hasard veut que nous nous rencontrions en terrain neutre, si je puis dire…

Et il s'efforçait de sourire. Après chaque phrase, il avait l'air de saluer ses deux interlocuteurs, de les remercier de leur approbation.

— Dans une situation aussi pénible que celle-ci, il est inutile, ainsi que je l'ai dit à mon client, de compliquer encore les choses par une susceptibilité exagérée… M. Jean Métayer l'a très bien compris… Et, quand vous êtes arrivé, monsieur le commissaire, je disais au comte de Saint-Fiacre que nous ne demandions qu'à nous entendre…

Maigret grommela :

— Parbleu !

Et il pensait très exactement :

« Toi, mon bonhomme, tu as de la chance si avant cinq minutes tu ne reçois pas sur la figure la main du monsieur à qui tu parles d'une voix si suave… »

Les joueurs de billard continuaient à tourner autour du tapis vert. Quant à la femme, elle se levait, laissait son sac à main sur la table et s'en allait vers le fond de la salle.

« Encore une qui se met le doigt dans l'œil. Une idée lumineuse vient de la frapper. Est-ce que Métayer n'est pas sorti pour lui parler dehors sans témoin ?… Alors, elle part à sa recherche… »

Et Maigret ne se trompait pas. La main sur la hanche, la femme allait et venait, en quête du jeune homme !

L'avocat parlait toujours.

— Il y a des intérêts très complexes en présence et nous sommes disposés pour notre part…

— À quoi ? trancha Saint-Fiacre.

— Mais… à…

Il oublia que ce n'était pas son verre qu'il avait à portée de la main et il but dans celui de Maigret, par contenance.

— Je sais que l'endroit est peut-être mal choisi… Le moment aussi… Mais pensez que nous connaissons mieux que quiconque la situation financière de…

— De ma mère ! Ensuite ?

— Mon client, par une délicatesse qui l'honore, a préféré s'installer à l'auberge…

Pauvre diable d'avocat ! Les mots, maintenant que Maurice de Saint-Fiacre le regardait fixement, lui sortaient un à un de la gorge comme s'il eût fallu les en arracher.

— Vous me comprenez, n'est-ce pas, monsieur le commissaire ?… Nous savons qu'il y a un testament déposé chez le notaire… Rassurez-vous ! Les droits de monsieur le comte sont respectés… Mais Jean Métayer y figure néanmoins… Les affaires financières sont embrouillées... Mon client est seul à les connaître...

Maigret admirait Saint-Fiacre qui parvenait à rester d'un calme presque angélique. Il y avait même sur ses lèvres un léger sourire !

— Oui ! C'était un secrétaire modèle ! dit-il sans ironie.

— Remarquez que c'est un garçon d'excellente famille, qui a reçu une solide instruction. Je connais ses parents... Son père...

— Revenons à la fortune, voulez-vous ?

C'était trop beau. L'avocat pouvait à peine en croire ses oreilles.

— Vous permettez que j'offre une tournée ?... Garçon !... La même chose, messieurs ?... Moi, ce sera un Raphaël-citron...

Deux tables plus loin, la femme revenait d'un air morne, car elle n'avait rien trouvé et elle se résignait à attaquer les joueurs de billard.

— Je disais que mon client est prêt à vous aider... Il y a certaines personnes dont il se méfie... Il vous dira lui-même que des opérations assez louches ont été faites par des gens que les scrupules n'étranglent pas... Enfin...

C'était le plus dur ! Malgré tout, l'avocat dut avaler sa salive avant de poursuivre :

— Vous avez trouvé les caisses du château vides... Or, il est indispensable que madame votre mère...

— Madame votre mère ! répéta Maigret avec admiration.

— Madame votre mère... reprit l'avocat sans sourciller. Qu'est-ce que je disais ?... Oui ! Que les funérailles soient dignes des Saint-Fiacre... En attendant que les affaires soient arrangées au mieux des intérêts de chacun, mon client s'y emploiera...

— Autrement dit, il avancera les fonds nécessaires à l'enterrement... C'est bien cela ?

Maigret n'osait pas regarder le comte. Il fixait Émile Gautier qui faisait une nouvelle série magistrale et il attendait, crispé, le vacarme qui allait éclater à son côté.

Mais non ! Saint-Fiacre se levait. Il parlait à un nouvel arrivant.

— Prenez donc place à notre table, monsieur.

C'était Métayer qui venait d'entrer et à qui l'avocat avait sans doute expliqué par signes que tout allait bien.

— Un Raphaël-citron aussi ?... Garçon !...

Applaudissements dans la salle, parce que le morceau d'orchestre était fini. La rumeur éteinte, ce fut plus gênant, car les voix résonnaient davantage. Il n'y avait plus que le choc des billes d'ivoire pour rompre le silence.

— J'ai dit à monsieur le comte, qui a très bien compris...

— Pour qui le Raphaël ?

— Vous êtes venu de Saint-Fiacre en taxi, messieurs ?... Dans ce cas, je mets ma voiture à votre disposition pour vous reconduire... Vous serez un peu à l'étroit... J'emmène déjà le commissaire... Combien, garçon ?... Mais non ! Je vous en prie... C'est ma tournée...

Mais l'avocat s'était levé et poussait un billet de cent francs dans la main du garçon qui questionnait :

— Le tout ?

— Mais oui ! Mais oui !

Et le comte d'articuler avec son plus gracieux sourire :

— Vous êtes vraiment trop charmant.

Émile Gautier, qui les regardait partir tous les quatre et se faire des politesses devant la porte, en oubliait de poursuivre sa série.

L'avocat se trouva assis devant, à côté du comte qui conduisait. Derrière, Maigret laissait à peine un peu de place à Jean Métayer.

Il faisait froid. Les phares n'éclairaient pas assez. La voiture était à échappement libre, ce qui empêchait de parler.

Maurice de Saint-Fiacre avait-il l'habitude de rouler à cette allure ? Fut-ce une petite vengeance ? Toujours est-il qu'il franchit les vingt-cinq kilomètres séparant Moulins du château en moins d'un quart d'heure, prenant les virages au frein, fonçant dans l'obscurité, n'évitant une fois que de justesse une charrette qui occupait le milieu de la route et qui l'obligea à grimper sur le talus.

Les visages étaient coupés par la bise. Maigret devait serrer à deux mains le col de son pardessus. On traversa le village sans ralentir. C'est à peine si on devina la lumière de l'auberge, puis le clocher pointu de l'église.

Un arrêt brusque, qui jeta les voyageurs les uns contre les autres. On était au pied du perron. On voyait les domestiques manger dans la cuisine en contrebas. Quelqu'un riait aux éclats.

— Vous me permettrez, messieurs, de vous offrir à dîner…

Métayer et l'avocat se regardèrent avec hésitation. Le comte les poussa d'une tape amicale à l'épaule vers l'intérieur.

— Je vous en prie… C'est mon tour, n'est-ce pas ?…

Et, dans le hall :

— Ce ne sera malheureusement pas très gai…

Maigret eût voulu lui dire quelques mots en particulier, mais l'autre ne lui en laissa pas le temps, ouvrit la porte du fumoir.

— Voulez-vous m'attendre quelques instants en prenant l'apéritif ?… Des ordres à donner… Vous savez où sont les bouteilles, monsieur Métayer ?… Est-ce qu'il reste quelque chose de buvable ?…

Il pressa un bouton électrique. Le maître d'hôtel se fit attendre longtemps, arriva la bouche pleine, sa serviette à la main.

Saint-Fiacre lui arracha celle-ci d'un geste sec.

— Vous ferez venir le régisseur… Ensuite vous me demanderez au téléphone le presbytère, puis la maison du docteur…

Et aux autres :

— Vous permettez ?

L'appareil téléphonique était dans le hall. Celui-ci, comme le reste du château, était mal éclairé. En effet, l'électricité n'existant pas à Saint-Fiacre, le château devait faire son courant lui-même et le moteur était trop faible. Les ampoules, au lieu de donner une lumière blanche, laissaient voir des filaments rougeâtres, comme dans certains tramways lorsqu'ils s'arrêtent.

C'était plein de grands pans d'ombre où on distinguait à peine les objets.

— Allô !... Oui, j'y tiens absolument... Merci, docteur...

L'avocat et Métayer étaient inquiets. Mais ils n'osaient pas encore s'avouer leur inquiétude. Ce fut Jean Métayer qui rompit le silence en demandant au commissaire :

— Qu'est-ce que je puis vous offrir ?... Je ne crois pas qu'il reste de porto... Mais il y a des alcools...

Toutes les pièces du rez-de-chaussée étaient à l'enfilade, séparées par des portes grandes ouvertes. La salle à manger d'abord. Puis le salon. Puis le fumoir où les trois personnages se trouvaient. Enfin la bibliothèque où le jeune homme alla chercher des bouteilles.

— Allô... Oui... J'y compte ?... À tout de suite...

Le comte téléphonait toujours, puis marchait dans le corridor longeant toutes les pièces, montait à l'étage et ses pas s'arrêtaient dans la chambre de la morte.

D'autres pas, plus lourds, dans le hall. On frappa à la porte qui s'ouvrit aussitôt. C'était le régisseur.

— Vous m'avez demandé ?

Mais il s'apercevait que le comte n'était pas là, regardait avec ahurissement les trois personnes réunies, battait en retraite, questionnait le maître d'hôtel qui arrivait.

— De l'eau de Seltz ? s'inquiétait Jean Métayer.

Et l'avocat, plein de bonne volonté, commençait en toussotant :

— Nous avons l'un et l'autre de drôles de professions, commissaire… Il y a longtemps que vous appartenez à la police ?… Moi, je suis inscrit au barreau depuis bientôt quinze ans… C'est vous dire que j'ai été mêlé aux événements les plus troublants qu'on puisse imaginer… À votre santé !… À la vôtre, monsieur Métayer… Je suis content pour vous de la tournure que prennent les…

La voix du comte, dans le corridor :

— Eh bien ! vous en trouverez ! Téléphonez à votre fils, qui est en train de jouer au billard au *Café de Paris*, à Moulins… Il apportera le nécessaire…

La porte s'ouvrit. Le comte entra.

— Vous avez à boire ?… Il n'y a pas de cigares, ici ?

Et il regardait Métayer d'un air interrogateur.

— Des cigarettes… Je ne fume que…

Le jeune homme n'acheva pas, détourna la tête, gêné.

— Je vais vous en apporter.

— Messieurs, vous voudrez bien excuser le repas très sommaire que vous allez faire… Nous sommes éloignés de la ville et…

— Allons ! Allons ! intervint l'avocat, à qui l'alcool commençait à faire de l'effet. Je suis persuadé que ce sera très bien… C'est le portrait d'un de vos parents ?…

Il montrait, au mur du grand salon, le portrait d'un homme vêtu d'une redingote rigide, le cou pris dans un faux col empesé.

— C'est mon père.

— Oui ! Vous lui ressemblez.

Le domestique introduisait le Dr Bouchardon qui regarda autour de lui avec méfiance, comme s'il eût pressenti un drame. Mais Saint-Fiacre le reçut d'une façon enjouée.

— Entrez, docteur... Je suppose que vous connaissez Jean Métayer... Son avocat... Un homme charmant, comme vous le verrez... Quant au commissaire...

Les deux hommes se serrèrent la main et quelques instants plus tard le médecin grommelait à l'oreille de Maigret :

— Qu'est-ce que vous avez manigancé là ?

— Ce n'est pas moi... C'est lui !

L'avocat, par contenance, se dirigeait sans cesse vers le guéridon sur lequel son verre était posé et il ne se rendait pas compte qu'il buvait plus que de raison.

— Quelle merveille, ce vieux château !... Et quel cadre pour un film !... C'est ce que je disais récemment au procureur de Bourges, qui a horreur du cinéma... Tant qu'on tournera dans des décors qui...

Il s'animait, cherchait sans cesse à se raccrocher à quelqu'un.

Quant au comte, il s'était approché de Métayer et se montrait à son égard d'une amabilité inquiétante.

— Le plus triste, ici, ce sont les longues soirées d'hiver, n'est-ce pas ?... *De mon temps,* je me souviens que mon père avait l'habitude d'inviter, lui aussi, le docteur et le curé... Ce n'étaient pas les mêmes qu'à présent... Mais déjà le docteur était un mécréant et les discussions finissaient toujours par rouler sur des sujets philosophiques... Voici justement le...

C'était le curé, les yeux cernés, l'attitude compassée, qui ne savait que dire et qui restait hésitant sur le seuil.

— Excusez-moi d'être en retard mais...

À travers les portes ouvertes, on voyait deux domestiques qui dressaient les couverts dans la salle à manger.

— Offrez donc quelque chose à boire à monsieur le curé...

C'était à Métayer que le comte parlait. Maigret remarquait que lui-même ne buvait pas. Mais l'avocat, lui, ne tarderait pas à être ivre. Il expliquait au docteur, qui regardait le commissaire avec ahurissement :

— Un peu de diplomatie, tout simplement ! Ou, si vous préférez, la connaissance de l'âme humaine... Ils sont à peu près du même âge, de bonne famille tous les deux... Dites-moi pourquoi ils se seraient regardés comme des chiens de faïence ?... Est-ce que leurs intérêts ne sont pas connexes ?... Le plus curieux...

Il rit. Il but une gorgée d'alcool.

— ... c'est que cela s'est passé par hasard, dans un café... Comme quoi ces braves cafés de province, où l'on est comme chez soi, ont du bon...

On avait entendu dehors un bruit de moteur. Le comte pénétra un peu plus tard dans la salle à manger où le régisseur se trouvait et on perçut une fin de phrase :

— Tous les deux, oui !... Si vous voulez !... C'est un ordre !...

Sonnerie de téléphone. Le comte était revenu au milieu de ses invités. Le maître d'hôtel entra dans le fumoir.

— Qu'est-ce que c'est ?

— L'entrepreneur des pompes funèbres... Il demande à quelle heure on peut apporter le cercueil...

— Quand il voudra.

— Bien, monsieur le comte !

Et celui-ci lança presque gaiement :

— À table, voulez-vous ?... J'ai fait monter les dernières bonnes bouteilles de la cave... Passez le premier, monsieur le curé... Cela manque un peu de dames, mais...

Maigret voulut le retenir un instant par la manche. L'autre le regarda dans les yeux, avec une pointe d'impatience, se dégagea brusquement et pénétra dans la salle à manger.

— J'ai invité M. Gautier, notre régisseur, ainsi que son fils, qui est un garçon d'avenir, à partager notre repas...

Maigret regardait les cheveux de l'employé de banque et, malgré son inquiétude, il ne put s'empêcher de sourire. Les cheveux étaient humides. Avant d'entrer au château, le jeune homme avait rectifié sa raie, s'était lavé la figure et les mains, avait changé de cravate.

— À table, messieurs !

Et le commissaire eut la certitude qu'un sanglot gonflait la gorge de Saint-Fiacre. Cela passa inaperçu, parce que le docteur détournait involontairement l'attention en saisissant un flacon poudreux et en murmurant :

— Vous avez encore de l'Hospice de Beaune 1896 ?... Je croyais que les dernières bouteilles avaient été acquises par le restaurant Larue et que...

Le reste se perdit dans le bruit des chaises remuées. Le prêtre, mains jointes sur la nappe, tête baissée, lèvres mobiles, récitait les grâces.

Maigret surprit le regard insistant que Saint-Fiacre laissait peser sur lui.

9

Sous le signe de Walter Scott

La salle à manger était la pièce du château qui avait le moins perdu de son caractère, grâce aux boiseries sculptées qui couvraient les murs jusqu'au plafond. En outre, la pièce était plus haute que vaste, ce qui la rendait non seulement solennelle mais lugubre, car on avait l'impression de manger au fond d'un puits.

Sur chaque panneau, deux lampes électriques, de ces lampes oblongues qui imitent les cierges, y compris les fausses larmes de cire.

Au milieu de la table, un vrai chandelier à sept branches, avec sept vraies bougies.

Le comte de Saint-Fiacre et Maigret étaient face à face, mais ne pouvaient se voir qu'en raidissant le torse pour regarder par-dessus les flammes.

À droite du comte, le prêtre. À gauche, le Dr Bouchardon. Le hasard avait placé Jean Métayer à un bout de la table, l'avocat à l'autre bout. Et aux côtés du commissaire il y avait le régisseur d'une part, Émile Gautier de l'autre.

Le maître d'hôtel s'avançait parfois dans la lumière pour servir les convives, mais aussitôt qu'il reculait de deux mètres il était noyé dans l'ombre et on ne voyait plus que ses mains gantées de blanc.

— Ne trouvez-vous pas qu'on se croirait dans un roman de Walter Scott ?

C'était le comte qui parlait, d'une voix indifférente. Et pourtant Maigret tendit l'oreille, car il sentit une intention, devina que quelque chose allait commencer.

On n'était qu'aux hors-d'œuvre. Sur la table, il y avait pêle-mêle une vingtaine de bouteilles de vin blanc et rouge, bordeaux et bourgogne, et chacun se servait à sa guise.

— Il n'y a qu'un détail qui cloche… poursuivait Maurice de Saint-Fiacre. Dans Walter Scott, la pauvre vieille, là-haut, se mettrait tout à coup à crier…

L'espace de quelques secondes, chacun cessa de mastiquer et on sentit passer comme un courant d'air glacé.

— Au fait, Gautier, on l'a laissée toute seule ?

Le régisseur avala en hâte, bégaya :

— Elle… Oui… Il n'y a personne dans la chambre de madame la comtesse…

— Ce ne doit pas être gai !

À cet instant un pied frôla celui de Maigret avec insistance mais le commissaire ne put deviner à qui ce pied appartenait. La table était ronde. Chacun pouvait en atteindre le centre. Et l'incertitude de Maigret allait continuer car, durant la soirée, les petits coups de pied allaient se succéder à une cadence de plus en plus rapide.

— Elle a reçu beaucoup de monde aujourd'hui ?

C'était gênant de l'entendre parler ainsi de sa mère comme d'une personne vivante et le commissaire constata que Jean Métayer en était si affecté qu'il cessait de manger et qu'il regardait droit devant lui de ses yeux de plus en plus cernés.

— Presque tous les fermiers du pays ! répondit la voix grave du régisseur.

Quand le maître d'hôtel apercevait une main tendue vers une bouteille, il s'approchait sans bruit. On voyait surgir son bras noir terminé par un gant blanc. Le liquide coulait. Et c'était fait dans un tel silence, avec une adresse telle que l'avocat, plus qu'éméché, recommença trois ou quatre fois l'expérience avec émerveillement.

Il suivait, ravi, ce bras qui ne frôlait même pas son épaule. À la fin il n'y tint plus.

— Épatant ! Maître d'hôtel, vous êtes un as et, si je pouvais me payer un château, je vous prendrais à mon service…

— Bah ! le château sera bientôt à vendre pour pas cher…

Cette fois, tout de même, Maigret fronça les sourcils en regardant Saint-Fiacre qui parlait de la sorte, d'une drôle de voix indifférente mais quelque peu funambulesque. Malgré tout, il y avait dans ces reparties quelque chose de grinçant. Avait-il enfin les nerfs à fleur de peau ? Était-ce une façon sinistre de plaisanter ?

— Poulets demi-deuil… annonça-t-il comme le maître d'hôtel apportait en effet des poulets aux truffes.

Et, sans transition, de la même voix légère :

— L'assassin va manger du poulet demi-deuil, comme les autres !

Le bras du maître d'hôtel se glissait entre les convives. La voix du régisseur articula avec une désolation comique :

— Oh ! monsieur le comte…

— Mais oui ! Qu'y a-t-il d'extraordinaire à cela ? L'assassin est ici, cela ne fait aucun doute ! Mais que cela ne vous coupe donc pas l'appétit, monsieur le curé ! Le cadavre est dans la maison aussi et cela ne nous empêche pas de manger… Un peu de vin pour monsieur le curé, Albert !…

Le pied frôlait à nouveau la cheville de Maigret qui laissa tomber sa serviette, se pencha sous la table, mais trop tard. Quand il se redressa, le comte disait sans s'arrêter de manger son poulet :

— Je parlais tout à l'heure de Walter Scott, à cause de l'atmosphère qui règne dans cette pièce, mais aussi et surtout à cause de l'assassin… En somme, n'est-ce pas ? c'est une veillée funèbre… Les obsèques ont lieu demain matin et il est probable que nous ne nous séparerons pas d'ici là… M. Métayer a tout au moins le mérite d'avoir rempli la cave à liqueurs d'excellent whisky…

Et Maigret essayait de se souvenir de ce que Saint-Fiacre avait bu. Moins que le docteur, en tout cas, qui s'écriait :

— Excellent ! Ça oui ! Mais aussi mon client est-il petit-fils de vignerons et…

— Je disais… Qu'est-ce que je disais donc ?… Ah ! oui !… Remplissez le verre de monsieur le curé, Albert…

» Je disais que, puisque l'assassin est ici, les autres font en quelque sorte figure de justiciers… Et c'est par cela que notre assemblée ressemble à un chapitre de Walter Scott…

» Remarquez qu'en réalité l'assassin en question ne risque rien. N'est-ce pas, commissaire ?… Ce n'est pas un crime de glisser une feuille de papier dans un missel…

» À ce sujet, docteur… Quand a eu lieu la dernière crise de ma mère ?…

Le docteur s'essuya les lèvres, regarda autour de lui d'un air maussade :

— Il y a trois mois, quand vous avez télégraphié de Berlin que vous étiez malade dans une chambre d'hôtel et que…

— Je réclamais de la galette ! Voilà !

— J'ai annoncé à ce moment que la prochaine émotion violente serait funeste.

— Si bien que… Voyons… Qui le savait ? Jean Métayer, bien entendu… Moi, évidemment !… Le père Gautier, qui est presque de la maison… Enfin vous et monsieur le curé…

Il avala un plein verre de pouilly, fit la grimace :

— Ceci pour vous dire qu'en bonne logique nous pouvons presque tous être considérés comme des coupables possibles… Si cela vous amuse…

À croire qu'il choisissait exprès les mots les plus choquants !

— ... Si cela vous amuse nous allons examiner le cas de chacun en particulier... Commençons par monsieur le curé... Avait-il intérêt à tuer ma mère ?... Vous allez voir que la réponse n'est pas si simple qu'elle en a l'air... Je laisse la question d'argent de côté...

Le prêtre suffoquait, hésitait à se lever.

— Monsieur le curé n'avait rien à espérer... Mais c'est un mystique, un apôtre, presque un saint... Il a une drôle de paroissienne qui fait scandale par sa conduite... Tantôt elle se précipite à l'église comme la plus fervente des fidèles et tantôt elle fait régner le scandale sur Saint-Fiacre... Mais non ! Ne faites pas cette tête, Métayer... Nous sommes entre hommes... Nous faisons, si vous voulez, de la haute psychologie...

» Monsieur le curé a une foi si vive qu'elle pourrait le pousser à certaines extrémités... Souvenez-vous du temps où on brûlait les pécheurs pour les purifier... Ma mère est à la messe... Elle vient de communier... Elle est en état de grâce... Mais, tout à l'heure, elle va retomber dans son péché et être à nouveau un objet de scandale...

» Si elle meurt, là, à son banc, saintement...

— Mais... commença le prêtre qui avait de grosses larmes dans les yeux et qui se retenait à la table pour rester calme.

— Je vous en prie, monsieur le curé... Nous faisons de la psychologie... Je veux vous prouver que les personnes les plus austères peuvent être soupçonnées des pires atrocités... Si nous passons au docteur, je suis plus embarrassé... Ce n'est pas un saint... Et, ce qui le sauve, c'est de ne pas même être un savant... Car, dans ce cas, il aurait pu faire le coup du bout de papier dans le missel pour expérimenter la résistance d'un cœur malade...

Le bruit des fourchettes s'était tellement ralenti qu'il était presque tombé à zéro. Et les regards étaient fixes, inquiets, voire hagards. Il n'y avait que le maître d'hôtel à remplir les verres en silence, avec une régularité de métronome.

— Vous êtes lugubres, messieurs... Est-ce que, vraiment, entre gens intelligents, on ne peut pas aborder certains sujets ?...

» Servez la suite, Albert... Donc, nous mettons le docteur à part, faute de le considérer comme un savant ou comme un chercheur... C'est sa médiocrité qui le sauve...

Il eut un petit rire, se tourna vers le père Gautier.

— À vous !... Cas plus complexe... Nous nous plaçons toujours du point de vue de Sirius, n'est-ce pas ?... Deux éventualités... D'abord, vous êtes le régisseur modèle, l'homme intègre qui consacre sa vie à ses maîtres, au château qui l'a vu naître... Il ne vous a pas vu naître, mais ce n'est rien... Dans ce cas, votre situation n'est pas nette... Les Saint-Fiacre n'ont qu'un héritier mâle... Et voilà que la fortune est en train de filer morceau par morceau au nez de cet héritier... La comtesse se conduit comme une folle... Est-ce qu'il n'est pas temps de sauver les restes ?...

» Ça, c'est noble comme du Walter Scott et votre cas ressemble à celui de monsieur le curé...

» Mais il y a le cas contraire aussi ! Vous n'êtes plus le régisseur modèle que le château a vu naître… Vous êtes une canaille qui, depuis des années, profitez et abusez de la faiblesse de vos maîtres… Les fermes que l'on doit vendre, c'est vous qui les rachetez en sous-main… Les hypothèques, c'est vous qui les prenez… Ne vous fâchez pas, Gautier… Est-ce que le curé s'est fâché, lui ?… Et pourtant ce n'est pas fini…

» Vous êtes presque le vrai propriétaire du château…

— Monsieur le comte !

— Vous ne savez donc pas jouer ? Je vous dis que nous jouons ! Nous jouons, si vous voulez, à être tous des commissaires comme votre voisin… Le moment est arrivé où la comtesse est à bout, où on va tout vendre et où on s'apercevra que c'est vous qui avez profité de la situation… Est-ce que la comtesse ne ferait pas mieux de mourir, bien gentiment, ce qui lui évitera par surcroît de connaître la misère ?…

Et, se tournant vers le maître d'hôtel, ombre dans l'ombre, démon aux deux mains d'un blanc de craie :

— Albert !… Allez chercher le revolver de mon père… Pour autant qu'il existe encore…

Il se versa à boire en même temps qu'à ses deux voisins, tendit la bouteille à Maigret.

— Vous voulez bien faire le service de votre côté ?… Ouf ! Nous voilà à peu près à la moitié de notre jeu… Mais attendons Albert… Monsieur Métayer… Vous ne buvez pas…

On entendit un « merci » étranglé.

— Et vous, maître ?

Et celui-ci, la bouche pleine, la langue pâteuse :

— Merci ! Merci ! J'ai tout ce qu'il me faut... Dites donc ! Savez-vous que vous feriez un fameux avocat général ?...

Il était le seul à rire, à manger avec un appétit indécent, à boire verre sur verre, tantôt du bourgogne, tantôt du bordeaux, sans même s'apercevoir de la différence.

On entendit sonner dix heures du soir à la cloche grêle de l'église. Albert tendait un gros revolver à barillet au comte et celui-ci en vérifiait le chargement.

— Parfait !... Je le pose ici, au milieu de la table, qui est ronde... Vous remarquerez, messieurs, qu'il est à égale distance de chacun... Nous avons examiné trois cas... Nous allons en examiner trois autres... Me permettez-vous d'abord une prédiction ?... Eh bien ! pour rester dans la tradition et dans la note de Walter Scott, je vous annonce qu'avant qu'il soit minuit l'assassin de ma mère sera mort !...

Maigret lui lança un regard aigu par-dessus la table, vit des yeux trop brillants, comme si Saint-Fiacre eût été ivre. Au même instant un pied toucha à nouveau le sien.

— Et maintenant, je continue... Mais mangez donc votre salade... Je passe à votre voisin de gauche, commissaire, c'est-à-dire à Émile Gautier... Un garçon sérieux, un travailleur qui, comme on dit dans les distributions de prix, s'est élevé par sa seule valeur et par un effort opiniâtre...

» Est-ce qu'il a pu tuer ?

» Une première hypothèse : il a travaillé pour son papa, d'accord avec lui...

» Il va chaque jour à Moulins... C'est lui qui connaît le mieux l'état financier de la famille... Il a toutes facilités pour voir un imprimeur ou un ouvrier typographe...

» Passons ! Deuxième hypothèse... Vous m'excuserez, Métayer, de vous dire, si vous ne le savez pas encore, que vous aviez un rival... Émile Gautier n'est pas une beauté... N'empêche qu'il a occupé avant vous la place que vous occupiez avec tant de tact...

» Il y a de cela quelques années... Est-ce qu'il a conçu certains espoirs ?... Est-ce que, depuis lors, il lui est arrivé d'émouvoir à nouveau le cœur trop sensible de ma mère ?...

» Toujours est-il qu'il a été son protégé officiel, que toutes les ambitions lui ont été permises...

» Vous êtes venu... Vous avez vaincu...

» Tuer la comtesse et en même temps faire tomber les soupçons sur vous...

Maigret en avait les doigts de pied mal à l'aise dans les chaussures. Tout cela était odieux, sacrilège ! Saint-Fiacre parlait avec une exaltation d'ivrogne. Et les autres se demandaient s'ils tiendraient jusqu'au bout, s'ils devaient rester, subir cette scène ou se lever et partir.

— Vous voyez que nous nageons en pleine poésie... Remarquez que la comtesse elle-même, là-haut, serait incapable, si elle pouvait parler, de nous livrer la clef du mystère. L'assassin est rigoureusement le seul à être au courant de son crime... Mangez, Émile Gautier... Ne vous laissez surtout pas impressionner, comme votre père, qui semble sur le point de se trouver mal...

» Albert !… Il doit bien rester quelques bouteilles de vin dans un casier…

» À vous, jeune homme !

Et il se tournait en souriant vers Métayer, qui se leva d'une détente.

— Monsieur, mon avocat…

— Asseyez-vous donc, que diable ! Et ne nous faites pas croire qu'à votre âge vous ne comprenez pas la plaisanterie…

Maigret le regardait tandis qu'il prononçait ces paroles et il constatait que le front du comte était couvert de grosses gouttes de sueur.

— Nous ne cherchons aucun à nous faire meilleurs que nous sommes, n'est-il pas vrai ? Bien ! Je vois que vous commencez à saisir. Prenez un fruit ! C'est excellent pour la digestion…

Il faisait une chaleur insupportable et Maigret se demanda qui avait éteint les lampes électriques, ne laissant que les bougies de la table allumées.

— Votre cas est si simple qu'il en devient sans intérêt… Vous jouiez un rôle pas folichon, qu'on n'accepte pas de jouer très longtemps… Enfin, vous étiez couché sur le testament… Ce testament risquait à tout moment d'être changé… Une mort subite et c'était fini ! Vous étiez libre ! Vous récoltiez le fruit de votre… de votre sacrifice… Et, ma foi, vous épousiez quelque jeune fille que vous devez avoir en vue dans votre pays…

— Pardon ! intervint l'avocat, si comiquement que Maigret ne put réprimer un sourire.

— Votre gueule ! Buvez !

Saint-Fiacre était catégorique ! Il était ivre, cela ne faisait plus l'ombre d'un doute ! Il avait cette éloquence particulière aux ivrognes, mélange de brutalité et de finesse, de facilité d'élocution et de mots escamotés.

— Il ne reste que moi !

Il appela Albert.

— Dites, mon vieux, vous allez monter là-haut… Ce doit être tellement lugubre pour ma mère de rester toute seule…

Maigret vit le regard interrogateur du domestique se poser sur le vieux Gautier, qui battit affirmativement des paupières.

— Un instant ! Mettez d'abord des bouteilles à table… Le whisky aussi… Personne ne se soucie du protocole, je suppose…

Il regarda l'heure à sa montre.

— Onze heures dix minutes… Je parle tellement que je n'ai pas entendu les cloches de votre église, monsieur le curé…

Et, comme le maître d'hôtel poussait légèrement le revolver en mettant les flacons de whisky à table, le comte intervint.

— Attention, Albert !… Il doit rester à égale distance de chacun…

Il attendit que la porte fût refermée.

— Et voilà ! conclut-il. Il ne reste que moi ! Je ne vous apprends rien en vous disant que je n'ai jamais rien fait de bon ! Sauf peut-être du vivant de mon père… Mais, puisqu'il est mort alors que je n'avais que dix-sept ans…

» Je suis à la côte ! Tout le monde sait ça ! Les petits journaux hebdomadaires en parlent à mots à peine couverts...

» Chèques sans provision... Je tape maman le plus souvent possible... J'invente la maladie de Berlin pour obtenir quelques milliers de francs...

» Remarquez que c'est, en plus petit, le coup du missel...

» Or, que se passe-t-il ?... L'argent qui me revient est dépensé par des petits salopards comme Métayer... Excusez-moi, mon vieux... Nous faisons toujours de la psychologie transcendante...

» Bientôt il ne restera plus rien... Je téléphone à ma mère, à un moment où un chèque non provisionné va me valoir la prison... Elle refuse de payer... Cela pourra être établi par des témoignages...

» Enfin, si cela continue, dans quelques semaines il ne restera rien de mon patrimoine...

» Deux hypothèses, comme pour Émile Gautier. La première...

Jamais, de sa carrière, Maigret n'avait été aussi mal à l'aise. Et sans doute était-ce la première fois qu'il avait la sensation très nette d'être inférieur à la situation. Les événements le dépassaient. Parfois il croyait comprendre et l'instant d'après une phrase de Saint-Fiacre remettait tout en question !

Et il y avait toujours ce pied insistant, contre le sien.

— Si on parlait d'autre chose ! osa lancer l'avocat parfaitement saoul.

— Messieurs... commença le prêtre.

— Pardon ! Vous me devez votre temps jusqu'à minuit au moins ! Je disais que la première hypothèse…

» Parfait ! Vous m'avez fait perdre le fil de mes idées…

Et, comme pour le retrouver, il se versa un plein verre de whisky.

— Je sais que ma mère est très sensible. Je glisse le papier dans son missel, histoire de l'effrayer et, par le fait, de l'attendrir, avec l'idée de revenir le lendemain pour lui demander les fonds nécessaires et l'espoir de la trouver plus accommodante…

» Mais il y a la seconde hypothèse ! Pourquoi ne voudrais-je pas tuer, moi aussi ?

» Tout l'argent des Saint-Fiacre n'est pas dévoré ! Il en reste un peu ! Et, dans ma situation, un peu d'argent, si peu que ce soit, c'est peut-être le salut !

» Je sais vaguement que Métayer est couché sur le testament. Mais un assassin ne peut hériter…

» Est-ce que ce n'est pas lui qu'on soupçonnera du crime ? Lui qui passe une partie de son temps dans une imprimerie de Moulins ! Lui qui, vivant au château, peut comme il veut et quand il veut glisser le papier dans le missel ?

» Ne suis-je pas arrivé à Moulins samedi après-midi ? Et n'ai-je pas attendu là-bas, en compagnie de ma maîtresse, le résultat de cette manœuvre ?…

Il se leva, son verre à la main.

— À votre santé, messieurs… Vous êtes lugubres… Je le regrette… Toute la vie de ma pauvre mère, durant ces dernières années, a été lugubre… Pas vrai, monsieur le curé ?... Il serait juste que sa dernière nuit soit accompagnée d'un peu de gaieté...

Il regarda le commissaire dans les yeux.

— À votre santé, monsieur Maigret !

De qui se moquait-il ? De lui ? De tout le monde ?

Maigret se sentait en présence d'une force contre laquelle il n'y avait rien à tenter. Certains individus, à un moment donné de leur vie, ont ainsi une heure de plénitude, une heure pendant laquelle ils sont placés en quelque sorte au-dessus du reste de l'humanité et d'eux-mêmes.

C'est le cas du joueur qui, à Monte-Carlo, gagne à tout coup, quoi qu'il fasse. C'est le cas du parlementaire de l'opposition, jusque-là inconnu, qui, par son discours, fait vaciller le gouvernement, le renverse et en est le premier étonné, puisqu'il ne désirait que quelques lignes au *Journal officiel*.

Maurice de Saint-Fiacre vivait son heure. Il y avait en lui une force qu'il ne soupçonnait pas lui-même et les autres ne pouvaient que baisser la tête.

Mais n'était-ce pas l'ivresse qui l'emportait de la sorte ?

— Revenons à ce qui a fait le début de notre entretien, messieurs, puisqu'il n'est pas encore minuit... J'ai dit que l'assassin de ma mère était parmi nous... J'ai prouvé que ce pouvait être moi ou l'un d'entre vous, hormis peut-être le commissaire et le docteur !

» Encore n'en suis-je pas sûr...

» Et j'ai annoncé sa mort...

» Me permettez-vous une fois de plus le jeu des hypothèses ? Il sait que la loi ne peut rien contre lui. Mais il sait aussi que nous sommes quelques-uns, ou plutôt qu'il restera quelques personnes, six au moins, connaissant son crime…

» Là encore, nous nous trouvons devant plusieurs solutions…

» La première est la plus romantique, la plus conforme à Walter Scott…

» Mais il faut que je fasse une nouvelle parenthèse… Quelle est la caractéristique de ce crime ?… C'est qu'il y a au moins cinq individus qui gravitaient autour de la comtesse… Cinq individus qui avaient intérêt à sa mort, qui ont peut-être, chacun de son côté, envisagé les moyens de provoquer celle-ci…

» Un seul a osé… Un seul a tué !…

» Eh bien ! je vois très bien celui-là profiter de cette soirée pour se venger des autres… Il est perdu !… Pourquoi ne pas nous faire sauter tous ?…

Et Maurice de Saint-Fiacre, avec un sourire désarmant, regarda chacun tour à tour.

— Est-ce assez passionnant ? La vieille salle à manger du vieux château, les bougies, la table chargée de bouteilles… Puis, à minuit, la mort… Notez que c'est en même temps la suppression du scandale… Demain, les gens accourent et n'y comprennent rien… On parle de fatalité ou d'attentat anarchiste…

L'avocat s'agita sur sa chaise, jeta un coup d'œil anxieux autour de lui, vers la pénombre qui commençait à régner à moins d'un mètre de la table.

— Si je puis me permettre de rappeler que je suis médecin, grommela Bouchardon, je conseillerais à chacun une tasse de café bien noir…

— Et moi, dit lentement le prêtre, je vous dirai qu'il y a un mort dans la maison…

Saint-Fiacre hésita une seconde. Un pied frôla la cheville de Maigret qui se pencha soudain, trop tard une fois de plus.

— Je vous ai demandé jusqu'à minuit… Je n'ai examiné que la première hypothèse… Il y en a une seconde… L'assassin, traqué, affolé, se tire une balle dans la tête… *Mais je ne crois pas qu'il le fera…*

— Je supplie que l'on passe au fumoir ! glapit l'avocat en se levant et en se raccrochant au dossier de sa chaise pour ne pas tomber.

— Et enfin il y a une troisième hypothèse… Quelqu'un, qui tient à l'honneur de la famille, vient en aide à l'assassin… Attendez… La question est plus complexe… Est-ce qu'il ne faut pas éviter le scandale ?… Est-ce qu'il ne faut pas *aider* le coupable à se suicider ?…

» Le revolver est là, messieurs, à égale distance de toutes les mains… Il est minuit moins dix… Je vous répète qu'à minuit l'assassin sera mort…

Et cette fois l'accent était tel que chacun resta coi. Les respirations étaient suspendues.

— La victime est là-haut, veillée par un domestique… L'assassin est ici, entouré par sept personnes…

Saint-Fiacre vida d'un trait le contenu de son verre. Et le pied anonyme frôlait toujours le pied de Maigret.

— Minuit moins six… Est-ce assez Walter Scott ?… Tremblez, monsieur l'assassin…

Il était ivre ! Et il continuait à boire !

— Cinq personnes au moins pour dépouiller une vieille femme privée de son mari, d'affection… Un seul qui a osé… Ce sera la bombe ou le revolver, messieurs… La bombe qui nous fera sauter tous, ou le revolver qui n'atteindra que le coupable... Minuit moins quatre...

Et, d'une voix sèche :

— N'oubliez pas que personne ne sait !...

Il saisit la bouteille de whisky, servit à la ronde, en commençant par le verre de Maigret et en finissant par celui d'Émile Gautier.

Il ne remplit pas le sien. N'avait-il pas assez bu ? Une bougie s'éteignit. Les autres allaient suivre.

— J'ai dit minuit... Minuit moins trois...

Il affectait des airs de commissaire-priseur.

— Minuit moins trois... moins deux... L'assassin va mourir... Vous pouvez commencer une prière, monsieur le curé... Et vous, docteur, avez-vous au moins votre trousse ?... Moins deux... Moins une et demie...

Et toujours ce pied insistant contre le pied de Maigret. Il n'osait plus se baisser, par crainte de rater un autre spectacle.

— Moi, je m'en vais ! cria l'avocat en se levant.

Tous les regards se tournèrent vers lui. Il était debout. Il étreignait le dossier de sa chaise. Il hésitait à esquisser les trois pas dangereux qui le conduiraient à la porte. Il hoqueta.

Et au même moment une détonation retentit. Il y eut une seconde, peut-être deux, d'immobilité générale.

Une deuxième bougie s'éteignit et en même temps Maurice de Saint-Fiacre vacilla, heurta des épaules le dossier de sa chaise gothique, se pencha à gauche, eut un sursaut pour gagner la droite mais retomba, inerte, la tête sur le bras du curé.

10

La veillée funèbre

La scène qui suivit fut confuse. Partout il se passait quelque chose et, après coup, chacun n'eût pu que raconter la petite partie des événements qu'il avait vue personnellement.

Il ne restait que cinq bougies pour éclairer la salle à manger. D'énormes pans demeuraient dans l'ombre et les gens, en s'agitant, y entraient ou en sortaient comme des coulisses d'un théâtre.

Celui qui avait tiré, c'était un des voisins de Maigret : Émile Gautier. Et, le coup à peine parti, il tendait les deux poignets vers le commissaire, en un geste un peu théâtral.

Maigret était debout. Gautier se leva. Son père aussi. Et tous trois formèrent un groupe d'un côté de la table tandis qu'un autre groupe se constituait autour de la victime.

Le comte de Saint-Fiacre avait toujours le front sur le bras du prêtre. Le médecin s'était penché, avait regardé autour de lui d'un air sombre.

— Mort ?… questionnait la voix de l'avocat grassouillet.

Pas de réponse. On eût dit que, dans ce camp-là, les choses se passaient mollement, entre mauvais acteurs.

Il n'y avait que Jean Métayer à n'être ni d'un groupe, ni de l'autre. Il était resté près de sa chaise, inquiet, en proie à un tremblement, et il ne savait de quel côté regarder.

Pendant les minutes qui avaient précédé son geste, Émile Gautier avait dû préparer son attitude car à peine avait-il remis l'arme sur la table qu'il faisait littéralement une déclaration, en regardant Maigret dans les yeux.

— C'est lui-même qui l'a annoncé, n'est-ce pas ?… L'assassin devait mourir… Et, puisqu'il était trop lâche pour se faire justice lui-même…

Son assurance était extraordinaire.

— J'ai fait ce que j'ai considéré comme mon devoir…

Est-ce que les autres, de l'autre côté de la table, entendaient ? Il y avait des pas dans le couloir. C'étaient les domestiques. Et le docteur alla à la porte pour les empêcher d'entrer. Maigret n'entendit pas ce qu'il leur dit pour les éloigner.

— J'ai vu Saint-Fiacre qui rôdait autour du château la nuit du crime… C'est ainsi que j'ai compris…

Toute la scène était mal réglée. Et Gautier était cabotin en diable quand il déclara :

— Les juges diront si...

On entendit la voix du docteur.

— Vous êtes sûr que c'est Saint-Fiacre qui a tué sa mère ?

— Certain ! Aurais-je agi comme je l'ai fait si...

— Vous l'avez vu rôder autour du château la nuit qui a précédé le crime ?

— Je l'ai vu comme je vous vois. Il avait laissé son auto à l'entrée du village...

— Vous n'avez pas d'autre preuve ?

— J'en ai une ! Cet après-midi, l'enfant de chœur est venu me voir à la banque, avec sa mère... C'est sa mère qui l'a fait parler... Un peu après le crime, le comte a demandé à l'enfant de lui donner le missel et lui a promis une somme d'argent...

Maigret était à bout de patience, car il avait l'impression d'être laissé en dehors de la comédie !

Comédie, oui ! Pourquoi le docteur souriait-il dans sa barbiche ? Et pourquoi le prêtre repoussait-il doucement la tête de Saint-Fiacre ?

Comédie qui devait d'ailleurs se poursuivre sur un ton de farce et de drame tout ensemble.

Le comte de Saint-Fiacre, en effet, se levait comme un homme qui vient de sommeiller. Il avait le regard dur, un pli ironique mais menaçant au coin des lèvres.

— Viens me répéter ça ici !... prononça-t-il.

Et le cri qui retentit fut hallucinant. Émile Gautier hurlait sa peur, se raccrochait au bras de Maigret comme pour lui demander protection. Mais le commissaire reculait, laissait le champ libre aux deux hommes.

Il y avait quelqu'un qui ne comprenait pas : Jean Métayer. Et il était presque aussi effrayé que l'employé de banque. Pour comble, un des chandeliers fut renversé et la nappe commença à se consumer, répandit une odeur de brûlé.

Ce fut l'avocat qui éteignit le commencement d'incendie en versant le contenu d'une bouteille de vin.

— Viens ici !

C'était un ordre ! Et le ton était tel qu'on sentait qu'il n'y avait aucun moyen de désobéir.

Maigret avait saisi le revolver. Un simple coup d'œil lui avait montré qu'il était chargé à blanc.

Le reste, il le devinait. Maurice de Saint-Fiacre qui abandonnait sa tête au bras du prêtre… Quelques mots chuchotés pour qu'on laissât croire un moment à sa mort…

Maintenant, ce n'était plus le même homme. Il paraissait plus grand, plus solide. Il ne quittait pas le jeune Gautier des yeux et ce fut le régisseur qui courut soudain vers une fenêtre, l'ouvrit, cria à son fils :

— Par ici…

Ce n'était pas mal combiné. L'émotion était telle, et tel le désarroi, qu'à ce moment Gautier avait des chances de fuir.

Le petit avocat le fit-il exprès ? Sans doute que non ! Ou alors c'est l'ivresse qui lui donnait une sorte d'héroïsme. Comme le fuyard se dirigeait vers la fenêtre, il avança la jambe et Gautier s'étendit de tout son long.

Il ne se releva pas de lui-même. Une main l'avait saisi au collet, le soulevait, le mettait sur pied, et il hurla à nouveau en s'apercevant que c'était Saint-Fiacre qui l'obligeait à rester debout.

— Bouge plus !... Que quelqu'un ferme la fenêtre...

Et il lança une première fois son poing au visage de son compagnon, qui s'empourpra. Il le faisait froidement.

— Parle, maintenant ! Raconte...

Personne n'intervint. Personne n'en eut même l'idée, tant on sentait qu'un seul homme avait le droit d'élever la voix.

Il n'y eut que le père Gautier à gronder à l'oreille de Maigret :

— Vous allez laisser faire ?...

Et comment ! Maurice de Saint-Fiacre était maître de la situation, et il était à la hauteur de sa tâche !

— Tu m'as vu la nuit en question, c'est vrai !

Puis, aux autres :

— Savez-vous où ?... Sur le perron... J'allais entrer... Il sortait... Je voulais, moi, emporter certains bijoux de famille pour les revendre... Nous nous sommes trouvés face à face, dans la nuit... Il gelait... Et cette crapule m'a dit qu'il sortait de... Vous devinez ? De la chambre de ma mère, oui !...

Plus bas, négligemment :

— J'ai renoncé à mon projet. J'ai regagné Moulins.

Jean Métayer écarquillait les yeux. L'avocat se caressait le menton, par contenance, louchait vers son verre qu'il n'osait pas aller prendre.

— Ce n'était pas une preuve suffisante... Car ils étaient deux dans la maison et Gautier pouvait avoir dit la vérité... Comme je l'ai expliqué tout à l'heure, il a été le premier à profiter du désarroi d'une vieille femme... Métayer n'est venu qu'ensuite... Métayer, sentant sa situation menacée, n'avait-il pas tenté de se venger ?... J'ai voulu savoir... Ils étaient sur leurs gardes, l'un comme l'autre... À croire qu'ils me défiaient...

» N'est-ce pas, Gautier ?... Le monsieur aux chèques sans provision qui rôde la nuit autour du château et qui n'oserait pas accuser, par crainte de se faire arrêter lui-même...

Et, d'une autre voix :

— Vous m'excuserez, monsieur le curé, et vous aussi, docteur, de vous faire renifler ces ordures... Mais on l'a déjà dit : la vraie justice, celle des tribunaux, n'a rien à faire ici... N'est-ce pas, monsieur Maigret ?... Avez-vous compris, au moins, quand tout à l'heure je vous donnais des coups de pied ?...

Il marchait de long en large, quittant la lumière pour l'ombre puis l'ombre pour la lumière. Il donnait l'impression d'un homme qui se contient, qui n'arrive à rester calme qu'au prix d'un terrible effort.

Parfois il s'approchait de Gautier au point de le toucher.

— Quelle tentation de prendre le revolver et de tirer ! Oui ! je l'avais dit moi-même : c'était le coupable qui mourrait à minuit ! Et toi, tu devenais le défenseur de l'honneur des Saint-Fiacre.

Cette fois, son poing frappa si fort, au beau milieu du visage, qu'un violent saignement de nez se déclara.

Émile Gautier avait des yeux de bête mourante. Sous le coup, il chancela et fut sur le point de pleurer de douleur, de peur, de désarroi.

L'avocat voulut s'interposer, mais Saint-Fiacre le repoussa.

— Je vous en prie, vous !

Et ce *vous* marquait toute la distance qu'il y avait entre eux. Maurice de Saint-Fiacre les dominait.

— Vous m'excuserez, messieurs, mais j'ai encore une petite formalité à remplir.

Il ouvrit la porte toute grande, se tourna vers Gautier.

— Viens !…

L'autre avait les pieds rivés au sol. Le couloir n'était pas éclairé. Il ne voulait pas y être seul avec son adversaire.

Ce ne fut pas long. Saint-Fiacre s'approcha de lui, frappa à nouveau, de telle sorte que Gautier alla rouler dans le hall.

— Monte !

Et il désignait l'escalier conduisant au premier étage.

— Commissaire ! je vous préviens que… haletait le régisseur.

Le prêtre avait détourné la tête. Il souffrait. Mais il n'avait pas la force de s'interposer. Tout le monde était à bout et Métayer se versa à boire, n'importe quoi, tant il avait la gorge sèche.

— Où vont-ils ? questionna l'avocat.

On les entendait marcher le long du couloir dont les pavés résonnaient sous les pas. Et on percevait la respiration forte de Gautier.

— Vous saviez tout ! dit lentement, très bas, Maigret au régisseur. Vous étiez d'accord, votre fils et vous ! Vous aviez déjà les métairies, les hypothèques... Mais Jean Métayer restait dangereux... Faire disparaître la comtesse... Et en même temps éloigner le gigolo qui serait soupçonné...

Un cri de douleur. Le docteur alla dans le couloir voir ce qui se passait.

— Rien ! dit-il. La canaille qui ne veut pas monter et qu'on aide à avancer...

— C'est odieux !... C'est un crime !... Qu'est-ce qu'il va faire ?... cria le vieux Gautier en s'élançant.

Maigret le suivit et le docteur. Ils arrivèrent au bas de l'escalier au moment où les deux autres, là-haut, atteignaient la porte de la chambre mortuaire.

Et on entendit la voix de Saint-Fiacre :

— Entre !

— Je ne peux pas... Je...

— Entre !

Un bruit mat. Un coup de poing encore.

Le père Gautier courait dans l'escalier, suivi par Maigret et par Bouchardon. Tous trois arrivèrent en haut comme la porte se refermait et personne ne bougea.

D'abord, on n'entendit rien derrière le lourd battant de chêne. Le régisseur retenait son souffle, grimaçait dans l'obscurité.

Un simple rai de lumière, sous la porte.

— À genoux !

Un temps. Un souffle rauque.

— Plus vite !... À genoux !... Et maintenant, demande pardon !...

Un nouveau silence, très long. Un cri de douleur. Cette fois, ce n'était pas un coup de poing que l'assassin avait reçu mais un coup de talon en pleine face.

— Par… pardon…

— C'est tout ?… C'est tout ce que tu trouves à dire ?… Souviens-toi que c'est elle qui t'a fait étudier…

— Pardon !

— Souviens-toi qu'il y a trois jours elle vivait.

— Pardon.

— Souviens-toi, sinistre petite crapule, que tu t'es jadis introduit dans son lit…

— Pardon !… Pardon !…

— Mieux que cela !… Allons !… Dis-lui que tu es un ignoble insecte… Répète…

— Je suis…

— À genoux, t'ai-je dit !… Est-ce qu'il te faut un tapis ?

— Aïe !… Je…

— Demande pardon…

Et soudain, à ces répliques que séparaient de longs silences, succéda une série de bruits violents. Saint-Fiacre ne se contenait plus. Il y avait des heurts contre le parquet.

Maigret entrouvrit la porte. Maurice de Saint-Fiacre tenait le cou de Gautier et lui frappait la tête contre terre.

En voyant le commissaire, il lâcha prise, s'épongea le front, se redressa de toute sa taille.

— C'est fait !… dit-il, le souffle court.

Il aperçut le régisseur, fronça les sourcils.

— Tu ne sens pas le besoin de demander pardon aussi, toi ?

Et le vieux eut tellement peur qu'il se jeta à genoux.

De la morte, on ne voyait, dans la lueur imprécise de deux cierges, que le nez qui semblait démesuré et les mains jointes qui tenaient un chapelet.

— Sors !

Le comte poussait Émile Gautier dehors, refermait la porte. Et le groupe s'engageait dans l'escalier.

Émile Gautier saignait. Il ne trouvait pas son mouchoir. Le docteur lui passa le sien.

Car le spectacle était affreux : une face tourmentée, plaquée de sang ; le nez qui n'était plus qu'une tumeur et la lèvre supérieure fendue…

Et pourtant le plus laid, le plus odieux, c'étaient les yeux dont le regard fuyait…

Maurice de Saint-Fiacre, à grands pas, très droit comme un maître de maison qui sait ce qu'il a à faire, traversait le long couloir du rez-de-chaussée, ouvrait la porte, recevait une bouffée d'air glacé.

— Filez !… grommela-t-il, tourné vers le père et le fils.

Mais, au moment où Émile sortait, il le rattrapa d'un geste instinctif.

Maigret fut certain d'entendre un sanglot éclater dans la gorge du comte. Il frappait à nouveau, convulsivement, et il criait :

— Crapule !… Crapule !…

Il suffit d'ailleurs au commissaire de lui toucher l'épaule. Saint-Fiacre reprit possession de lui-même, lança littéralement le corps au bas des marches, ferma la porte.

Pas si vite qu'on n'entendît encore la voix du vieux :

— Émile… Où es-tu ?…

Le prêtre priait, accoudé au buffet. Dans un coin, Métayer et son avocat restaient immobiles, les regards fixés à la porte.

Maurice de Saint-Fiacre entra, la tête haute.

— Messieurs… commença-t-il.

Mais non ! Il ne pouvait plus parler. L'émotion l'étouffait. Il était à bout de résistance.

Il serra la main du docteur, celle de Maigret. Il leur faisait comprendre qu'ils n'avaient plus qu'à partir. Puis, se tournant vers Métayer et son compagnon, il attendit.

Ces deux-là ne semblaient pas comprendre. Ou bien la terreur les paralysait.

Pour leur montrer le chemin, il fallut un geste, suivi d'un claquement des doigts.

Rien d'autre !

Si, pourtant ! L'avocat cherchait son chapeau et Saint-Fiacre gémit :

— Plus vite !…

Derrière une porte, Maigret entendit un murmure et il devina que c'étaient les domestiques qui étaient là, à essayer de deviner ce qui se passait dans le château.

Il endossait son lourd pardessus. Il éprouva le besoin, une fois de plus, de serrer la main de Saint-Fiacre.

La porte était ouverte. Dehors, c'était une nuit claire et froide, sans un nuage. Les peupliers se découpaient sur un ciel baigné de lune. Des pas résonnaient quelque part, très loin, et il y avait de la lumière aux fenêtres de la maison du régisseur.

— Non, restez, vous, monsieur le curé…

Et la voix de Maurice de Saint-Fiacre dit encore dans le couloir sonore :

— Maintenant, si vous n'êtes pas trop fatigué, nous allons veiller ma mère…

11

Le sifflet à deux sons

— Il ne faut pas m'en vouloir si je vous soigne si mal, monsieur Maigret… Mais, avec l'enterrement…

Et la pauvre Marie Tatin s'affairait, préparait des caisses entières de bouteilles de bière et de limonade.

— Surtout que ceux qui habitent trop loin viendront casser la croûte…

Les champs étaient tout blancs de gelée et les herbes cassaient sous les pas. De quart d'heure en quart d'heure, les cloches de la petite église sonnaient le glas.

Le corbillard était arrivé dès le petit jour et les croque-morts étaient installés à l'auberge, en demi-cercle autour du poêle.

— Cela m'étonne que le régisseur ne soit pas chez lui ! leur avait dit Marie Tatin. Il est sans doute au château, près de monsieur Maurice…

Et, déjà, on apercevait quelques paysans qui avaient revêtu leurs habits du dimanche.

Maigret achevait son petit déjeuner quand, par la fenêtre, il vit arriver l'enfant de chœur, que sa mère tenait par la main. Mais la maman ne l'accompagna pas jusqu'à l'auberge. Elle s'arrêta à l'angle de la route, là où elle croyait n'être pas vue, et elle poussa son fils en avant comme pour lui donner l'impulsion nécessaire à atteindre l'auberge de Marie Tatin.

Quand Ernest entra, il était sûr de lui. Aussi sûr qu'un gamin qui, à la distribution des prix, récite une fable répétée pendant trois mois.

— Monsieur le commissaire est-il ici ?

Au moment même où il demandait cela à Marie Tatin, il apercevait Maigret et s'avançait vers lui, les deux mains dans les poches, l'une d'elles tripotant quelque chose.

— Je suis venu pour…

— Montre-moi ton sifflet.

Du coup, Ernest recula d'un pas, détourna le regard, réfléchit, murmura :

— Quel sifflet ?

— Celui que tu as en poche… Il y a longtemps que tu as envie d'un sifflet de boy-scout ?…

L'enfant le tirait machinalement de sa poche, le posait sur la table.

— Et maintenant, raconte-moi ta petite histoire.

Un coup d'œil méfiant, puis un imperceptible haussement d'épaules. Car Ernest était déjà malin. On lisait clairement dans son regard : « Tant pis ! J'ai le sifflet ! Je vais dire ce qu'on m'a commandé de dire… »

Et il récita :

— C'est rapport au missel... Je ne vous ai pas tout dit, l'autre jour, parce que vous me faisiez peur... Mais maman veut que j'avoue la vérité... On est venu me demander le missel, un peu avant la grand-messe...

N'empêche qu'il était rouge, qu'il reprit soudain le sifflet comme s'il eût craint de le voir confisqué à cause de son mensonge.

— Et qui est venu te trouver ?

— M. Métayer... Le secrétaire du château...

— Viens t'asseoir près de moi... Veux-tu boire une grenadine ?

— Oui... Avec de l'eau qui pique...

— Apporte-nous une grenadine à l'eau de Seltz, Marie... Et toi, tu es content de ton sifflet ?... Fais-le marcher...

Les croque-morts se retournèrent en entendant siffler.

— C'est ta mère qui te l'a acheté, hier après-midi, pas vrai ?

— Comment le savez-vous ?

— Combien lui a-t-on donné, hier, à la banque, à ta mère ?

Le rouquin le regarda dans les yeux. Il n'était plus pourpre, mais tout pâle. Il eut un coup d'œil vers la porte, comme pour mesurer la distance qui l'en séparait.

— Bois ta grenadine... C'est Émile Gautier qui vous a reçus... Il t'a fait répéter ta leçon...

— Oui !

— Il t'a bien dit d'accuser Jean Métayer ?

— Oui.

Et, après un temps de réflexion :

— Qu'est-ce que vous allez me faire ?

Maigret oublia de répondre. Il pensait. Il pensait que son rôle dans cette affaire s'était borné à apporter le dernier chaînon, un tout petit chaînon qui bouclait parfaitement le cercle.

C'était bien Jean Métayer que Gautier voulait faire accuser. Mais la soirée de la veille avait bouleversé ses plans. Il avait compris que l'homme dangereux, ce n'était pas le secrétaire, mais le comte de Saint-Fiacre.

Si tout avait réussi, il eût été obligé, de bonne heure, d'aller rendre visite au rouquin pour lui apprendre une nouvelle leçon.

— *Tu diras que c'est monsieur le comte qui t'a demandé le missel...*

Et le gosse répétait maintenant :

— Qu'est-ce que vous allez me faire ?

Maigret n'eut pas le temps de répondre. L'avocat descendait l'escalier, pénétrait dans la salle d'auberge, s'approchait de Maigret, la main tendue, avec un rien d'hésitation.

— Vous avez bien dormi, monsieur le commissaire ?... Excusez-moi... Je veux vous demander conseil, au nom de mon client... C'est fou ce que je puis avoir mal à la tête...

Il s'assit, se laissa tomber plutôt, sur le banc.

— C'est bien à dix heures que les obsèques...

Il regardait les croque-morts, puis les gens qui passaient sur la route, attendant l'heure de l'enterrement.

— Entre nous, croyez-vous que le devoir de Métayer soit de... Comprenez-moi bien... Nous nous rendons compte de la situation et c'est justement par délicatesse que...

— Je peux partir, monsieur ?

Maigret n'entendit pas. Il parlait à l'avocat.

— Vous n'avez pas encore compris ?

— C'est-à-dire que si l'on examine…

— Un bon conseil : n'examinez rien du tout !

— C'est votre avis qu'il vaut mieux partir sans… ?

Trop tard ! Ernest, qui avait repris son sifflet, ouvrait la porte et s'en allait à toutes jambes.

— Légalement, nous sommes dans une situation excel…

— Excellente, oui !

— N'est-ce pas ?… C'est ce que je disais à…

— Il a bien dormi ?

— Il ne s'est même pas déshabillé… C'est un garçon très nerveux, très sensible, comme beaucoup de jeunes gens de bonne famille et…

Mais les croque-morts tendaient l'oreille, se levaient, payaient leurs consommations. Maigret se leva aussi, décrocha son pardessus à col de velours, essuya son chapeau melon avec sa manche.

— Vous avez tous les deux l'occasion de filer à l'anglaise pendant…

— Pendant l'enterrement ?… Dans ce cas, il faut que je téléphone pour un taxi…

— C'est cela…

Le prêtre en surplis. Ernest et deux autres enfants de chœur avec leur robe noire. La croix qu'un curé de village voisin portait en marchant vite, à cause du froid. Et les chants liturgiques qu'ils lançaient en courant le long de la route.

Les paysans étaient groupés au pied du perron. On ne voyait rien à l'intérieur. Enfin la porte s'ouvrit et le cercueil parut, porté par quatre hommes.

Derrière, une haute silhouette. Maurice de Saint-Fiacre, très droit, les yeux rouges.

Il n'était pas en noir. Il était le seul à n'être pas en deuil.

Et pourtant quand, du haut du perron, il laissa errer son regard sur la foule, il y eut comme une gêne.

Il sortait du château, sans personne à ses côtés. Et tout seul il suivait la bière…

De la place où il était, Maigret apercevait la maison du régisseur qui avait été la sienne et dont portes et fenêtres étaient closes.

Les persiennes du château étaient closes aussi. Dans la cuisine, seulement, des domestiques collaient leur face aux vitres.

Un bruissement de chants sacrés presque étouffés par les pas qui faisaient grincer le gravier.

Les cloches qui sonnaient à toute volée.

Deux regards se rencontrèrent : celui du comte et celui de Maigret.

Est-ce que le commissaire se trompait ? Il lui sembla que sur les lèvres de Maurice de Saint-Fiacre flottait une ombre de sourire. Non pas le sourire du Parisien sceptique, du fils de famille décavé.

Un sourire serein, confiant…

Pendant la messe, tout le monde put entendre la corne grêle d'un taxi : une petite crapule qui fuyait en compagnie d'un avocat abruti par la gueule de bois !

FIN

Maigret à Vichy

1

— Tu les connais ? demanda Mme Maigret à mi-voix comme son mari se retournait sur un couple qu'ils venaient de croiser.

L'homme aussi s'était retourné, avait souri. On aurait même dit qu'il hésitait à revenir sur ses pas pour serrer la main du commissaire.

— Non... Je ne crois pas... Je ne sais pas...

Le personnage était petit, replet, sa femme guère plus grande que lui et grassouillette. Pourquoi Maigret avait-il l'impression qu'elle était belge ? À cause de son teint clair, de ses cheveux presque jaunes, de ses yeux bleus à fleur de tête ?

C'était au moins la cinquième fois qu'ils se rencontraient. La première fois, l'homme s'était arrêté net et son visage s'était éclairé comme sous le coup de la jubilation. Il avait entrouvert la bouche, hésitant, tandis que le commissaire, sourcils froncés, cherchait en vain dans sa mémoire.

La silhouette, la face lui semblaient familières. Mais qui diable cela pouvait-il être ? Où avait-il rencontré ce petit bonhomme hilare et sa femme en massepain coloré ?

— Vraiment, je ne vois pas...

Cela n'avait pas d'importance. D'ailleurs les gens, ici, n'étaient pas les mêmes que dans la vie normale. D'un instant à l'autre, la musique allait éclater. Dans le kiosque aux colonnes grêles, aux ornements tarabiscotés, les musiciens en uniforme étaient prêts à emboucher leurs instruments de cuivre, l'œil fixé sur le chef d'orchestre. Était-ce la fanfare des pompiers, les employés municipaux ? Ils avaient autant de galons et de dorures que des généraux sud-américains, des pattes d'épaules rouge sang, des baudriers blancs.

Des centaines, des milliers, semblait-il, de chaises de fer peintes en jaune entouraient le kiosque, en cercles de plus en plus larges, et sur presque toutes des gens étaient assis, des hommes et des femmes, qui attendaient gravement en silence.

Dans une ou deux minutes, à neuf heures, le concert commencerait sous les grands arbres du parc. La soirée était presque fraîche, après une journée lourde, et la brise faisait bruisser doucement le feuillage tandis que les rangs de candélabres aux globes laiteux mettaient, dans la verdure sombre, des taches d'un vert plus clair.

— Tu ne veux pas t'asseoir ?

Quelques chaises restaient libres, mais ils ne s'asseyaient jamais. Ils marchaient, sans se presser. D'autres aussi allaient et venaient, comme eux, sans but, écoutant vaguement la musique, des couples, mais aussi beaucoup de solitaires, des hommes et des femmes qui avaient presque tous dépassé le milieu de la vie.

C'était un peu irréel. Le casino était illuminé, blanc et surchargé de moulures à la mode de 1900. À certains moments on pouvait croire que le cours du temps s'était arrêté, jusqu'à ce que s'élève un bruit de klaxon du côté de la rue Georges-Clemenceau.

— Elle est là… chuchota Mme Maigret avec un mouvement du menton.

C'était devenu un jeu. Elle avait pris l'habitude de suivre le regard de son mari et elle devinait quand il était surpris, ou intéressé.

Qu'avaient-ils d'autre à faire de leurs journées ? Ils marchaient, d'un pas nonchalant. De temps en temps, ils s'arrêtaient, non pas parce qu'ils étaient essoufflés, mais pour regarder un arbre, une maison, un effet de lumière ou un visage.

Ils auraient juré qu'ils étaient à Vichy depuis une éternité alors qu'ils n'en étaient qu'à leur cinquième jour. Déjà ils s'étaient créé un horaire qu'ils suivaient minutieusement comme si cela avait de l'importance et les journées étaient marquées d'un certain nombre de rites auxquels ils se prêtaient avec le plus grand sérieux.

Maigret était-il vraiment sérieux ? Sa femme, parfois, se le demandait, en lui lançant des regards furtifs. Il n'était pas le même qu'à Paris. Sa démarche était plus molle, les traits de son visage moins marqués. La plupart du temps, son sourire vague exprimait la satisfaction, certes, mais aussi comme une ironie morose.

— Elle porte son châle blanc…

À parcourir chaque jour, aux mêmes heures, les allées du parc et du bord de l'Allier, les boulevards plantés de platanes, les rues grouillantes ou vides, ils avaient repéré un certain nombre de visages, de silhouettes qui faisaient déjà partie de leur univers.

Chacun, ici, n'accomplissait-il pas le même geste aux mêmes heures de la journée, et pas seulement autour des sources pour les verres d'eau sacro-saints ?

Le regard de Maigret cueillait quelqu'un dans la foule, devenait plus aigu. Celui de sa femme suivait.

— Tu crois que c'est une veuve ?

Celle-là, ils auraient pu l'appeler la dame en mauve, ou plutôt la dame en lilas, car il y avait toujours du lilas dans sa toilette. Ce soir, elle avait dû arriver en retard et elle n'avait trouvé une chaise que dans les derniers rangs.

La veille, elle offrait un spectacle à la fois inattendu et touchant. Les Maigret étaient passés près du kiosque dès huit heures du soir, une heure avant le concert. Les petites chaises jaunes formaient des cercles si réguliers qu'ils auraient pu avoir été tracés au compas.

Toutes ces chaises étaient inoccupées, sauf une au premier rang, où la dame en lilas était assise. Elle ne lisait pas à la lueur du plus proche candélabre. Elle ne tricotait pas. Elle ne faisait rien, ne montrait aucune impatience. Très droite, les deux mains à plat sur son giron, elle restait immobile, regardant droit devant elle, comme une personne distinguée.

Elle aurait pu sortir d'un livre d'images. Elle portait un chapeau blanc, alors que la plupart des femmes, ici, venaient tête nue. Le châle qui couvrait ses épaules était blanc aussi, vaporeux, la robe de cette teinte lilas qu'elle semblait affectionner.

Son visage était très long, étroit, ses lèvres minces.

— Cela doit être une vieille fille, tu ne crois pas ?

Maigret évitait de se prononcer. Il n'enquêtait pas, ne suivait aucune piste. Rien ne l'obligeait à observer les gens et à s'efforcer de découvrir leur vérité.

Il le faisait malgré lui, par-ci par-là, parce que c'était devenu machinal. Il lui arrivait de s'intéresser sans raison à un promeneur dont il essayait de deviner la profession, la situation de famille, le genre de vie quand il n'était pas en cure.

C'était difficile. Chacun, après quelques jours ou quelques heures, s'était intégré au petit cercle... La plupart des regards avaient la même sérénité un peu vide, sauf ceux des grands malades qu'on reconnaissait à leurs déformations, à leur démarche, mais surtout à un mélange d'angoisse et d'espoir.

La dame en lilas faisait partie de ce qu'on aurait pu appeler le cercle d'intimes de Maigret, de ceux qu'il avait repérés dès le début et qui l'intriguaient.

Il était difficile de lui donner un âge. Elle pouvait aussi bien avoir quarante-cinq ans que cinquante-cinq et les années avaient passé sur elle sans laisser de traces précises.

On devinait l'habitude du silence, comme chez les religieuses, l'habitude de la solitude, peut-être même le goût de cette solitude. Que ce soit quand elle marchait ou quand elle était assise comme à présent, elle n'accordait aucune attention aux passants ni à ses voisins et sans doute aurait-elle été surprise d'apprendre que le commissaire Maigret s'efforçait, en dehors de toute obligation professionnelle, de percer à jour sa personnalité.

— Je ne pense pas qu'elle ait jamais vécu avec un homme… dit-il au moment où la musique éclatait dans le kiosque.

Ni avec des enfants. Peut-être avec une personne très âgée et réclamant des soins, une vieille mère, par exemple ?

Dans ce cas, elle devait être une mauvaise garde-malade, car il lui manquait le moelleux, le don de communication. Si son regard ne se posait pas sur les gens mais glissait sur eux sans les voir, c'est qu'il était fixé sur l'intérieur. C'était elle, elle seule, qu'elle regardait, et sans doute en retirait-elle une satisfaction secrète.

— Nous faisons le tour ?

Ils n'étaient pas là pour écouter la musique. Cela faisait simplement partie de leur routine de passer à ce moment près du kiosque, où il n'y avait d'ailleurs pas de la musique tous les jours.

Certains soirs, cette partie du parc était presque déserte. Ils la traversaient, tournaient à droite, s'engageaient dans l'allée couverte qui longeait une rue pleine d'enseignes lumineuses. On y voyait des hôtels, des restaurants, des magasins, un cinéma. Ils n'étaient pas encore allés au cinéma. Cela ne figurait pas dans leur emploi du temps.

D'autres accomplissaient le même tour qu'eux, à peu près du même pas, d'autres encore en sens inverse. Certains coupaient au court pour se rendre au théâtre du casino où ils arriveraient en retard et on entrevoyait de rares smokings, quelques robes du soir.

Ailleurs, ces gens menaient des existences différentes, dans des quartiers différents de Paris, dans des villes de province ou à Bruxelles, à Amsterdam, à Rome ou à Philadelphie.

Ils appartenaient à des milieux déterminés qui avaient leurs règles, leurs tabous, leurs mots de passe. Certains étaient riches, d'autres pauvres. Il y en avait de très malades que la cure ne faisait que prolonger et d'autres à qui elle permettait de ne pas trop se surveiller pendant le reste de l'année.

Ici, tous étaient confondus. Pour Maigret, cela avait commencé d'une façon banale, un soir qu'ils dînaient chez les Pardon. Mme Pardon avait préparé un canard au sang qu'elle réussissait à merveille et dont le commissaire était friand.

— Il n'est pas bon ? s'était-elle inquiétée en voyant Maigret n'en manger que quelques bouchées.

Pardon, lui, regardait soudain son hôte plus sérieusement.

— Vous avez mal ?

— À peine… Ce n'est rien…

Le médecin n'en avait pas moins remarqué que le visage de son ami s'était décoloré et que des gouttelettes de sueur avaient perlé à son front.

Pendant le repas, il n'avait pas insisté. Le commissaire avait à peine trempé les lèvres dans son verre. Quand, avec le café, on voulut lui servir un vieil armagnac, il tendit la main.

— Pas ce soir… Je m'excuse…

Plus tard, seulement, Pardon avait murmuré :

— Si nous passions un moment dans mon cabinet ?

Maigret l'avait suivi à contrecœur. Depuis quelque temps, il prévoyait que cela arriverait un jour, mais il remettait ce jour-là à plus tard. Le cabinet du médecin n'était ni grand ni luxueux. Sur le bureau, le stéthoscope voisinait avec des flacons, des tubes de pommades, des papiers administratifs, et la couche sur laquelle les malades s'étendaient paraissait garder l'empreinte profonde du dernier patient.

— Qu'est-ce qui ne va pas, Maigret ?

— Je ne sais pas. L'âge, sans doute…

— Cinquante-deux ?

— Cinquante-trois… J'ai eu beaucoup de travail ces derniers temps, des soucis… Pas d'enquêtes sensationnelles… Rien de passionnant, au contraire… D'une part, de la paperasserie, car on est en train de changer toute l'organisation de la P.J… D'autre part, cette épidémie d'attentats contre les jeunes filles et les femmes seules, avec viol ou non… La presse fait beaucoup de bruit et je n'ai pas assez d'effectifs pour organiser les patrouilles nécessaires sans démantibuler le service…

— Vous digérez mal ?

— Certains jours… Il m'arrive, comme ce soir, d'avoir l'estomac serré, des douleurs, ou plutôt une sorte de constriction dans la poitrine et l'abdomen… Je me sens lourd, fatigué…

— Cela vous ennuyerait que je vous ausculte ?

Sa femme, à côté, devait avoir deviné, Mme Pardon aussi, et cela gênait Maigret. Il avait horreur de tout ce qui touche de près ou de loin à la maladie.

En retirant sa cravate, son veston, sa chemise, son gilet de corps, il se souvenait d'une de ses idées d'adolescent.

— Je ne veux pas vivre, déclarait-il alors, avec des pilules, des potions, un régime, une activité amoindrie. Plutôt mourir jeune qu'entrer en « état de maladie »...

Il appelait « état de maladie » cette partie de l'existence pendant laquelle on écoute son cœur, on est attentif à son estomac, à son foie ou à ses reins, avec, à intervalles plus ou moins réguliers, l'exhibition de son corps nu au médecin.

Il n'avait plus envie de mourir jeune, mais il repoussait le moment d'entrer en maladie.

— Mon pantalon aussi ?

— Baissez-le un peu...

Pardon prenait sa tension, l'auscultait, lui tâtait l'estomac et le ventre, enfonçant les doigts à certains endroits.

— Je vous fais mal ?

— Non... Peut-être un peu de sensibilité... Non, plus bas...

Voilà qu'il était comme les autres, anxieux, honteux de ses craintes et n'osant pas regarder son ami en face. Il se rhabillait gauchement. La voix de Pardon n'avait pas changé.

— Depuis combien de temps n'avez-vous pas pris de vacances ?

— L'an dernier, j'ai pu m'échapper une semaine, puis on m'a rappelé parce que...

— Et l'année précédente ?

— Je suis resté à Paris...

— Avec la vie que vous menez, vous devriez avoir les organes cinq fois plus délabrés qu'ils ne le sont...

— Le foie ?

— Il a bravement résisté au travail que vous lui imposez... Il est un peu gros, certes, mais pas énorme, et il a conservé son élasticité...

— Qu'est-ce qui cloche ?

— Rien de précis... Un peu tout... Vous êtes fatigué, c'est un fait, et ce n'est pas une semaine de vacances qui vous débarrassera de cette fatigue... Comment vous sentez-vous au réveil ?

— Maussade...

Cela fit rire Pardon.

— Vous dormez bien ?

— Ma femme prétend que je m'agite et qu'il m'arrive de parler dans mon sommeil...

— Vous ne bourrez pas votre pipe ?

— J'essaie de moins fumer...

— Pourquoi ?

— Je ne sais pas... J'essaie aussi de boire moins...

— Asseyez-vous...

Pardon s'asseyait aussi et, devant son bureau, était beaucoup plus médecin que dans la salle à manger ou dans le salon.

— Écoutez-moi bien... Vous n'êtes pas malade et vous jouissez d'une santé exceptionnelle, étant donné votre âge et votre activité... Cela, enfoncez-vous-le dans la tête une fois pour toutes... Cessez d'être attentif à quelques tiraillements ici ou là, à des douleurs vagues, et ne commencez pas à monter les escaliers avec précaution...

— Comment savez-vous ?...

— Et vous, quand vous interrogez un suspect, comment savez-vous ?...

Ils sourirent tous les deux.

— Nous sommes fin juin. Paris est torride. Vous allez gentiment partir en vacances, si possible sans laisser d'adresse, en tout cas en évitant de téléphoner chaque jour au Quai des Orfèvres...

— Cela peut se faire, grommela-t-il. Notre petite maison de Meung-sur-Loire...

— Vous aurez le temps d'en jouir une fois à la retraite... Cette année, j'ai un autre plan en ce qui vous concerne... Vous connaissez Vichy ?...

— Je n'y ai jamais mis les pieds, bien que je sois né à moins de cinquante kilomètres de là, près de Moulins... En ce temps-là, chacun ne possédait pas encore son automobile...

— Au fait, votre femme a passé son permis ?

— Nous avons même acheté une quatre chevaux...

— Je crois qu'une cure à Vichy vous ferait le plus grand bien... Un bon nettoyage de l'organisme...

Il faillit éclater de rire en voyant l'expression qu'avait prise le visage du commissaire.

— Une cure ?

— Quelques verres d'eau par jour... Je ne pense pas que le spécialiste vous infligera les bains de boue ou gazeux, la mécanothérapie et tout le tralala... Vous n'êtes pas un cas sérieux... Vingt et un jours d'une existence régulière, sans souci...

— Sans bière, sans vin, sans plats cuisinés, sans...

— Pendant combien d'années en avez-vous profité ?

— J'en ai eu ma part… avoua-t-il.

— Et vous l'aurez encore, même si cette part est un peu plus réduite… C'est décidé ?…

Maigret s'étonna de s'entendre dire en se levant, tout comme n'importe quel client de Pardon :

— C'est décidé.

— Quand ?

— Dans quelques jours, une semaine au plus, le temps de mettre mes dossiers en ordre…

— Je suis obligé de vous envoyer à un de mes confrères de là-bas qui connaît mieux la question que moi… J'en connais une demi-douzaine… Voyons… Rian est un garçon encore jeune qui n'a rien de pompeux… Je vous donne son adresse et son numéro de téléphone… Je lui écrirai demain pour le mettre au courant…

— Merci, Pardon…

— Je ne vous ai pas fait trop de mal ?…

— Vous avez opéré en douceur…

Dans le salon, il sourit à sa femme, d'un sourire rassurant, mais ils ne parlèrent pas de maladie chez les Pardon.

Rue Popincourt seulement, où ils marchaient bras dessus bras dessous, Maigret murmura, comme s'il s'agissait d'une chose sans importance :

— Nous passerons nos vacances à Vichy…

— Tu feras la cure ?

— Tant que j'y suis !… ironisa-t-il. Je ne suis pas malade. Il paraît même que je suis exceptionnellement bien portant. C'est pourquoi on m'envoie boire de l'eau…

Cela ne datait pas seulement de cette visite à Pardon. Depuis un certain temps, il avait la curieuse impression que tout le monde était plus jeune que lui, qu'il s'agisse du préfet ou des juges d'instruction, des prévenus qu'il interrogeait ou, maintenant, de ce docteur Rian, blond et affable, qui n'avait pas quarante ans.

Un gamin, en somme, un jeune homme tout au plus, néanmoins grave et sûr de lui, qui allait plus ou moins décider de son sort.

Cette pensée l'irritait et l'inquiétait tout ensemble, car il ne se sentait pas un homme âgé, ni même un homme vieillissant.

Sa jeunesse n'empêchait pas le docteur Rian d'habiter un bel hôtel particulier en briques roses, boulevard des États-Unis, et, si le décor rappelait un peu 1900, il n'en était pas moins cossu, avec ses escaliers de marbre, ses tapis, ses meubles astiqués, la femme de chambre au bonnet orné de broderie anglaise.

— Je suppose que vous n'avez plus vos parents ?... De quoi votre père est-il mort ?

Le médecin notait les réponses sur une fiche, minutieusement, d'une écriture régulière de sergent-major.

— Votre mère ?... Vous avez des frères ?... Des sœurs ?... Maladies infantiles ?... La rougeole ?... Scarlatine ?...

Pas la scarlatine, mais la rougeole, très jeune, alors que sa mère vivait encore. C'était même le souvenir le plus chaud, le plus rassurant qu'il eût gardé d'elle, car il devait la perdre peu de temps après.

— Quels sports avez-vous pratiqués ?... Pas d'accidents ?... Faites-vous des angines fréquentes ?... Gros fumeur, je suppose ?...

Le jeune docteur souriait, malicieux, afin de montrer à Maigret qu'il le connaissait de réputation.

— On ne peut pas dire que vous menez une vie sédentaire...

— Cela dépend des moments. Il m'arrive, pendant trois semaines ou un mois, de passer mes journées au bureau et, tout à coup, d'être dehors pendant plusieurs jours...

— Repas réguliers ?...

— Non...

— Vous ne suivez aucun régime ?...

N'était-il pas obligé d'avouer qu'il aimait les plats mitonnés, les ragoûts, les sauces parfumées de toutes les herbes de la Saint-Jean ?

— Non seulement gourmet, mais gros mangeur, hein ?

— Assez, oui...

— Et le vin ? Un demi-litre, un litre par jour ?...

— Oui... Non... Davantage... À table, d'habitude, je n'en bois que deux ou trois verres... Au bureau, parfois un verre de bière, que je me fais monter d'une brasserie voisine...

— Apéritif ?

— Assez souvent, avec l'un ou l'autre de mes collaborateurs...

À la Brasserie Dauphine. Ce n'était pas par ivrognerie, mais pour l'ambiance, le coude à coude familier, l'odeur de cuisine, d'anis, de calvados qui avait fini par imprégner les murs. Pourquoi en avait-il honte, tout à coup, devant ce jeune homme si propre et si bien logé ?

— En somme, pas de véritable excès…

Il voulait être honnête.

— Cela dépend de ce que vous appelez excès. Le soir, je ne déteste pas un verre ou deux de prunelle que ma belle-sœur nous envoie d'Alsace… Mes enquêtes exigent souvent que je passe un certain temps dans des cafés ou dans des bars… C'est difficile à vous expliquer… Si je commence une de ces enquêtes au vouvray, par exemple, parce que je me trouve dans un bistrot dont c'est la spécialité, j'ai tendance à la continuer au vouvray…

— Combien par jour ?

Cela lui rappelait son enfance, le confessionnal du village qui sentait le vieux bois moisi et le curé qui prisait.

— Beaucoup ?

— Vous diriez sans doute que c'est beaucoup…

— Cela dure longtemps ?

— Tantôt trois jours, tantôt huit ou dix, sinon plus. Cela dépend de la chance…

On ne lui adressait pas de reproches. On ne lui donnait pas de chapelet à réciter, mais il devinait ce que le médecin blond, assis dans le soleil, perché sur un beau bureau en acajou, pensait de lui.

— Pas de grosses indigestions ? Pas d'aigreurs d'estomac, de vertiges ?…

Des vertiges, justement. Rien de grave. Il lui arrivait, surtout depuis quelques semaines, de se sentir dans un univers moins ferme qui aurait perdu de sa réalité. Lui-même était flottant, mal assuré sur ses jambes.

Ce n'était pas assez fort pour l'inquiéter réellement, mais c'était désagréable. Heureusement que cela ne durait que quelques minutes. Une fois, cela l'avait pris alors qu'il allait traverser le boulevard du Palais et il avait attendu pour s'aventurer sur la chaussée.

— Je vois... Je vois...

Que voyait-il ? Qu'il était malade ? Qu'il fumait et buvait trop ? Qu'il était temps, à son âge, de suivre un régime ?

Maigret n'était pas accablé. Il souriait, de ce sourire que sa femme lui voyait depuis qu'ils étaient à Vichy. Il avait l'air de se moquer de lui-même mais il était quand même un peu morose.

— Nous allons passer à côté...

Toute la gamme, cette fois ! On lui fit même gravir et redescendre pendant trois minutes les marches d'un escabeau. Tension artérielle dans la position couchée, assise, debout. Puis l'écran.

— Respirez... Plus profondément... Ne respirez plus... Aspirez... Gardez l'air... Expirez...

C'était drôle et navrant, dramatique et loufoque. Il avait peut-être trente ans à vivre encore, mais on pouvait tout aussi bien, dans quelques minutes, lui annoncer avec ménagements que sa vie d'homme bien portant, d'homme normal, était finie et qu'il ne serait désormais qu'un invalide.

Ils avaient tous passé par là, tous ceux qu'on rencontrait dans le parc, autour des sources, sous les arbres somptueux, le long du plan d'eau, et même ceux qui se doraient sur la plage, les joueurs de boules, les joueurs de tennis qu'on apercevait de l'autre côté de l'Allier sous les ombrages du Sporting Club.

— Mademoiselle Jeanne…

— Oui, monsieur…

L'infirmière savait ce qu'elle devait apporter. Tout cela faisait partie d'une routine comme celle que les Maigret allaient adopter.

D'abord le petit appareil pour lui piquer le bout du doigt et recueillir des gouttes de sang qu'on distribuait dans différentes éprouvettes.

— Détendez-vous… Serrez un moment le poing…

Une aiguille lui piquait la veine du bras.

— Desserrez…

Ce n'était pas la première fois qu'on lui faisait une prise de sang mais il lui semblait que celle-ci revêtait une sorte de solennité.

— Je vous remercie… Vous pouvez vous rhabiller…

Ils se retrouvaient un peu plus tard dans le bureau aux murs couverts de livres et de revues médicales reliées année par année.

— Je ne crois pas qu'un traitement sévère soit nécessaire dans votre cas… Je vous reverrai après-demain à la même heure, lorsque j'aurai les résultats des analyses… D'ici là, je vais vous établir un régime… Vous êtes à l'hôtel, je suppose ?… Vous n'aurez qu'à remettre ce papier à votre hôtelier… Il comprendra…

Une carte imprimée avec, dans une colonne, les plats autorisés et, dans l'autre, les plats interdits. Il y avait même, au dos, des exemples de menus.

— Je ne sais pas si vous êtes au courant de l'action curative des différentes sources. Il existait, sur ce sujet, un petit ouvrage très bien fait, par deux de mes confrères, mais je crois qu'il est épuisé… Nous allons essayer d'abord d'alterner l'eau de deux sources, Chomel et Grande Grille, que vous trouverez toutes deux dans le parc…

Ils étaient sérieux l'un comme l'autre. Maigret n'avait pas envie de hausser les épaules ni de rire pendant que le docteur remplissait une feuille de bloc-notes.

— Vous avez l'habitude de vous lever tôt et de prendre votre petit déjeuner ?… Je vois… Votre femme vous a accompagné ?… Dans ce cas je ne vais pas vous envoyer à jeun à travers la ville… Voyons… Commencez, le matin, vers dix heures et demie, à la Grande Grille… Vous trouverez des chaises pour vous reposer et, s'il pleut, un vaste hall vitré… Chaque demi-heure, par trois fois, vous absorberez un verre d'eau, que vous prendrez aussi chaude que possible…

» L'après-midi, vers cinq heures, vous agirez de même à la source Chomel…

» Ne vous étonnez pas si, le lendemain, vous vous sentez un peu las… C'est un effet passager de la cure… D'ailleurs, je vous reverrai alors…

Tout cela était déjà lointain. Il n'était alors qu'un novice confondant une source avec une autre. Maintenant, il s'était installé dans la cure, comme les milliers, les dizaines de milliers d'hommes et de femmes qu'il coudoyait du matin au soir.

À certaines heures, toutes les petites chaises jaunes du parc étaient occupées, comme le soir autour du kiosque à musique, chacun et chacune attendant le moment d'aller boire sa seconde, sa troisième, sa quatrième dose.

Il avait, comme les autres, acheté un verre gradué et Mme Maigret avait insisté pour avoir le sien.

— Tu ne vas pourtant pas suivre la cure ?

— Pourquoi pas ? Qu'est-ce que je risque ? J'ai lu, sur les dépliants, que les eaux font maigrir...

Les verres étaient enfermés dans des étuis en paille tressée et Mme Maigret les portait tous les deux en bandoulière à la façon dont les turfistes portent leurs jumelles.

Ils ne s'étaient jamais tant promenés tous les deux. Dès neuf heures du matin ils étaient dehors et, à part les livreurs, il n'y avait guère qu'eux dans les rues paisibles du quartier où ils habitaient, le quartier de France, non loin de la source des Célestins.

Il y avait, à quelques minutes de leur hôtel, un jardin pour enfants, avec une piscine peu profonde, des balançoires, des jeux de toutes sortes et même un guignol plus important que celui des Champs-Élysées.

— Vous avez votre billet, monsieur ?

Ils avaient payé un franc chacun, avaient marché sous les arbres, regardant s'ébattre les gosses presque nus, et étaient revenus le lendemain.

— Si vous prenez un carnet de vingt tickets, cela vous reviendra moins cher...

Il n'osa pas. C'était trop prémédité. Ils étaient passés par hasard. C'est seulement par habitude, par désœuvrement, qu'ils revenaient chaque jour à la même heure.

Après, ils s'arrêtaient de même à l'endroit réservé aux joueurs de boules et Maigret suivait gravement deux ou trois parties, retrouvant sous un même arbre le grand maigre qui n'avait qu'un bras et qui pourtant était le meilleur tireur.

Dans une autre quadrette, où résonnait l'accent méridional, un homme au teint rose, aux cheveux très blancs, vêtu avec recherche, jouait avec dignité et les autres l'appelaient sénateur.

Un peu plus loin commençait la plage, avec la baraque des C.R.S., les ballons flottants qui délimitaient la baignade, et on y retrouvait aussi les mêmes gens sous les mêmes parasols.

— Tu ne t'ennuies pas ? lui avait-elle demandé le second jour.

— Pourquoi ? s'était-il étonné.

Car il ne s'ennuyait pas. Il adoptait petit à petit un nouveau rythme, d'autres manies. Ainsi s'aperçut-il avec étonnement qu'il bourrait machinalement une pipe en arrivant au pont de Bellerive. Il y eut la pipe du Yacht Club où, de la rive, ils regardaient des jeunes gens et des jeunes filles se livrer au ski nautique.

— Tu ne crois pas que c'est un sport dangereux ?

— Pourquoi ?

Le parc, enfin, les verres d'eau qu'une employée leur remplissait à la source et que chacun buvait à petites gorgées. C'était chaud et salé. À la source Chomel, l'eau avait un fort goût de soufre, et Maigret s'empressait d'allumer une nouvelle pipe.

Mme Maigret s'étonnait de le trouver si docile, si calme, et il lui arrivait de s'en inquiéter.

C'est alors qu'elle découvrit qu'il jouait en quelque sorte au détective. Il observait les gens, comme malgré lui, notait de menus détails, les classait par catégories. Par exemple, à leur hôtel, l'Hôtel de la Bérézina, du genre pension de famille, il avait déjà distingué, selon leur régime, les hépatiques des diabétiques.

Il s'efforçait de deviner l'histoire de chacun, de les situer dans leur vie normale et, parfois, il faisait participer sa femme à cette distraction.

Les deux qu'il appelait « les hilares » le fascinaient, cet homme replet qui semblait toujours sur le point de venir lui serrer la main et sa petite bonne femme qui ressemblait à un bonbon. Que pouvaient-ils faire dans la vie ? Avaient-ils reconnu le commissaire pour avoir vu sa photographie dans les journaux ?

Au fait, ici, peu de gens le reconnaissaient, beaucoup moins qu'à Paris. Il est vrai que sa femme lui avait fait acheter un veston léger, presque blanc, en mohair, comme les hommes d'un certain âge en portaient l'été quand il était enfant.

Même sans cela, on n'aurait sans doute pas pensé à lui. Il était sûr que ceux qui fronçaient les sourcils en le voyant, ou qui se retournaient, se disaient : « Tiens ! On croirait Maigret… »

Mais ils ne pensaient pas qu'il était Maigret. D'ailleurs, il l'était si peu !

L'autre personnage fascinant… La dame en lilas… Elle suivait la cure aussi, seulement à la Grande

Grille, où ils la voyaient chaque matin… Elle avait sa place, un peu à l'écart des autres, près du kiosque à journaux… Elle ne prenait qu'une gorgée d'eau à la fois puis, après avoir rincé et essuyé son verre, elle le replaçait avec soin dans son étui de paille, toujours digne et lointaine…

Trois ou quatre personnes la saluèrent. Les Maigret ne la voyaient pas l'après-midi. Se rendait-elle à l'établissement d'hydrothérapie ? Son médecin lui ordonnait-il de rester étendue ?

— Vitesse de sédimentation parfaite… avait annoncé le docteur Rian. Moyenne horaire : 6 mm… Cholestérol un peu fort, mais dans les limites acceptables… Urée normale… Fer sérique en quantité assez faible, ce qui n'a rien d'inquiétant… L'acide urique non plus… Je vous ai supprimé le gibier, les abats, les crustacés… Quant à l'examen hématologique, il est excellent, avec 98 d'hémoglobine…

» Tout ce dont vous avez besoin, c'est d'un bon nettoyage de l'organisme… Vous ne ressentez pas de lourdeurs, de maux de tête ?… Nous allons donc continuer le même régime pendant les prochains jours… Venez me voir samedi…

Ce soir-là, le soir de la musique au kiosque, ils ne virent pas la dame en lilas rentrer chez elle, car ils n'attendaient jamais la fin du concert mais, de bonne heure, regagnaient le quartier de France, ses rues désertes, ses façades fraîchement peintes, leur Hôtel de la Bérézina dont la double porte était flanquée de deux arbustes dans des baquets.

Ils dormaient dans un lit de cuivre et tous les meubles dataient du début du siècle, comme la baignoire à pieds et les robinets en col de cygne.

L'hôtel était bien tenu, silencieux, sauf quand le fils des Gagnaire, qui étaient au premier, jouait tout seul à l'Indien dans le jardin.

Tout le monde dormait.

Cinquième jour ? Sixième jour ? C'était Mme Maigret la plus déroutée, le matin, de ne pas avoir à préparer le café. À sept heures, on leur apportait le petit déjeuner sur un plateau, avec des croissants frais et le journal de Clermont-Ferrand, qui consacrait deux pages à la vie vichyssoise.

Maigret avait pris l'habitude de les lire de la première à la dernière ligne, de sorte qu'il était au courant des moindres événements locaux. Il lisait même les avis mortuaires et les petites annonces.

— Villa 3 chambres, salle de bains, tout confort, excellent état, vue imprenable sur…

— Tu as l'intention d'acheter une villa ?

— Non, mais c'est intéressant. Je me demande si ce sont des habitués de la cure qui tiennent à avoir une villa à eux pour y passer un mois par an ou si ce sont des retraités de Paris ou d'ailleurs qui…

Ils s'habillaient tour à tour et le patron ne manquait pas de les saluer au bas de l'escalier orné d'un tapis rouge retenu par des tringles de cuivre. Le patron n'était pas du pays, mais de Montélimar, et cela s'entendait à son accent.

Ils grignotaient les heures… Le parc des enfants… Les joueurs de boules…

— Au fait, j'ai vu qu'il y a tous les mercredis et tous les samedis un grand marché... Nous pourrons y jeter un coup d'œil...

Il avait toujours aimé les marchés, l'odeur des légumes et des fruits, la vue des quartiers de bœuf, des poissons, des homards encore vivants...

— Rian m'a bien recommandé de faire cinq kilomètres de marche par jour...

Sa voix était ironique.

— Il ne se doute pas que nous en abattons une moyenne de quinze !...

— Tu crois ?

— Calcule... Nous marchons un minimum de cinq heures... Si nous n'allons pas au pas de gymnastique, on n'en peut pas moins compter entre trois et quatre kilomètres à l'heure...

— Je ne l'aurais jamais cru...

Le verre d'eau. La chaise jaune et la lecture des journaux de Paris qui venaient d'arriver. Le déjeuner dans la salle à manger toute blanche où, sur certaines tables, on voyait une bouteille de vin entamée, avec une étiquette au nom du pensionnaire. Il n'y en avait pas sur la table des Maigret.

— Il t'a interdit le vin ?

— Pas formellement. Mais, tant que j'y suis...

Elle n'en revenait pas de le voir devenir un curiste consciencieux et conserver pourtant sa bonne humeur.

Il s'offrait une courte sieste, puis la routine reprenait, de l'autre côté de la ville cette fois, les rues commerçantes, les magasins, la foule qui les séparait sans cesse sur le trottoir.

— Tu as remarqué le nombre de pédicures et d'orthopédistes ?

— Si tout le monde marche autant que nous !...

Il n'y avait pas concert au kiosque, ce soir-là, mais dans le jardin du Grand Casino. Les instruments à cordes avaient remplacé les cuivres et la musique était plus sérieuse, comme les visages de ceux qui l'écoutaient.

Ils n'aperçurent pas la dame en lilas. Ils ne la rencontrèrent pas non plus dans les allées du parc où ils ne manquèrent pas de croiser les deux hilares. Ceux-ci étaient vêtus avec plus de soin que d'habitude et marchaient vite en direction du théâtre du casino où on donnait une pièce comique.

Le lit de cuivre. Le temps passait à une vitesse surprenante, à ne rien faire. Les croissants, le café, les morceaux de sucre enveloppés de papier huilé, le journal de Clermont-Ferrand.

Maigret, dans son fauteuil, près de la fenêtre, fumait sa première pipe, en pyjama, avec encore, dans sa tasse, du café qu'il faisait durer aussi longtemps que possible.

Quand il poussa une exclamation, Mme Maigret surgit de la salle de bains, en peignoir à fleurs bleues, sa brosse à dents à la main.

— Qu'est-ce qu'il y a ?

— Regarde...

Sur la première page consacrée à Vichy, une photographie, celle de la dame en lilas. Elle devait être plus jeune de quelques années et elle avait fait l'effort, pour le photographe, d'amener un mince sourire à ses lèvres.

— Que lui est-il arrivé ?

— Elle a été assassinée…

— La nuit dernière ?

— Si cela s'était passé la nuit dernière, le journal ne pourrait en parler ce matin… La nuit d'avant…

— Nous l'avons vue au kiosque…

— Vers neuf heures, oui… Elle est rentrée chez elle, à deux rues d'ici, rue du Bourbonnais… Je ne me doutais pas que nous étions presque voisins… Elle a eu le temps de retirer son châle, son chapeau, d'entrer dans le salon, à gauche du corridor…

— Avec quoi l'a-t-on tuée ?

— Elle a été étranglée… Hier matin, ses locataires se sont étonnés de ne pas entendre de bruit au rez-de-chaussée…

— Ce n'est pas une curiste ?

— Elle habite Vichy toute l'année… Elle est propriétaire de la maison dont elle loue, meublées, les chambres du premier étage…

Maigret restait assis et sa femme savait au prix de quel effort.

— Tu crois que c'est un crime crapuleux ?

— Le meurtrier a tout fouillé, mais semble n'avoir rien emporté… On a retrouvé quelques bijoux et une certaine somme d'argent dans un tiroir qui a cependant été ouvert…

— Elle n'a pas été…

— Violée ? Non…

Il regarda la fenêtre en silence.

— Sais-tu qui dirige l'enquête ?

— Évidemment non.

— Lecœur, qui a été un de mes inspecteurs et qui est à présent chef de la Police judiciaire à Clermont-Ferrand… Il est ici… Il ne se doute pas que j'y suis aussi…

— Tu comptes aller le voir ?

Il ne répondit pas tout de suite.

2

À neuf heures moins cinq, Maigret n'avait toujours pas répondu à la question de sa femme. On aurait dit qu'il mettait son point d'honneur à se comporter exactement comme les autres matins, à suivre, sans le moindre écart, leur routine de Vichy.

Il avait lu le journal jusqu'au bout, en finissant son café, s'était rasé, baigné, tout en écoutant comme d'habitude les nouvelles à la radio. À neuf heures moins cinq, il était prêt et ils descendaient tous les deux l'escalier au tapis rouge et aux tringles de cuivre.

Le patron, en veste blanche, toque de cuisinier sur la tête, le guettait dans le corridor.

— Alors, monsieur Maigret, on vous soigne à Vichy ! On va jusqu'à vous offrir un beau crime…

Il parvint à sourire vaguement.

— Vous allez vous en occuper, j'espère ?

— Ce qui se passe en dehors de Paris n'est pas de ma compétence…

Mme Maigret l'épiait. Elle croyait qu'il ne s'en apercevrait pas, mais il en était conscient. Au lieu de descendre la rue d'Auvergne, dans la direction de l'Allier et du parc des enfants, il tournait à droite, l'air innocent.

Certes, il leur arrivait de changer d'itinéraire, mais c'était toujours au retour de la ville. Elle s'émerveillait chaque fois du sens de l'orientation dont son mari faisait preuve. Il n'avait consulté aucun plan. Il semblait marcher au hasard, s'enfonçait dans des petites rues qui paraissaient l'éloigner de son but et elle sursautait en reconnaissant soudain la façade de leur hôtel, les deux arbustes dans leurs baquets peints en vert.

Cette fois, il tournait encore à droite, puis encore et, sur un trottoir, on apercevait une quinzaine de badauds qui regardaient au-delà de la chaussée.

Une petite lueur éclaira les yeux de Mme Maigret. Le commissaire semblait hésiter, changeait de trottoir, s'arrêtait pour vider sa pipe en la frappant contre son talon et pour en bourrer lentement une autre. Il lui faisait l'effet d'un grand enfant et, à ces moments-là, elle se sentait déborder de tendresse.

Une lutte se livrait en lui. Enfin, comme s'il ignorait où il se trouvait, il se mêlait au groupe de curieux, regardait, lui aussi, la maison d'en face, devant laquelle une voiture était arrêtée, non loin d'un C.R.S. en faction.

La maison était pimpante, comme la plupart des maisons de la rue. La façade avait été assez fraîchement repeinte en blanc teinté de rose et les volets étaient vert amande ainsi que le balcon.

Sur une plaque de marbre on lisait, en lettres anglaises de fantaisie : *Les Iris.*

Mme Maigret devinait le petit drame qui se jouait en lui. Il n'avait pas voulu se rendre au siège de la police comme, à présent, il se refusait à traverser la rue, à dire au C.R.S. qui il était, à se faire introduire dans la maison.

Il n'y avait pas un nuage au ciel. La rue était propre, l'air limpide, léger, joyeux. Une femme, un peu plus loin, battait ses tapis à la fenêtre en regardant les curieux d'un air apitoyé. Mais elle-même, la veille, quand le crime avait été découvert et que la police était arrivée en force, ne s'était-elle pas mêlée aux voisins pour contempler une façade qu'elle connaissait pourtant depuis des années ?

Certains échangeaient des commentaires.

— Il paraît que c'est un drame d'amour…

— Allons ! Allons ! Elle avait près de cinquante ans…

Au premier étage, un visage se devinait derrière les vitres, des cheveux sombres, un nez pointu, et parfois on devinait à l'arrière-plan la silhouette d'un homme encore jeune.

La porte était blanche. Une voiture de laitier passait et des bouteilles étaient déposées sur la plupart des seuils. Le livreur s'avança vers la porte blanche, une bouteille de lait à la main. Le C.R.S. lui dit quelque chose, sans doute que ce n'était pas la peine, mais le laitier haussa les épaules et laissa quand même sa bouteille.

Est-ce que quelqu'un allait s'apercevoir que Maigret… Il ne pouvait pas rester là indéfiniment…

Au moment où il allait se mettre en mouvement, un grand garçon aux cheveux hirsutes s'encadra dans la porte, traversa la rue, marcha droit vers le commissaire.

— Le divisionnaire aimerait que vous veniez le voir…

Sa femme réussit à ne pas sourire.

— Où est-ce que je t'attends ? demanda-t-elle.

— À notre place habituelle, devant la source…

L'avait-on reconnu par la fenêtre ? Il traversait dignement la chaussée, s'efforçant de donner à son visage une expression grognonne. Le corridor était frais, avec, à droite, un portemanteau en bambou où étaient accrochés deux chapeaux. Il y ajouta le sien, un chapeau de paille que sa femme lui avait fait acheter en même temps que le veston de mohair et dont il avait un peu honte.

— Entrez, patron…

Une voix joyeuse, familière, un visage, une silhouette que Maigret reconnaissait tout de suite.

— Lecœur !

Ils ne s'étaient pas revus depuis quinze ans, depuis que Désiré Lecœur, alors inspecteur, faisait encore partie de l'équipe de Maigret au Quai des Orfèvres.

— Eh oui, patron, on prend de la bouteille, du ventre et du grade. Me voilà divisionnaire à Clermont-Ferrand, ce qui me vaut d'avoir cette empoisonnante affaire sur le dos… Entrez…

Il l'introduisait dans un petit salon bleu de fumée, s'asseyait devant la table qui lui servait provisoirement de bureau et qui était couverte de papiers.

Maigret s'installa non sans précaution dans un fragile fauteuil en imitation Louis XVI et il devait y avoir une question dans son regard puisque Lecœur s'empressa de dire :

— Vous vous demandez sans doute comment j'ai su que vous étiez ici ? D'abord Moinet, que vous n'avez pas connu et qui commande la police de Vichy, a vu votre nom parmi les fiches d'hôtel... Bien sûr qu'il n'a pas osé vous déranger, mais ses hommes vous voient passer chaque jour... Il paraît même que les C.R.S. de la plage se demandent quand vous vous déciderez à jouer aux boules... Chaque matin, vous vous montrez un peu plus passionné par la pétanque, si bien...

— Vous êtes arrivé hier ?

— De Clermont-Ferrand, bien entendu, avec deux de mes hommes, dont le jeune Dicelle qui est allé vous cueillir sur le trottoir. J'ai hésité à vous envoyer chercher. J'ai pensé que vous étiez ici pour une cure et non pour nous donner un coup de main. Je savais d'ailleurs que si l'affaire vous intéressait vous finiriez...

Maigret parvenait vraiment à avoir l'air maussade.

— Un crime crapuleux ? grommela-t-il.

— Certainement pas.

— Passionnel ?

— Peu probable. Je dis ça mais, après vingt-quatre heures, je n'en sais guère plus que quand je suis arrivé hier matin...

Il fouilla parmi ses paperasses.

— La victime s'appelle Hélène Lange. Elle avait quarante-huit ans et elle est née à Marsilly, à une dizaine de kilomètres de La Rochelle. J'ai téléphoné à la mairie de Marsilly qui m'a appris que sa mère, veuve de bonne heure, a tenu longtemps une petite mercerie place de l'Église.

» Elle avait deux filles et Hélène, l'aînée, a suivi, à La Rochelle, des cours de sténo-dactylo… Ensuite, elle a travaillé un certain temps dans les bureaux d'un armateur avant de partir pour Paris où on perd sa trace…

» Elle n'a jamais demandé d'extrait de son acte de naissance, ce qui laisse supposer qu'elle ne s'est pas mariée. D'ailleurs, sa carte d'identité porte la mention célibataire…

» Elle avait une sœur plus jeune de six ou sept ans qui a été manucure, à La Rochelle, elle aussi. Comme l'aînée, elle a gagné Paris, d'où elle est revenue au pays après une dizaine d'années.

» Elle a dû amasser une certaine somme qui lui a permis d'acheter, place d'Armes, un salon de coiffure qu'elle tient toujours… J'ai essayé de lui téléphoner… Je n'ai eu au bout du fil qu'une aide qui la remplace, car elle est en vacances aux Baléares… Je lui ai télégraphié à son hôtel pour lui demander de revenir d'urgence et je l'attends dans le courant de la journée…

» Cette sœur, Francine, n'est pas mariée non plus… La mère est morte il y a huit ans… On ne connaît pas d'autre famille…

Maigret, malgré lui, avait son visage professionnel. On aurait dit que c'était lui qui dirigeait l'enquête et qu'un de ses collaborateurs lui faisait un rapport dans son bureau.

Il manquait ses pipes, devant lui, qu'il avait l'habitude de tripoter dans ces circonstances-là, la vue de la

Seine, au-delà de la fenêtre, son fauteuil solide au dossier duquel il pouvait s'appuyer.

Pendant que Lecœur parlait, il avait remarqué deux ou trois détails, en particulier que, dans ce salon qui servait de living-room, il n'y avait que des photographies d'Hélène Lange. Sur un bahut, on la voyait à cinq ou six ans, dans une robe trop longue pour elle, une tresse maigre de chaque côté du visage.

Au mur, un portrait, plus grand, par un bon photographe, la montrait dans une pose romantique, le regard éthéré, âgée d'une vingtaine d'années.

Sur une troisième, elle se tenait debout au bord de la mer. Elle n'était pas en costume de bain mais portait une robe blanche que la brise faisait flotter vers la gauche comme un drapeau et elle tenait à deux mains un chapeau clair à large bord.

— Vous savez quand et comment le crime a été commis ?

— Il est difficile de reconstituer les événements... Nous y travaillons depuis hier matin, mais nous ne sommes guère plus avancés...

» Avant-hier, donc lundi soir, Hélène Lange a dîné seule dans sa cuisine. Elle a fait la vaisselle, puisque nous n'avons pas trouvé d'assiettes sales, s'est habillée et est sortie après avoir éteint toutes les lumières. Si cela vous intéresse, elle a mangé deux œufs à la coque. Elle portait une robe mauve et un châle de laine blanche ainsi qu'un chapeau également blanc...

Maigret hésita, ne put résister, en fin de compte, au désir de déclarer :

— Je sais...

— Vous avez déjà enquêté ?

— Non, mais, lundi soir, je l'ai aperçue assise devant le kiosque à musique où l'on donnait un concert…

— Vous ignorez quand elle a quitté le parc ?

— Nous nous sommes éloignés, ma femme et moi, avant neuf heures et demie pour notre promenade habituelle…

— Elle était seule ?

— Elle était toujours seule.

Lecœur n'essayait pas de cacher sa stupeur.

— Vous l'avez remarquée d'autres fois ?

Un Maigret plus souriant faisait un signe affirmatif de la tête.

— Pourquoi ?

— Ici, on passe son temps à se promener et, machinalement, on se regarde les uns les autres. Comme les gens se retrouvent aux mêmes heures aux mêmes endroits…

— Vous avez une idée ?

— De quoi ?

— Du genre de femme que c'était ?

— Elle n'était certainement pas banale, c'est tout ce que je sais…

— Bon… Je continue… Deux des trois chambres du premier étage sont louées… La première est occupée par un ingénieur de Grenoble, un nommé Maleski, et par sa femme… Ils sont sortis quelques minutes après Mlle Lange pour se rendre au cinéma et ils ne sont rentrés qu'à onze heures et demie… Tous les volets de la maison étaient fermés, comme d'habitude, mais de la lumière apparaissait entre les fentes de ceux du rez-de-chaussée… Une fois dans le corridor, ils ont remarqué que la lumière filtrait sous la porte du salon et sous celle de la chambre à coucher de Mlle Lange, qui est à droite…

— Ils n'ont rien entendu ?

— Maleski n'a rien entendu… Sa femme, bien qu'avec beaucoup d'hésitation, parle d'un murmure de voix… Ils se sont couchés presque tout de suite et rien ne les a réveillés jusqu'au lendemain matin…

» L'autre locataire s'appelle Mme Vireveau, une veuve, qui habite rue Lamarck, à Paris… C'est une personne imposante, d'une soixantaine d'années, qui vient chaque année à Vichy pour perdre quelques kilos… C'est la première fois qu'elle louait une chambre chez Mlle Lange… Les années précédentes, elle descendait à l'hôtel…

» Il paraît qu'elle a connu un autre genre de vie, que son mari était un homme riche, mais trop généreux, qui l'a laissée dans une situation difficile… Bref, elle est couverte de bijoux faux et parle comme dans les mauvaises pièces de théâtre… Elle est sortie à neuf heures… Elle n'a vu personne et a laissé la maison dans l'obscurité complète…

— Chaque locataire a sa clef ?

— Oui… La veuve Vireveau s'est rendue au club de bridge du Carlton, qu'elle a quitté un peu avant minuit… Elle est rentrée à pied, comme d'habitude… Elle n'a pas de voiture. Les Maleski ont une petite auto mais s'en servent rarement pendant leur séjour à Vichy et elle reste le plus souvent dans un garage du quartier…

— Les lumières étaient toujours allumées ?

— Attendez, patron... Bien entendu, je n'ai pu questionner la Vireveau qu'une fois le crime découvert et alors que toute la rue était en émoi... Je ne sais pas si elle a autant d'imagination que de goût pour les bijoux de fantaisie... Elle prétend qu'en arrivant au coin de la rue, c'est-à-dire à l'angle du boulevard de La Salle et de la rue du Bourbonnais, elle s'est presque heurtée à un homme... Il n'avait pu la voir venir et elle jure qu'il a sursauté, puis porté la main à son visage comme pour éviter d'être reconnu...

— Elle l'a reconnu quand même !

— Non. Elle affirme qu'elle le reconnaîtrait malgré tout si elle était mise en face de lui... Il était très grand, très fort... Une énorme poitrine de gorille, dit-elle... Il marchait vite, penché en avant... Elle a eu peur, s'est néanmoins retournée sur lui alors qu'il continuait à foncer vers la ville...

— Un homme de quel âge ?

— Pas jeune... Pas vieux non plus... Très fort... Effrayant... Elle a presque couru et elle n'a été rassurée qu'une fois la clef dans la serrure...

— Les lumières étaient toujours visibles au rez-de-chaussée ?

— Justement, elles ne l'étaient plus, pour autant qu'on puisse se fier à ce témoignage. Elle n'a rien entendu. Elle s'est couchée, si émue qu'elle a pris une cuillerée d'alcool de menthe sur un morceau de sucre...

— Qui a découvert le crime ?

— J'y viens, patron. Mlle Lange voulait bien louer ses chambres à des personnes convenables, mais elle ne leur servait pas les repas... Elle ne leur permettait pas non plus de cuisiner et ne tolérait même pas un réchaud à alcool pour le café du matin…

» Vers huit heures, hier, Mme Maleski est descendue avec sa Thermos afin, comme chaque jour, de la remplir de café dans un bar des environs et d'acheter des croissants… Elle n'a rien remarqué de particulier… À son retour non plus… Ce qui l'a surprise, c'est de ne pas entendre de bruit, surtout la seconde fois, car Mlle Lange se levait de bonne heure et on l'entendait aller et venir d'une pièce à l'autre…

» — Je me demande si elle n'est pas malade… a-t-elle dit à son mari tandis qu'ils mangeaient.

» Car la propriétaire se plaignait volontiers de sa santé. À neuf heures, le couple est descendu tandis que Mme Vireveau était encore chez elle et, dans le corridor, ils ont trouvé Charlotte interloquée…

— Charlotte ?

— Une petite bonne que Mlle Lange employait chaque matin de neuf heures à midi pour faire les chambres… Elle vient à vélo d'un village situé à une dizaine de kilomètres et elle est un peu simplette…

» — Toutes les portes sont fermées… a-t-elle dit aux Maleski.

» Les autres matins, quand elle arrivait, portes et fenêtres du rez-de-chaussée étaient ouvertes car Mlle Lange prétendait toujours manquer d'air.

» — Vous n'avez pas la clef ?

» — Non… Si elle n'est pas là, autant que je m'en aille…

» Maleski a essayé d'ouvrir avec la clef de sa chambre, n'y est pas parvenu et a fini par téléphoner à la police, du même bar où sa femme venait d'aller chercher le café.

» C'est à peu près tout. Le lieutenant de la police de Vichy est bientôt arrivé avec un serrurier. La clef de la porte du salon manquait. Les autres portes, celle de la cuisine et celle de la chambre, étaient fermées de l'intérieur, la clef sur la serrure…

» Dans ce salon, ici, exactement, au bord du tapis, Hélène Lange était étendue, ou plutôt repliée sur elle-même, et elle n'était pas belle à voir car elle avait été étranglée…

» Elle portait encore sa robe mauve, mais elle avait retiré son châle et son chapeau qu'on a retrouvés au portemanteau du corridor… Les tiroirs des meubles étaient ouverts, des papiers, des boîtes de carton éparpillés sur le plancher…

— Pas de viol ?

— Pas même de tentative… Pas de vol non plus, pour autant que nous sachions… Le compte rendu de *la Tribune*, ce matin, est assez fidèle… Dans un tiroir, nous avons retrouvé cinq billets de cent francs… Le sac à main de la victime a été fouillé, son contenu éparpillé comme le reste, y compris quatre cents francs en billets de dix et de vingt ainsi que de la monnaie et qu'un abonnement au théâtre du Grand Casino…

— Il y a longtemps qu'elle a acheté cette maison ?

— Neuf ans… Elle venait alors de Nice, où elle a habité un certain temps…

— Elle y travaillait ?

— Non... Elle occupait un logement assez modeste, près du boulevard Albert-Ier, et semblait vivre de ses rentes...

— Elle voyageait ?

— Des voyages de deux ou trois jours, à peu près tous les mois...

— On ne sait pas où elle se rendait ?

— Elle était muette sur ses allées et venues...

— Et ici ?

— Les deux premières années, elle n'a pas pris de locataires... Ensuite, elle a mis trois chambres à louer pendant la saison, mais les trois chambres n'étaient pas toujours occupées... C'est le cas à présent... La chambre bleue est vide... Car il y a la chambre blanche, la chambre rose et la chambre bleue...

Maigret fit une autre remarque. Il ne voyait autour de lui aucune tache de vert, pas un bibelot de cette couleur, pas un coussin, une garniture.

— Elle était superstitieuse ?

— Comment le savez-vous ? Un jour, elle s'est fâchée parce que Mme Maleski avait apporté un bouquet d'œillets et elle lui a déclaré qu'elle ne voulait pas de ces fleurs de malheur dans la maison...

» De même a-t-elle fait remarquer à Mme Vireveau qu'elle était imprudente de porter une robe verte et que cela lui coûterait certainement cher...

— Elle recevait des visites ?

— D'après les voisins, jamais.

— Du courrier ?

— De temps en temps une lettre de La Rochelle. Le facteur a été interrogé. Des prospectus. Des factures de quelques magasins de Vichy.

— Elle avait un compte en banque ?

— Au Crédit Lyonnais, au coin de la rue Georges-Clemenceau.

— Vous y êtes allé, bien entendu ?

— Elle faisait des versements réguliers, environ cinq mille francs chaque mois, pas toujours à la même date.

— En espèces ?

— Oui... Pendant la saison, les versements étaient plus élevés, à cause des locataires qui lui payaient leur loyer...

— Il lui arrivait de signer des chèques ?

— À des fournisseurs, presque tous de Vichy ou de Moulins, où elle se rendait de temps en temps... Parfois, elle payait par chèque des objets qu'elle commandait à Paris sur catalogue... Vous trouverez une pile de catalogues dans ce coin...

Lecœur observait le commissaire, que son veston presque blanc rendait très différent de l'homme qu'on rencontrait Quai des Orfèvres.

— Qu'est-ce que vous en pensez, patron ?

— Qu'il faut que je m'en aille... Ma femme m'attend...

— Et votre premier verre d'eau !

— La police de Vichy sait ça aussi ? grommela-t-il.

— Vous reviendrez ? La P.J. n'a pas de bureau à Vichy. Je rentre chaque soir en voiture à Clermont-Ferrand, ce qui ne fait qu'une soixantaine de kilomètres. Le commandant de la police d'ici m'a proposé de mettre une pièce et un téléphone à ma disposition, mais j'aime autant travailler sur place... Mes hommes essayent de retrouver des passants ou des voisins qui auraient aperçu la demoiselle Lange lundi soir quand elle est rentrée, car nous ignorons si elle était accompagnée, si elle a trouvé quelqu'un dans la place ou si…

— Excusez-moi, mon vieux… Ma femme…

— Mais oui, patron…

Maigret était partagé entre sa curiosité et sa routine. Il s'en voulait un peu d'avoir tourné à droite au lieu de tourner à gauche en quittant l'Hôtel de la Bérézina. Il se serait arrêté comme chaque matin au jardin des enfants, puis, plus loin, aurait observé les joueurs de boules.

Est-ce que Mme Maigret avait accompli, seule, leur tournée quotidienne, en s'arrêtant à chacun des endroits où ils avaient coutume de s'arrêter ?

— Vous ne voulez pas qu'on vous conduise ? J'ai ma voiture à la porte et le petit Dicelle ne demandera pas mieux que de…

— Merci… Je suis ici pour marcher…

Et il marcha, seul, d'un pas rapide, pour rattraper le temps perdu.

Il avait bu son premier verre d'eau et retrouvé sa place, entre le vaste hall vitré des sources et le premier arbre. Il sentait que, si elle ne lui posait pas de questions, sa femme était attentive à ses moindres gestes, à ses expressions de physionomie.

Son journal sur les genoux, il regardait à travers le feuillage à peine animé le ciel d'un bleu toujours aussi pur dans lequel flottait un petit nuage d'un blanc éclatant.

Il se plaignait parfois, à Paris, de ne plus retrouver certaines sensations dont il gardait la nostalgie : une bouffée d'air tiédi par le soleil sur la joue, le jeu de la lumière dans les feuilles ou sur le gravier, le crissement de celui-ci sous les pas de la foule et même le goût de la poussière…

Ici, le miracle se produisait. Alors qu'il pensait à son entretien avec Lecœur, il se sentait comme enveloppé dans l'ambiance et rien de ce qui se passait autour de lui ne lui échappait.

Pensait-il vraiment ? Rêvassait-il ? On voyait passer des familles, comme partout, mais les couples d'âge mûr étaient plus nombreux.

Parmi les solitaires, étaient-ce les hommes ou les femmes qui dominaient ? Les femmes, surtout les vieilles, avaient tendance à s'agglomérer. On les voyait arranger les chaises en cercles de six, de huit, et elles se penchaient les unes vers les autres avec l'air d'échanger des confidences alors qu'elles ne se connaissaient que de quelques jours.

Qui sait ? C'étaient peut-être de vraies confidences. Elles s'entretenaient de leurs maux, de leur médecin, de leur traitement, puis de leurs enfants mariés, de leurs petits-enfants dont elles tiraient des photographies de leur sac à main.

Rares étaient celles qui s'asseyaient seules à l'écart, comme la demoiselle en lilas dont il connaissait maintenant le nom.

Les isolés étaient plus nombreux parmi les hommes, souvent marqués par la fatigue ou la maladie et s'efforçant de traverser la foule avec dignité. On n'en devinait pas moins sur leurs traits, dans leur regard, une sorte de détresse, une crainte vague de s'écrouler, parmi les jambes des passants, dans une flaque d'ombre ou de soleil.

Hélène Lange était une solitaire et son attitude, son maintien trahissaient une sorte de fierté. Elle ne voulait pas être traitée de vieille fille, n'acceptait pas de pitié, allait très droite, la démarche légère, le menton haut.

Elle ne frayait avec personne, n'avait nul besoin de soulager son âme ou son esprit par de faciles confidences.

Avait-elle choisi de vivre seule ?

Il se le demandait, intrigué, s'efforçant de la revoir, assise, debout, immobile, en mouvement.

— Ils ont une piste ?

Mme Maigret commençait à être jalouse de sa rêverie. À Paris, elle n'aurait pas osé questionner son mari au cours d'une enquête. Ici, marchant côte à côte pendant des heures, n'avaient-ils pas pris l'habitude de penser à voix haute ?

Ce n'était jamais une vraie conversation, un échange de répliques précises, mais presque toujours quelques mots, une remarque qui suffisait à indiquer le cours des pensées de l'un ou de l'autre.

— Non. Ils attendent la sœur…

— Elle n'a pas d'autre famille ?

— Il semble bien que non…

— C'est l'heure de ton second verre…

Ils pénétrèrent dans le hall où les têtes des serveuses d'eau dépassaient de la fosse dans laquelle elles travaillaient. Hélène Lange venait boire ici chaque jour. Était-ce sur l'ordre du médecin ou seulement pour se créer un but de promenade ?

— À quoi penses-tu ?

— Je me demande pourquoi Vichy.

Il y avait près de dix ans qu'elle s'était installée dans cette ville et y avait acheté une maison. Elle avait donc trente-sept ans à l'époque et elle ne paraissait pas avoir besoin de gagner sa vie puisque, les deux premières années, elle n'avait pas sous-loué les chambres de l'étage.

— Et pourquoi pas ? ripostait Mme Maigret.

— Il existe des centaines de petites et de moyennes villes en France où elle aurait pu se fixer, sans compter La Rochelle, qu'elle a connue pendant son enfance et son adolescence… Sa sœur, après avoir vécu à Paris, est retournée à La Rochelle et s'y est fixée…

— Peut-être les deux sœurs ne s'entendaient-elles pas ?

Ce n'était pas si simple. Maigret regardait toujours les gens marcher et leur rythme lui rappela un même défilé incessant, ailleurs, dans le soleil chaud. À Nice, sur la Promenade des Anglais.

Car, avant de venir à Vichy, Hélène Lange avait vécu cinq ans à Nice.

— Elle a vécu cinq ans à Nice, dit-il à voix haute.

— Beaucoup de petits rentiers…

— Justement… Des petits rentiers, mais aussi des gens de toutes les couches sociales, comme ici… Je me demandais avant-hier ce que me rappelait la foule qui marche dans ce parc ou s'assoit sur les chaises… C'est la même que devant la mer, à Nice… Une foule dont les origines sont si diverses qu'elle en devient neutre… Ici aussi, il doit y avoir ou il y a eu de vieilles gloires de la galanterie, du théâtre, du cinéma… Nous avons découvert un quartier de riches hôtels particuliers où l'on aperçoit encore des valets de chambre à gilet rayé…

» Sur les collines, on devine des villas cossues et secrètes…

» Comme à Nice…

— Qu'est-ce que tu en déduis ?

— Rien. Elle avait trente-deux ans quand elle a commencé à vivre à Nice et elle y était aussi seule qu'ici. Généralement, la solitude commence plus tard…

— Les peines de cœur existent…

— Je sais, mais elles ne donnent pas ce visage-là.

— Il y a aussi les ménages brisés…

— Quatre-vingt-quinze pour cent des femmes se remarient.

— Et les hommes ?

Il lui sourit largement et lança, sans qu'elle puisse savoir si c'était une plaisanterie :

— Cent pour cent !

À Nice, on trouvait une population flottante, des succursales des magasins de Paris, plusieurs casinos. À Vichy, des dizaines de milliers de curistes changeaient tous les vingt et un jours et on retrouvait les mêmes magasins, trois casinos, une douzaine de cinémas.

Ailleurs, on l'aurait connue, on se serait occupé d'elle, on aurait épié ses faits et gestes.

Pas à Nice. Pas à Vichy. Mais avait-elle quelque chose à cacher ?

— Tu dois retrouver Lecœur ?

— Il m'a invité à passer le voir quand je voudrais... Il continue à m'appeler patron comme quand il était encore dans mon service...

— Ils le font tous...

— C'est vrai... Par habitude...

— Tu ne crois pas que c'est plutôt par affection ?

Il haussa les épaules et ils ne tardèrent pas à se retrouver sur le chemin du retour. Cette fois ils prirent par la vieille ville, s'arrêtant devant les objets parfois touchants étalés à la vitrine des antiquaires.

Ils savaient qu'à table les autres pensionnaires les observaient, mais il fallait bien s'y habituer. Maigret s'efforçait de manger comme le docteur Rian lui avait recommandé de le faire. Ne rien avaler avant d'avoir mâché avec soin, pas même de la purée de pommes de terre. Ne pas piquer un morceau avec sa fourchette avant que la bouchée précédente ne soit avalée. Ne pas boire plus d'une ou deux gorgées d'eau, à la rigueur teintée d'un peu de vin...

Il préférait pas de vin du tout.

Il s'offrait quelques bouffées de pipe en montant l'escalier avant de s'étendre tout habillé pour la sieste. Assez de lumière pénétrait à travers les volets pour que sa femme, dans le fauteuil, puisse à son tour parcourir le journal, et à travers sa somnolence il entendait parfois le froissement de la page qu'elle tournait.

Il était étendu depuis vingt minutes à peine quand on frappa à la porte. Mme Maigret se précipita sur le palier, referma la porte. Il y eut des chuchotements, puis elle descendit, ne resta absente que quelques minutes.

— C'était Lecœur.

— Il a du nouveau ?

— La sœur vient d'arriver à Vichy. Elle s'est rendue au siège de la police et on va la conduire à la morgue pour reconnaître le corps. Lecœur l'attend rue du Bourbonnais. Il demande si cela te ferait plaisir de le rejoindre afin d'assister à son interrogatoire.

Maigret était déjà debout, grommelant, et il commençait par ouvrir les volets pour rendre la chambre à la lumière et à la vie.

— Je te retrouve à la source ?

La source, le premier verre d'eau, la chaise de fer, c'était cinq heures de l'après-midi.

— Cela ne durera pas si longtemps. Attends-moi plutôt sur un des bancs près des joueurs de boules...

Il hésita à prendre son chapeau de paille.

— Tu as peur qu'on se moque de toi ?

Tant pis. Il était en vacances, après tout, et il le posa crânement sur sa tête.

Des curieux continuaient à passer, à s'arrêter devant la maison que gardait toujours un C.R.S. Quand ils constataient qu'il n'y avait à voir que des fenêtres fermées, ils ne tardaient pas à s'éloigner en hochant la tête.

— Asseyez-vous, patron... Si vous placiez le fauteuil dans le coin, près de la fenêtre, vous la verriez en pleine lumière...

— Vous ne l'avez pas encore rencontrée ?

— J'étais à table, dans un excellent restaurant d'ailleurs, quand on m'a averti qu'elle était au siège de la police… Ils se chargent de la conduire à la morgue et de me l'amener…

À travers le tulle des rideaux, ils apercevaient en effet une voiture noire, conduite par un policier en uniforme, qui précédait une longue auto rouge découverte. Le couple installé à l'avant, cheveux défaits, teint bruni, faisait très retour de vacances.

La femme et l'homme discutaient un moment, penchés l'un sur l'autre, puis, après un bref baiser, la femme descendait de voiture et claquait la portière, tandis que son compagnon restait assis devant le volant et allumait une cigarette.

Il était brun, le visage fermement dessiné, avec une carrure de sportif que dessinait son polo jaune. Il observait la maison d'un regard sans curiosité tandis que le C.R.S. introduisait la jeune femme dans le salon.

— Commissaire Lecœur… Je suppose que vous êtes Francine Lange ?…

— C'est exact…

Elle avait un vague coup d'œil pour Maigret qu'on ne lui présentait pas et qui était assis à contre-jour.

— Madame ou mademoiselle ?

— Je ne suis pas mariée, si c'est ce que vous voulez dire. Mon ami, qui est dans la voiture, est avec moi. Mais je connais trop les hommes pour en épouser un. Après, c'est la croix et la bannière pour s'en débarrasser…

C'était une belle créature, qui ne paraissait pas ses quarante ans et qui promenait dans l'étroit salon conventionnel des formes provocantes. Elle portait une robe couleur feu, si légère qu'on la voyait au travers, et on aurait juré qu'elle sentait encore la mer.

— Le télégramme m'est parvenu hier soir... Lucien s'est débrouillé pour nous trouver des places dans le premier avion pour Paris... À Orly, nous avons repris notre voiture que nous avions laissée en partant...

— Je suppose que c'est bien de votre sœur qu'il s'agit ?

Elle fit oui de la tête, sans émotion.

— Vous ne préférez pas vous asseoir ?

— Merci. Je peux fumer ?

Elle regardait la fumée qui s'échappait de la pipe de Maigret avec l'air de dire : « Si celui-là peut tirer sur sa bouffarde, j'ai bien le droit de griller une cigarette... »

— Je vous en prie... Je suppose que ce crime vous surprend autant que nous ?

— Bien sûr que je ne m'y attendais pas...

— Vous ne connaissiez pas d'ennemis à votre sœur ?

— Pourquoi Hélène aurait-elle eu des ennemis ?

— Quand l'avez-vous vue pour la dernière fois ?

— Il y a six ou sept ans, je ne sais pas au juste... Je me rappelle que c'était en hiver et qu'il y avait une tempête... Elle ne m'avait pas prévenue de sa visite et j'ai été surprise en la voyant entrer tranquillement dans mon salon de coiffure...

— Vous vous entendiez bien avec elle ?

— Comme on s'entend entre sœurs... Je ne l'ai pas tellement connue, à cause de la différence d'âge...

Elle sortait de l'école alors que j'y entrais... Puis elle suivait des cours à La Rochelle bien avant que je n'y devienne manucure... Ensuite, elle a quitté la ville...

— À quel âge ?

— Attendez... Il y avait un an que j'étais en apprentissage... J'avais donc seize ans... Ajoutez sept... Elle avait vingt-trois ans...

— Vous lui écriviez ?

— Rarement... Dans notre famille, ce n'est pas le genre...

— Votre mère était déjà morte ?

— Non... Elle est morte deux ans plus tard et Hélène est venue à Marsilly pour le partage... Il n'y avait pas grand-chose à partager... La boutique ne valait pas deux sous...

— Que faisait votre sœur à Paris ?

Maigret ne cessait de la détailler, tout en évoquant la silhouette et le visage de la morte. Il y avait peu de points communs entre les deux femmes, et Francine n'avait pas le visage long de sa sœur, ni ses yeux sombres. Ses yeux à elle étaient bleus, ses cheveux d'un blond peut-être accentué par la teinture car on y trouvait, sur le devant, une étrange mèche d'un roux ardent.

Au premier abord, c'était la brave fille, qui devait recevoir ses clientes avec une humeur exubérante, voire un peu canaille. Elle n'essayait pas de paraître distinguée et elle accentuait au contraire comme à plaisir ce qu'il y avait chez elle de vulgaire.

Moins d'une demi-heure après avoir contemplé le cadavre de sa sœur à la morgue, elle répondait presque gaiement aux questions de Lecœur dont elle semblait, par habitude, entreprendre la conquête.

— Ce qu'elle faisait à Paris ?… Je suppose qu'elle était dactylo dans un bureau, mais je ne suis pas allée y voir… Nous ne nous ressemblions pas beaucoup toutes les deux… À quinze ans, j'avais déjà un ami, qui était chauffeur de taxi, et, depuis, j'en ai eu beaucoup d'autres… Je ne pense pas que cela ait été le genre d'Hélène, ou alors elle cachait bien son jeu…

— À quelle adresse lui écriviez-vous ?

— Je me souviens, au début, d'un hôtel de l'avenue de Clichy, mais j'en ai oublié le nom… Elle a changé d'hôtel assez souvent… Puis elle a eu un appartement rue Notre-Dame-de-Lorette, je ne sais plus à quel numéro…

— Quand vous êtes allée à Paris à votre tour, vous ne lui avez pas rendu visite ?…

— Si… justement, c'était rue Notre-Dame-de-Lorette, et j'ai été étonnée de la voir si bien logée… Je le lui ai fait remarquer… Elle avait une belle chambre donnant sur la rue, un living-room, une cuisinette et une vraie salle de bains…

— Il y avait un homme dans sa vie ?

— Je n'ai pas pu le savoir… Je voulais rester quelques jours chez elle en attendant de trouver une chambre à ma convenance… Elle m'a répondu qu'elle me conduirait dans un hôtel très propre et pas cher, mais qu'elle ne pourrait pas vivre avec quelqu'un…

— Pas même trois ou quatre jours ?

— C'est ce que j'ai compris.

— Cela ne vous a pas surprise ?

— Pas plus que ça… Vous savez, il en faut beaucoup pour me surprendre… Du moment que les gens me laissent faire ce qui me plaît, ils sont libres aussi et je ne pose pas de questions…

— Combien de temps êtes-vous restée à Paris ?

— Onze ans…

— Toujours comme manucure ?

— D'abord comme manucure, dans des salons de quartier puis, à la fin, dans un palace des Champs-Élysées… J'ai appris le métier de visagiste…

— Vous viviez seule ?

— Parfois seule, d'autres fois pas…

— Vous rencontriez votre sœur ?

— Pour ainsi dire jamais…

— De sorte que vous ne savez à peu près rien de sa vie à Paris ?

— Tout ce que je sais, c'est qu'elle travaillait…

— Quand vous êtes retournée à La Rochelle pour vous installer à votre compte, vous aviez beaucoup d'économies ?

— Assez…

Il ne lui demandait pas comment elle avait gagné cet argent. Elle n'en parlait pas non plus, mais on pouvait penser qu'elle tenait pour acquis qu'ils se comprenaient.

— Vous ne vous êtes jamais mariée ?

— Je vous ai déjà répondu. Je ne suis pas assez sotte pour ça…

Et, se tournant vers la fenêtre à travers laquelle on apercevait son compagnon qui prenait des attitudes au volant de sa voiture rouge :

— Regardez comme il a l'air malin…

— Vous vivez pourtant avec lui…

— C'est mon employé, un très bon coiffeur, d'ailleurs… À La Rochelle, nous vivons à part, car je n'aimerais pas l'avoir jour et nuit dans les jambes… En vacances, passe encore…

— La voiture vous appartient ?

— Bien sûr.

— C'est lui qui l'a choisie ?

— Vous avez deviné…

— Votre sœur n'a jamais eu d'enfant ?

— Pourquoi me demandez-vous ça ?

— Je ne sais pas… C'était une femme…

— À ma connaissance, elle n'en a pas eu… Il me semble que ça se saurait, non ?

— Et vous ?

— J'en ai eu un, alors que je vivais encore à Paris, il y a quinze ans de ça… Ma première idée était de le faire partir et cela aurait mieux valu… C'est ma sœur qui m'a conseillé de le laisser venir…

— Vous vous voyiez donc à cette époque ?

— Je suis allée la voir à cause de ça… J'avais besoin d'en parler à quelqu'un de la famille… Cela peut paraître rigolo, mais il y a des moments où on se souvient qu'on a une famille… Bref, j'ai eu un fils, Philippe… Je l'ai mis en nourrice dans les Vosges…

— Pourquoi les Vosges ? Vous y avez des attaches ?

— Pas du tout. Hélène a trouvé cette adresse dans je ne sais quel bulletin… Je suis allée le voir une dizaine de fois en deux ans… Il était bien, chez des paysans très gentils… Leur ferme était propre… Puis, un beau jour, ils m'ont fait savoir que le petit s'était noyé dans la mare…

Elle resta un moment rêveuse, haussa les épaules.

— Après tout, c'était peut-être mieux pour lui…

— Vous ne connaissez à votre sœur aucune relation, ni ami, ni amie ?

— Elle ne devait guère en avoir. À Marsilly, déjà, elle regardait les autres filles de haut et on l'appelait la princesse. Je crois qu'à l'école de sténo-dactylo, à La Rochelle, c'était la même chose…

— Elle était orgueilleuse ?

Elle hésita, réfléchit.

— Je ne sais pas. Je ne choisirais pas ce mot-là. Elle n'aimait pas les gens. Elle n'aimait pas le contact avec les gens. Voilà ! Elle préférait rester seule…

— Elle n'a jamais tenté de se suicider ?

— Pourquoi ? Vous croyez que…

Lecœur sourit.

— Non… On ne se suicide pas en s'étranglant… Je me demande seulement si, auparavant, elle n'a pas été tentée d'en finir avec la vie…

— Je suis sûre que non… Elle s'aimait bien comme elle était… Au fond, elle était très satisfaite…

Le mot frappa Maigret et il revit la demoiselle en lilas assise face au kiosque. Il avait essayé alors de définir l'expression de son visage et il n'y était pas parvenu.

Francine venait de le faire : elle s'aimait bien !

Elle s'aimait tellement que, rien que dans son salon, il y avait trois photographies d'elle, et sans doute s'en trouvait-il dans la salle à manger et dans la chambre qu'il n'avait pas visitées. Personne d'autre. Aucun portrait de sa mère, de sa sœur, d'amis ou d'amies. Au bord de la mer, c'était seule qu'elle s'était fait photographier devant les vagues.

— Jusqu'à nouvel avis, je suppose que vous êtes sa seule héritière ?... Nous n'avons pas trouvé de testament parmi ses papiers... Il est vrai que ceux-ci ont été éparpillés par le meurtrier, mais je ne vois pas pour quelle raison il aurait emporté un testament... Aucun notaire ne s'est encore fait connaître...

— Quand a lieu l'enterrement ?

— C'est à vous de décider... Le médecin légiste en a fini avec le corps, qui peut vous être remis dès que vous le désirerez...

— Où croyez-vous que je doive l'enterrer ?

— Je n'en ai aucune idée...

— Ici, je ne connais personne... À Marsilly, tout le village serait aux obsèques par curiosité... Je me demande si elle aurait tellement aimé retourner à Marsilly... Écoutez, si vous n'avez plus besoin de moi, je vais chercher une chambre d'hôtel et prendre un bon bain, car j'en sens le besoin... J'essayerai de réfléchir et, demain matin...

— Je vous attends donc demain matin...

Au moment de partir, après avoir serré la main de Lecœur, elle se tourna un instant vers Maigret, comme en se demandant ce qu'il faisait là, silencieux dans son coin, et elle eut alors un froncement de sourcils.

L'avait-elle reconnu ?

— À demain... Vous avez été très gentil...

On la vit s'installer dans l'auto, se pencher vers son compagnon pour lui dire quelques mots et la voiture démarra.

Les deux hommes, dans le salon, se regardaient, et Lecœur fut le premier à lancer un presque comique :

— Alors ?

À quoi Maigret répondit, en tirant sur sa pipe :

— Eh oui ! Alors ?

Il n'avait pas envie de discuter et il n'oubliait pas son rendez-vous avec sa femme près des joueurs de boules.

— À demain, vieux…

— À demain…

Il eut droit, en sortant, au salut militaire du C.R.S., mais il n'en fut pas plus fier.

3

Il était assis une fois de plus dans le fauteuil vert, près de la fenêtre ouverte. Le temps était le même qu'à leur arrivée, un soleil généreux et chaud, avec pourtant, le matin, de l'air frais dans les rues que parcouraient les arroseuses municipales, de la fraîcheur aussi, pendant la journée, sous les arbres qu'on retrouvait partout, que ce soit au parc, le long de l'Allier ou des nombreuses avenues.

Il avait mangé ses trois croissants. La tasse de café était encore à moitié pleine. Sa femme, à côté, faisait couler l'eau d'un bain et il entendait à l'étage au-dessus les pas de pensionnaires qui venaient de se lever.

Ce n'était pas sans ironie qu'il s'enfonçait ainsi dans ses nouvelles habitudes. Où qu'il soit, il se créait machinalement une routine à laquelle il obéissait comme si elle lui était imposée.

On aurait pu dire que chacune de ses enquêtes, à Paris, avait son rythme, ses moments de pause dans des bistrots ou des brasseries déterminés, ses odeurs, sa lumière.

Ici, il se sentait en vacances bien plus qu'en cure et la mort de la demoiselle en lilas s'inscrivait sur un fond de vie paresseuse.

La veille au soir, comme les autres soirs, ils étaient allés faire le tour du parc, où ils étaient quelques centaines à passer de l'ombre à la lumière des globes dépolis. C'était l'heure des théâtres, des casinos, des cinémas. Les gens sortaient de leur hôtel, de leur pension, des chambres meublées où ils avaient mangé de la charcuterie, et chacun fonçait vers la distraction qu'il avait choisie.

Beaucoup se contentaient des chaises de fer jaune aux lignes romantiques et Maigret avait cherché machinalement la silhouette droite et digne, le visage tout en longueur, le menton haut, le regard à la fois nostalgique et dur.

Hélène Lange était morte et, dans une chambre d'hôtel, Francine discutait sans doute avec son gigolo de l'endroit où on enterrerait sa sœur.

Quelque part dans la ville, un homme connaissait le mystère des *Iris* et de la femme solitaire : l'homme qui l'avait étranglée.

Continuait-il à faire sa promenade dans le parc ou se dirigeait-il en ce moment vers un théâtre ou un cinéma ?

Ils s'étaient couchés, sa femme et lui, sans en parler, mais chacun savait que l'autre y pensait.

Maigret allumait sa pipe, tournait la page du journal afin de trouver les nouvelles locales. Il tiqua en voyant sa photographie sur deux colonnes, une photographie qu'il ne connaissait pas, prise à son insu alors qu'il buvait un de ses verres d'eau quotidiens.

À son côté, on distinguait un tiers environ de la silhouette de sa femme et, derrière, plus flous, deux ou trois visages anonymes.

Maigret enquête ?

Par discrétion, nous n'avions pas signalé à nos lecteurs la présence, parmi nous, du commissaire Maigret qui est à Vichy non par devoir professionnel mais pour profiter, comme tant d'autres personnages illustres avant lui, des vertus curatives de nos eaux.

Le commissaire, pourtant, résistera-t-il au désir d'éclaircir le mystère de la rue du Bourbonnais ?

Il semble bien qu'il ait été reconnu aux alentours de la maison du crime et même qu'il ait eu des contacts avec le sympathique commissaire Lecœur, chef de la P.J. de Clermont-Ferrand, qui dirige l'enquête.

La cure l'emportera-t-elle ou bien…

Il rejeta le journal, sans colère, car il avait l'habitude de ce genre d'échos, et, haussant les épaules, il regarda vaguement dehors.

Jusqu'à neuf heures, ses faits et gestes furent ceux des autres matins et quand Mme Maigret apparut, en tailleur rose, ils se dirigèrent tout naturellement vers l'escalier.

— Bonne journée, messieurs-dames…

C'était l'inévitable salut matinal du patron. Maigret avait déjà aperçu deux silhouettes sur le trottoir, un reflet sur l'objectif d'un appareil photographique.

— Ils vous attendent depuis une heure... Ce ne sont pas ceux de *la Montagne*, où on parle de vous, ce matin, mais de *la Tribune*, de Saint-Étienne...

L'homme à la caméra était un grand roux, l'autre un petit brun avec une épaule plus haute que l'autre. Ils se précipitaient vers le seuil.

— Vous permettez qu'on prenne une photo, une seule ?

À quoi bon refuser ? Il resta un instant immobile entre les deux arbustes qui flanquaient l'entrée tandis que Mme Maigret reculait dans la pénombre.

— Levez un peu la tête, à cause du chapeau...

C'était la première fois depuis longtemps qu'on le photographiait avec un chapeau de paille, et il n'en portait qu'à Meung-sur-Loire, un vieux chapeau de jardinier.

— Encore une... Juste une seconde... Merci...

— Dites-moi, monsieur Maigret, puis-je vous demander si vous vous occupez vraiment de l'affaire ?...

— En tant que chef de la Brigade criminelle du Quai des Orfèvres, je n'ai pas à me mêler de ce qui se passe en dehors de Paris...

— Ce crime vous intéresse cependant ?

— Comme il intéresse la plupart de vos lecteurs...

— Ne présente-t-il pas un caractère particulier ?

— Je ne vois pas ce que vous voulez dire...

— La victime était une solitaire... Elle ne fréquentait personne... On ne voit aucun motif à...

— Quand on la connaîtra davantage, le motif deviendra sans doute évident...

La phrase était banale et ne le compromettait pas. Pourtant, elle exprimait une vérité. Maigret n'était pas le seul à s'efforcer, depuis longtemps, de connaître le caractère des victimes. Les criminologues attachent de plus en plus d'importance au mort et ils vont même, dans beaucoup de cas, jusqu'à lui attribuer une bonne part de responsabilité.

N'y avait-il pas, dans la vie, dans le comportement d'Hélène Lange, quelque chose qui la prédestinait en quelque sorte à mourir de mort violente ? Dès qu'il l'avait aperçue sous les ombrages du parc, elle avait attiré l'attention du commissaire.

Il est vrai que d'autres, comme les deux hilares, l'avaient intéressé aussi.

— Le commissaire Lecœur n'a-t-il pas fait partie de votre équipe ?

— Il a travaillé à la P.J. de Paris.

— Vous l'avez vu ?

— Je lui ai serré la main.

— Vous le reverrez ?

— C'est probable.

— Vous discuterez du meurtre avec lui ?

— Peut-être. À moins que nous ne parlions que du temps qu'il fait et de la lumière particulière à votre ville…

— Qu'a-t-elle de particulier ?

— Une certaine vibration, une certaine douceur…

— Vous comptez revenir à Vichy l'an prochain ?

— Cela dépendra de mon médecin…

— Merci…

Ils sautaient tous les deux dans une vieille voiture, tandis que Maigret et sa femme faisaient quelques pas sur le trottoir.

— Où est-ce que je t'attends ?

Cela impliquait que son mari allait se rendre rue du Bourbonnais.

— À la source ?

— Au jeu de boules…

Autrement dit, il ne comptait pas rester longtemps avec Lecœur. Il le trouva dans le salon exigu, occupé à téléphoner.

— Asseyez-vous, patron… Allô !… Oui… C'est une chance que la concierge soit restée à son poste pendant tant d'années… Oui… Elle ne sait pas où ?… Elle prenait le métro ?… Oui, à la station Saint-Georges… Ne coupez pas, mademoiselle… Continue, vieux…

Cela dura encore deux ou trois minutes.

— Je te remercie. Je te ferai envoyer une commission rogatoire pour régulariser la situation… Il sera temps alors de m'expédier ton rapport… Ta femme ?… Bien entendu… Les gosses donnent toujours du souci… J'en sais quelque chose, avec mes quatre garçons…

Il raccrocha, se tourna vers Maigret.

— C'était Julien, que vous avez dû connaître et qui est actuellement inspecteur dans le IXe… Je lui ai demandé hier de fouiller dans les paperasses de son arrondissement… Il a retrouvé l'adresse exacte d'Hélène Lange, rue Notre-Dame-de-Lorette, où elle a habité quatre ans…

— Donc, de vingt-huit à trente-deux ans…

— À peu près… La concierge n'a pas changé… Il paraît que Mlle Lange était une jeune fille tranquille… Elle sortait et rentrait à des heures régulières, comme une personne qui travaille… Elle sortait rarement le soir pour, semble-t-il, aller au théâtre ou au cinéma…

» Son bureau ne devait pas se trouver dans le quartier, puisqu'elle prenait le métro… De bonne heure, elle allait faire son marché et elle n'avait pas de femme de ménage… Vers midi vingt, elle rentrait pour déjeuner et repartait à une heure et demie… On la revoyait ensuite à six heures et demie…

— Elle ne recevait personne ?

— Un homme, un seul, toujours le même.

— La concierge ne connaît pas son nom ?

— Elle ne sait rien de lui. Il ne venait qu'une ou deux fois par semaine, vers huit heures et demie, et il était toujours reparti à dix heures…

— Quel genre ?

— Un homme bien, paraît-il. Il possédait une voiture. La concierge n'a jamais eu l'idée d'en relever le numéro. Une grosse auto noire, sans doute américaine…

— Quel âge ?

— La quarantaine… Plutôt fort… Très soigné, très bien habillé…

— C'est lui qui payait le loyer ?

— Il n'est jamais entré dans la loge…

— Ils allaient ensemble en week-end ?

— Une seule fois.

— En vacances ?

— Non… Hélène Lange, à cette époque, ne prenait que deux semaines de vacances et se rendait presque chaque année à Étretat, où on lui faisait suivre son courrier dans une pension de famille…

— Elle recevait beaucoup de courrier ?

— Très peu… De temps en temps, une lettre de sa sœur… Elle avait un abonnement de lecture dans une librairie des environs et elle lisait beaucoup…

— Je peux faire le tour de l'appartement ?

— Vous êtes chez vous, patron…

Il remarqua que la télévision n'était pas dans le salon mais dans la salle à manger meublée en style provençal, avec beaucoup de cuivres bien entretenus. On y voyait, sur le dressoir, une photographie d'Hélène Lange jouant au cerceau et une autre, en maillot de bain, devant une falaise, à Étretat probablement. Elle avait un corps bien proportionné, longiligne comme son visage, mais sans maigreur, sans sécheresse. C'était une de ces femmes qu'on risque de mal juger en les voyant habillées.

La cuisine, moderne et gaie, comportait une machine à laver la vaisselle et tous les instruments qui facilitent le travail d'une ménagère.

On tournait en quelque sorte autour du couloir et on se trouvait dans une salle de bains, moderne aussi, puis enfin dans la chambre de la morte.

Maigret fut amusé d'y trouver le même lit de cuivre qu'à l'hôtel et presque les mêmes meubles aux nombreuses arabesques. Le papier rayé, sur les murs, mélangeait le rose pâle à un bleu légèrement violacé et, ici aussi, une photographie montrait Hélène Lange vers sa trentième année.

L'expression du visage était très différente et son sourire spontané, sans mystère, exprimait la joie de vivre.

C'était un instantané agrandi et du feuillage permettait de penser qu'il avait été pris dans un bois. Elle regardait l'objectif avec une certaine tendresse.

— Je serais curieux de savoir qui tenait l'appareil, grommela Maigret à l'adresse de Lecœur qui l'avait rejoint.

— Drôle de fille, hein ?

— Je suppose que vous vous êtes occupé des locataires ?

— J'ai pensé, moi aussi, que le crime pouvait avoir été commis par quelqu'un de l'intérieur. La veuve est hors de cause et, d'ailleurs, elle n'est pas assez vigoureuse, malgré son volume, pour étrangler une personne aussi résistante que Mlle Lange... Nous avons vérifié au Carlton, où elle a bien joué au bridge jusqu'à onze heures vingt... Or, d'après le médecin légiste, le crime a dû être commis entre dix et onze heures du soir...

— Autrement dit, quand Mme Vireveau est rentrée, Hélène Lange était déjà morte.

— C'est à peu près certain.

— Les Maleski ont vu de la lumière sous la porte du salon... Comme on devait trouver plus tard les lumières éteintes, le meurtrier était encore dans la place...

— Je me le répète toute la journée... Ou bien il est rentré avec sa victime et l'a étranglée avant de fouiller les meubles, ou bien elle l'a surpris dans son travail et il l'a étouffée...

— L'homme que Mme Vireveau prétend avoir rencontré au coin de la rue ?

— On y travaille... Un tenancier de bar, qui baissait son rideau de fer, a vu vers la même heure un individu corpulent qui marchait vite... Il affirme qu'il paraissait essoufflé...

— Dans quelle direction ?

— Vers les Célestins...

— Pas de description ?

— Il n'y a pas prêté attention... Il sait seulement qu'il était vêtu de sombre et qu'il ne portait pas de chapeau... Il croit se rappeler que son front était assez dégarni...

— Aucune lettre anonyme ?

— Pas encore...

Cela viendrait. Aucune affaire un peu mystérieuse ne se termine sans que la police reçoive un certain nombre de lettres anonymes et de coups de téléphone énigmatiques.

— Vous n'avez pas revu la sœur ?

— Je l'attends pour savoir ce que je dois faire du corps...

Il ajouta après un silence :

— Les deux sœurs se ressemblent aussi peu que possible, hein ?... Autant l'une paraît avoir été réservée, repliée sur elle-même, avec un certain dédain pour ce qui l'entourait, autant l'autre est ouverte à la vie, débordante de santé... Pourtant...

Maigret sourit en regardant Lecœur qui, avec les années, avait pris du ventre, et qui avait quelques poils blancs dans ses moustaches rousses. Ses yeux clairs étaient naïfs, presque enfantins, et cependant

Maigret se souvenait de lui comme d'un de ses meilleurs collaborateurs.

— Pourquoi souriez-vous ?

— Parce que, moi, je l'ai vue vivante et que, d'après ses photographies et ce qu'on vous a dit d'elle, vous en arrivez aux mêmes conclusions que moi…

— Hélène Lange était une fausse sentimentale, une fausse romantique, non ?

— Je crois qu'elle jouait un rôle, peut-être pour elle-même, mais elle ne pouvait empêcher son regard d'être dur et précis…

— Comme sa sœur…

— Francine Lange, elle, joue les émancipées, les filles qui n'ont pas froid aux yeux, qui se fichent du quart et du tiers… À La Rochelle, je suis persuadé qu'elle est un personnage populaire dont on se raconte les frasques et les bons mots…

— Ce qui ne l'empêche pas, de temps en temps…

Ils n'avaient pas besoin d'achever leurs phrases.

— Elle sait compter !

— Et elle sait ce qu'elle veut, malgré tous les gigolos de la terre… Partie d'une pauvre boutique de Marsilly, la voilà patronne, à quarante ans, d'un des plus importants salons de coiffure de La Rochelle… Je connais la ville, la place d'Armes…

Il tira sa montre de sa poche.

— Ma femme m'attend…

— À la source ?

— Je vais d'abord me rafraîchir les idées en regardant jouer aux boules… Je m'y suis essayé jadis, à Porquerolles… Si ces messieurs insistaient un peu…

Il s'éloigna en bourrant une nouvelle pipe et l'air avait eu le temps de se réchauffer. Il se réjouit de retrouver l'ombre des grands arbres.

— Du nouveau ?

— Rien d'intéressant…

— On ne sait toujours rien de sa vie à Paris ?

Sa femme l'observait pour savoir à quel moment elle devrait se taire mais elle se sentait enhardie par son humeur enjouée.

— Rien de précis… Seulement qu'elle a eu au moins un amant…

— On dirait que cela te fait plaisir…

— Peut-être… Cela indique qu'à une période de son existence au moins elle a eu du bon temps… Elle n'est pas toujours restée enfermée en elle-même, à ressasser Dieu sait quelles idées ou quels rêves…

— Que sait-on de lui ?

— Presque rien, sinon qu'il conduisait une grosse voiture noire, qu'il ne venait la voir qu'une ou deux fois par semaine, qu'il s'en allait avant dix heures du soir et qu'ils ne passaient jamais les vacances ou les week-ends ensemble…

— Un homme marié…

— Probablement… Une quarantaine d'années… Dix ans de plus qu'elle…

— Les habitants de la rue du Bourbonnais ne l'ont jamais vu ?

— D'abord, il n'a plus quarante ans… Il approche de la soixantaine, s'il ne l'a pas atteinte…

— Tu crois que…

— Je ne crois rien… J'aimerais savoir comment elle vivait à Nice, s'il y a eu une transition ou si elle se comportait en vieille fille comme ici… Attention… Il va tirer au cochonnet…

C'était le joueur manchot, qui prit son temps, lança sa boule et envoya le cochonnet de bois dans la pelouse.

— Je les envie… murmura-t-il malgré lui.

— Pourquoi ?

Il la trouvait rajeunie, avec des taches d'ombre et de soleil qui se jouaient sur son visage lisse. Ses yeux pétillaient. Il se sentait à nouveau en vacances.

— Tu n'as pas remarqué leur attitude, leur air d'importance, l'expression de satisfaction intense quand ils ont réussi un beau coup ?… Nous, quand on met le point final à une enquête…

Il n'acheva pas, mais sa moue était éloquente. Eux, ils envoyaient un homme s'expliquer avec la Justice… La prison, parfois la mort…

Il se secoua, lança après avoir vidé sa pipe :

— On marche ?…

N'étaient-ils pas ici pour ça ?

Les collaborateurs de Lecœur avaient interrogé tous les voisins. Non seulement personne n'avait rien vu ni entendu le soir du crime, mais tous étaient unanimes pour affirmer qu'Hélène Lange n'avait pas d'amis, pas d'amies et qu'elle ne recevait aucune visite.

— Parfois elle s'en va, une petite valise à la main, et les volets restent fermés pendant deux ou trois jours.

Elle n'emportait jamais de plus gros bagages. Elle n'avait pas de voiture, n'appelait pas de taxi.

On ne la rencontrait pas non plus dans les rues en compagnie d'une autre personne, homme ou femme.

Le matin, elle faisait ses achats dans les boutiques du quartier. Elle ne se montrait pas particulièrement avare mais elle connaissait la valeur de l'argent et, le samedi, elle se rendait au grand marché pour ses provisions, toujours chapeautée de blanc l'été, de sombre l'hiver.

Quant à ses locataires actuels, ils étaient hors de cause. Mme Vireveau avait loué une chambre sur la recommandation d'une amie de Montmartre qui avait habité plusieurs saisons de suite chez Mlle Lange. Si elle était assez voyante, à cause de son embonpoint et de ses faux bijoux, elle n'était pas la femme à assassiner quelqu'un, surtout sans motif. Son mari avait été fleuriste et, jusqu'à sa mort, elle l'avait aidé dans son commerce, boulevard des Batignolles, avant de se retirer dans un petit appartement de la rue Lamarck.

— Je n'ai rien à lui reprocher, disait-elle d'Hélène Lange, sinon qu'elle n'était pas causante.

Les Maleski faisaient la cure de Vichy depuis quatre ans. La première année, ils étaient descendus à l'hôtel et c'est au cours de leurs promenades qu'ils avaient aperçu un écriteau annonçant une chambre à louer rue du Bourbonnais. Ils s'étaient enquis du prix et avaient retenu la chambre pour l'été suivant. C'était leur troisième été dans la maison.

Maleski souffrait d'une insuffisance hépatique qui l'obligeait à se ménager et à suivre un régime sévère. À quarante-deux ans c'était déjà un homme éteint, au sourire triste, qui n'en était pas moins, selon les témoignages recueillis téléphoniquement à Grenoble, d'une grande valeur professionnelle et d'une conscience scrupuleuse.

Sa femme et lui avaient compris, dès la première année, que Mlle Lange ne désirait pas entretenir de rapports étroits avec ses locataires. Ils n'étaient entrés que deux ou trois fois dans le salon et ne connaissaient pas les autres pièces du rez-de-chaussée. Elle ne les avait jamais invités à prendre un verre ou une tasse de café.

Les jours de pluie, il leur arrivait, le soir, d'entendre la télévision au-dessous d'eux, mais elle cessait de bonne heure.

Maigret avait ces détails en tête tandis que, comme tous les après-midi, il somnolait sur son lit cependant que Mme Maigret lisait près de la fenêtre. À travers ses paupières, il devinait la pénombre dorée, les raies plus claires dessinées sur le mur par les fentes des volets.

Ses pensées tournaient en rond, déformées, et soudain il se demanda, comme si cette question était primordiale :

— Pourquoi ce soir-là ?

Pourquoi ne l'avait-on pas assassinée la veille, ou le lendemain, un mois, deux mois plus tôt ?

La question paraissait saugrenue et pourtant, dans sa somnolence, il lui accordait une extrême importance.

Depuis dix ans, dix longues années, elle vivait seule dans cette rue paisible de Vichy. Personne ne venait la voir. Elle ne rendait apparemment visite à personne, sinon, peut-être, au cours de ses brefs voyages mensuels.

Les voisins la voyaient entrer, sortir. On pouvait la voir aussi sur une chaise jaune du parc, buvant son verre d'eau ou, le soir, écoutant le concert devant le kiosque.

S'il s'était rendu lui-même chez les commerçants, Maigret aurait posé des questions qui les auraient probablement étonnés.

— Lui arrivait-il de prononcer des mots inutiles ?... Se penchait-elle parfois pour caresser votre chien ?... Parlait-elle aux ménagères qui attendaient leur tour et adressait-elle un léger salut à celles qu'elle retrouvait presque chaque jour à la même heure...

Et enfin :

— L'avez-vous jamais vue rire ?... Seulement sourire ?...

Il fallait remonter à plus de quinze ans pour lui trouver un contact personnel avec un être humain : l'homme qui venait une ou deux fois par semaine dans son appartement de la rue Notre-Dame-de-Lorette.

Peut-on vivre tant d'années sans se laisser aller parfois à des confidences, sans tout au moins exprimer à voix haute ce qu'on a sur le cœur ?

On l'avait étranglée.

— *Mais pourquoi ce soir-là ?*

Pour Maigret assoupi, cela devenait la question numéro un et, quand sa femme lui annonça qu'il était trois heures, il en était encore à essayer d'y répondre.

— Tu as dormi ?

— À moitié...

— Nous sortons tous les deux ?

— Bien entendu que nous sortons tous les deux. Ne le faisons-nous pas chaque jour ? Pourquoi demandes-tu ça ?

— Tu aurais pu avoir rendez-vous avec Lecœur.

— Je n'ai aucun rendez-vous…

Et, pour lui en donner la preuve, ils firent le grand tour, commençant par le parc des enfants, côtoyant ensuite les jeux de boules, la plage, puis, au-delà du pont de Bellerive, continuant le boulevard jusqu'au Yacht Club où ils regardèrent évoluer les amateurs de ski nautique.

Ils allèrent beaucoup plus loin, vers les maisons neuves qui, hautes de douze étages, se dressaient toutes blanches dans le ciel, formant une ville en bordure de la ville.

Sur l'autre rive de l'Allier, des chevaux couraient le long des barrières blanches de l'hippodrome et on voyait des rangs de têtes et d'épaules dans les tribunes, des silhouettes sombres et des silhouettes claires sur la pelouse.

— La propriétaire de l'hôtel m'a dit que les retraités viennent de plus en plus nombreux s'installer à Vichy…

Il ironisa :

— C'est à cela que tu me prépares ?

— Nous avons notre maison de Meung…

Ils découvrirent des rues vieillottes. Chaque quartier avait son âge, son style. Les maisons étaient différentes et on devinait le genre de personnes qui les avaient construites.

Maigret s'amusait à s'arrêter devant les petits restaurants qu'on trouvait partout et à lire les menus.

— Chambre à louer... Chambre avec cuisine... Belle chambre meublée...

Cela expliquait les restaurants, et aussi les dizaines de milliers de personnes qui gravitaient dans les rues et le long des promenades.

À cinq heures, ils s'assirent tous les deux près de la source, les jambes fatiguées, et ils se regardèrent avec un sourire complice. N'en avaient-ils pas fait un peu trop ? N'essayaient-ils pas de se prouver à eux-mêmes qu'ils étaient encore jeunes ?

Ils reconnaissaient un couple dans la foule, les deux hilares, et il y avait quelque chose de changé dans le regard que l'homme adressait à Maigret. D'ailleurs, au lieu de passer, il marchait droit vers le commissaire et lui tendait la main.

Que faire d'autre, sinon la prendre ?

— Vous ne me reconnaissez pas ?

— Je suis persuadé que je vous ai déjà vu, mais je cherche en vain dans ma mémoire...

— Bébert, ça ne vous dit rien ?

Il avait connu beaucoup de Bébert, de P'tit Louis et de Grand Jules au cours de sa carrière.

— Le métro...

Il se tournait vers sa femme comme pour la prendre à témoin et il était plus hilare que jamais.

— Vous m'avez arrêté la première fois boulevard des Capucines, un jour de défilé... Par exemple, je ne sais plus quel chef d'État défilait entre les gardes municipaux à cheval... La seconde fois, c'était à la sortie du métro Bastille... Vous me suiviez depuis un bout de temps... Ce n'est pas d'hier... J'étais jeune... Vous aussi, sauf votre respect...

Maigret se souvenait de l'histoire du métro car, au cours de la poursuite, à travers la place de la Bastille, il avait perdu son chapeau, un canotier comme on en portait alors. Tiens ! Cela prouvait qu'il avait déjà porté le chapeau de paille.

— Vous avez tiré combien ?

— Deux ans… J'ai compris… Je me suis rangé… J'ai d'abord travaillé chez un brocanteur, où je rafistolais des tas de vieilleries, car j'ai toujours été habile de mes mains…

Un clin d'œil laissait entendre que cela lui était fort utile quand il vivait du vol à la tire.

— Puis j'ai rencontré Madame…

Il prononçait ce mot avec emphase et aussi avec une certaine fierté.

— Pas de casier judiciaire. Elle n'a jamais fait le tapin. Elle venait à peine d'arriver de sa Bretagne et elle travaillait dans une crémerie… Avec elle, cela a été tout de suite du sérieux et on est passé par la mairie… Elle a même tenu à ce que nous allions dans son village pour nous marier à l'église et c'était un vrai mariage en blanc…

Il jouissait de la vie par tous les pores.

— Je croyais bien vous avoir reconnu… Chaque jour, je vous regardais, mais j'hésitais… Ce matin, quand j'ai ouvert le journal et que j'ai vu votre photo…

Il désigna les étuis à gobelets.

— Ce n'est pas grave, dites ?

— Je me porte très bien…

— Moi aussi… Tous les docteurs me le disent… Ils ne m'en ont pas moins envoyé ici à cause des douleurs qui me prennent dans les genoux... Hydrothérapie, massages sous l'eau, rayons, toute la lyre... Et vous ?...

— Des verres d'eau...

— Alors, ce n'est rien... Mais je ne veux pas vous retenir ni retenir votre dame... Vous avez été bien honnête avec moi, jadis... C'était le bon temps, non ?... Au revoir, monsieur le commissaire... Dis au revoir, Bobonne...

À l'instant où le couple s'éloignait, Maigret souriait encore de la truculence et du destin de l'ancien voleur à la tire. Puis sa femme vit son visage devenir progressivement plus grave, son front se plisser. Enfin il poussa un soupir de soulagement.

— Je crois que j'ai trouvé pourquoi...

— Pourquoi cette femme a été assassinée ?

— Non... Pourquoi ce jour-là... Pourquoi pas il y a un mois ou un an...

— Que veux-tu dire ?

— Depuis que nous sommes ici, nous rencontrons les mêmes gens deux ou trois fois par jour et leur visage finit par nous être familier... C'est aujourd'hui seulement, à cause de la photo dans le journal, que ce loufoque a été sûr de me reconnaître et est venu vers moi...

» Or, c'est notre première cure, la seule probablement... Si nous revenions l'an prochain, nous retrouverions un certain nombre d'habitués...

» Quelqu'un est venu, comme nous, pour la première fois à Vichy... Il a suivi la routine, choisi un médecin, examen, analyses, et on lui a donné son programme, le nom des sources, le nombre de centilitres à boire à telle et à telle heure…

» Il a rencontré Hélène Lange et a eu l'impression de la reconnaître…

» Puis il l'a rencontrée une seconde fois, une troisième… Il était peut-être non loin d'elle, l'autre soir, quand elle écoutait la musique…

Cela paraissait tout simple à Mme Maigret et elle s'étonnait qu'il se réjouisse d'une découverte qui n'en était pas une.

Le commissaire s'empressait lui-même d'ironiser :

— D'après les dépliants publicitaires, il vient environ deux cent mille curistes par an. Ils se répartissent sur six mois, ce qui donne plus de trente mille par mois. Mettons qu'un tiers soient des nouveaux, comme nous, et il nous reste une dizaine de mille suspects… Non ! Car il faut écarter les femmes et les enfants… Combien de femmes et d'enfants, à ton idée ?…

— Plus de femmes que d'hommes… Quant aux enfants…

— Attends !… On rencontre un certain nombre de gens dans des voitures d'infirmes… D'autres marchent avec des béquilles ou une canne… La plupart des vieillards seraient incapables d'étrangler une femme encore vigoureuse…

Elle se demandait s'il était sérieux ou s'il plaisantait.

— Mettons mille hommes en état de tuer par strangulation… Comme, d'après le témoignage de Mme Vireveau et du propriétaire de bar, il s'agit d'un personnage grand et fort, cela élimine les petits et les malingres… Nous en gardons cinq cents…

Elle fut soulagée de l'entendre rire.

— De qui te moques-tu ?

— De la police. De notre métier. Tout à l'heure, je vais annoncer au brave Lecœur qu'il ne lui reste que cinq cents suspects, à moins qu'on n'en trouve d'autres à éliminer, ceux qui étaient au théâtre ce soir-là, par exemple, et qui peuvent le prouver, ceux qui jouaient au bridge ou à n'importe quoi… Et dire que c'est souvent ainsi qu'on finit par arrêter un coupable !… Une fois, Scotland Yard a entrepris d'interroger tous les habitants d'une ville de deux cent mille âmes… Cela a duré des mois…

— Ils ont trouvé ?

Et Maigret de laisser tomber :

— Dans une autre ville, par hasard, un soir que le type était ivre et a trop parlé…

Il serait sans doute trop tard pour voir Lecœur ce jour-là, car il avait encore deux verres d'eau à prendre, avec un intervalle d'une demi-heure entre les deux. Il essaya de s'intéresser au journal du soir, qui parlait surtout des célébrités en vacances. C'était assez curieux. Même ceux qui menaient une vie de bâtons de chaise se faisaient photographier avec leurs enfants ou leurs petits-enfants, prétendant qu'ils leur consacraient tout leur temps…

Plus tard, alors que la brise devenait un peu plus fraîche, ils tournèrent le coin de la rue d'Auvergne. Une camionnette était arrêtée devant la maison de Mlle Lange.

Lorsqu'ils en approchèrent, ils entendirent des coups de marteau.

— Je rentre à l'hôtel ? murmura Mme Maigret.

— Je te suis dans un instant…

La porte du salon était ouverte et des hommes en blouse beige appliquaient des tentures noires sur les murs.

Lecœur surgissait.

— Je pensais bien que vous viendriez… Venez donc par ici…

Il le conduisait dans la chambre à coucher qui était plus calme.

— On l'enterre à Vichy ? questionna Maigret. C'est la sœur qui a décidé ?

— Oui… Elle est venue me voir en fin de matinée…

— Avec son gigolo ?

— Non. En taxi…

— Quand a lieu l'enterrement ?

— Après-demain, afin de laisser aux gens du quartier la possibilité de défiler dans la chapelle ardente…

— Il y aura une absoute ?

— Il paraît que non.

— La famille Lange n'était pas catholique ?

— Les vieux, oui… Les enfants ont été baptisés et ont fait leur première communion… Depuis…

— À moins qu'elle ne soit divorcée, par exemple ?…

— Il faudrait d'abord prouver qu'elle a été mariée…

Lecœur regardait Maigret en jouant avec les pointes de sa moustache rousse.

— Vous ne les aviez jamais vues ni l'une ni l'autre, évidemment ?

— Jamais...

— Mais vous avez passé un certain temps à La Rochelle ?...

— J'y suis allé deux fois... Mettons dix jours en tout... Pourquoi ?...

— Parce que, ce matin, je n'ai pas trouvé Francine Lange tout à fait la même... Elle était moins enjouée... Les phrases ne jaillissaient pas aussi directement... J'ai eu tout le temps l'impression qu'elle avait une arrière-pensée, ou qu'elle hésitait à me confier un secret...

» À certain moment, elle m'a dit :

» — C'était le commissaire Maigret qui était ici hier, n'est-ce pas ?

» Je lui ai demandé si elle vous avait déjà vu et elle a répondu qu'elle avait reconnu ce matin votre photo dans le journal...

— Quelques dizaines de personnes, parmi les milliers de celles que je croise chaque jour, ont eu la même réaction... Tout à l'heure, un de mes anciens clients est venu à moi la main tendue et c'est tout juste s'il ne m'a pas donné des claques dans le dos...

— Je crois que c'est plus compliqué, dit Lecœur, comme s'il suivait une pensée encore floue.

— Vous croyez que j'aurais eu à m'occuper d'elle du temps où elle vivait à Paris ?

— Ce n'est pas une impossibilité, étant donné l'existence qu'elle devait y mener... Non ! Ce que j'ai en tête est moins précis, plus subtil... Pour elle, je suis un quelconque policier de province qui fait son métier de son mieux et pose les questions qu'il a à poser… Une fois les réponses enregistrées, je passe au suivant… Vous voyez ce que je veux dire ?… Cela vous explique qu'en entrant ici elle était très à son aise et que, hier après-midi, elle n'a pas cessé de l'être… Une ou deux fois elle a jeté un coup d'œil vers votre coin, mais j'ai compris qu'elle ne vous reconnaissait pas…

» Elle est descendue à l'Hôtel de la Gare… Comme dans la plupart des hôtels d'ici, on monte le journal aux clients en même temps que leur petit déjeuner… En voyant votre photo, elle s'est demandée pourquoi vous assistiez à notre entretien…

— Quelle conclusion en tirez-vous ?

— Vous oubliez votre réputation, l'idée que le public se fait de vous…

Il rougit, craignant que ses paroles soient mal interprétées.

— Il n'y a pas que le public, d'ailleurs, et, dans le métier, nous sommes les premiers…

— Passons…

— C'est important… Elle ne s'est pas dit que vous étiez par hasard dans ce fauteuil… Et, même si c'était un hasard, le fait que vous vous occupiez de l'affaire…

— Elle paraissait avoir peur ?

— Je n'irai pas jusque-là. Je l'ai trouvée différente, sur ses gardes. Je ne lui ai posé que des questions insignifiantes mais, chaque fois, elle a pris la peine de réfléchir avant de répondre…

— Elle n'a pas trouvé le notaire ?

— J'y ai pensé, moi aussi, et je lui en ai parlé… Son compagnon a dressé la liste des notaires de la ville et leur a téléphoné… Il paraît qu'aucun d'eux n'a eu Hélène Lange pour cliente… Un seul, qui était clerc il y a dix ans et qui a repris depuis l'étude de son patron, s'est souvenu d'avoir dressé l'acte de vente de cette maison…

— Vous avez son nom ?

— Maître Rambaud…

— Vous ne voulez pas lui téléphoner ?

— À cette heure-ci ?

— En province, les notaires habitent d'habitude la maison où se trouve leur étude…

— Que dois-je lui demander ?

— Si elle a payé par chèque ou par virement bancaire…

— Il faut que j'obtienne de mes cloueurs qu'ils s'abstiennent de taper pendant que je téléphone…

Maigret, lui, erra dans la salle de bains, dans la cuisine, sans penser à rien de précis.

— Eh bien ?

— Vous aviez deviné ?

— Quoi ?

— Qu'elle a payé en billets ? C'est la seule fois que cela soit arrivé à notre Rambaud, de sorte qu'il s'en souvient. Il y en avait plein une petite valise…

— Vous avez fait interroger les employés des guichets de la gare ?

— Sapristi ! je n'y ai pas pensé…

— Je serais curieux de savoir si elle se rendait chaque mois au même endroit ou à des endroits différents…

— J'espère vous dire ça demain… Bon appétit… Et bonne soirée !…

C'était jour de musique au kiosque et les Maigret avaient assez marché pour avoir le droit de s'asseoir.

4

Il était dix minutes en avance, il ne savait pas pourquoi. Peut-être, ce matin-là, y avait-il moins à lire dans *la Tribune* ? Mme Maigret, qui disposait toujours de la salle de bains après lui, s'y trouvait encore, et il lui dit par la porte entrouverte :

— Je descends... Attends-moi en bas...

Il y avait un banc peint en vert sur le trottoir, pour les clients de l'hôtel. Le ciel était toujours aussi clair. Depuis qu'ils étaient à Vichy, il n'avait pas plu une seule fois.

Le patron l'attendait au bas de l'escalier, bien entendu.

— Alors, cet assassin ?

— Ce n'est pas mon affaire, répondit-il en souriant.

— Vous croyez que ces gens de Clermont-Ferrand sont à la hauteur ? Ce n'est pas une bonne chose, dans une ville comme la nôtre, d'avoir un étrangleur en liberté. Il paraît que plusieurs vieilles femmes sont déjà parties...

Il souriait vaguement en se dirigeant vers la rue du Bourbonnais et il aperçut de loin une tenture noire à la porte, avec une grande lettre « L » brodée en argent. On ne voyait plus de C.R.S. sur le trottoir. Y en avait-il un la veille ? Il ne s'en souvenait pas. Il n'y avait pas prêté attention. En somme, ce n'était pas son affaire. Ici, il n'était qu'un amateur, un curiste.

Il allait pousser le bouton de sonnerie quand il s'aperçut que la porte peinte en blanc était contre. Il la poussa, aperçut une fille très jeune, de seize ans à peine, qui passait un torchon mouillé sur les dalles du corridor.

Elle portait une robe si courte que, quand elle se penchait, on découvrait sa culotte rose. Ses jambes et ses cuisses étaient grosses, informes, comme cela arrive à l'âge difficile. On aurait dit les jambes d'une poupée bon marché, dont elles avaient la couleur artificielle.

Quand elle se retourna, il vit une face ronde, des yeux sans expression. Elle ne lui demandait pas qui il était, ni ce qu'il venait faire.

— C'est là… se contentait-elle de prononcer en désignant la porte du salon.

La pièce était dans l'ombre, tendue de noir, avec le cercueil reposant sur ce qui devait être la table de la salle à manger. Les deux cierges n'étaient pas allumés mais il y avait de l'eau bénite dans un bol de verre, avec un brin de buis.

La porte de la salle à manger était ouverte, celle de la cuisine aussi. Dans la salle à manger, on avait entassé les meubles et les objets du salon. Dans la cuisine, le jeune Dicelle était occupé à lire un album de bandes dessinées devant une tasse de café.

— Vous voulez un peu de café aussi ? J'en ai préparé un plein pot.

... Sur le fourneau à gaz d'Hélène Lange, qui n'aurait probablement pas apprécié qu'on use ainsi de sa cuisine.

— Le commissaire Lecœur n'est pas arrivé ?

— Il a été appelé d'urgence à Clermont-Ferrand tard dans la soirée... Il y a eu un hold-up à la caisse d'épargne, avec un tué, un bonhomme qui passait et qui, voyant la porte entrouverte après l'heure, l'a poussée machinalement au moment où les voleurs allaient sortir... L'un d'eux a tiré...

— Rien de nouveau ici ?

— Pas à ma connaissance...

— Vous ne vous êtes pas occupé de la gare ?

— C'est mon collègue Trigaud qui en est chargé... Il doit encore s'y trouver en ce moment...

— Cette petite domestique que je viens de voir a été interrogée, je suppose ? Que dit-elle ?

— Avec la tête qu'elle a, c'est déjà surprenant qu'elle parle ! Elle ne sait rien. Elle n'a été engagée que pour la saison. Son travail était de nettoyer les chambres des locataires. Elle ne s'occupait pas du rez-de-chaussée, car Mlle Lange faisait son ménage elle-même...

— Elle n'a jamais vu de visiteurs ?

— Seulement l'employé du gaz et des livreurs. Elle prenait son service à neuf heures et le terminait à midi... Les Maleski sont inquiets, là-haut... Ils ont payé jusqu'à la fin du mois... Ils se demandent s'ils ont le droit de rester... Il n'est pas facile de trouver une chambre en pleine saison et ils n'ont pas envie d'aller à l'hôtel...

— Qu'est-ce que le commissaire a décidé ?

— Je crois qu'ils restent... En tout cas, ils sont là... L'autre, la grosse, vient de sortir pour aller se faire tripatouiller par les masseurs...

— Francine Lange n'est pas venue ?

— Je l'attends... Personne n'est au courant de ce qui va se passer... Elle a tenu à ce qu'on installe une chapelle ardente, mais je me demande si les gens viendront... Mes instructions sont de rester ici, d'observer discrètement les visiteurs, s'il y en a...

— Bonne journée quand même... grommela Maigret en quittant la cuisine.

Il saisit machinalement un livre relié de toile noire sur un guéridon qui se trouvait auparavant dans le salon et qu'on avait garé avec le reste dans la salle à manger. C'était *Lucien Leuwen.* Le papier jauni gardait l'odeur particulière des livres qui viennent des bibliothèques municipales et des librairies qui font les abonnements de lecture.

Un tampon violet donnait le nom du libraire et son adresse.

Il remit le livre à sa place et, l'instant d'après, il longeait tranquillement le trottoir. Une fenêtre s'ouvrit à sa hauteur. Une femme en bigoudis et en peignoir l'interpella.

— Dites-moi, monsieur le commissaire, est-ce vrai qu'on visite ?

Ce fut l'expression qui le surprit et il resta un instant sans comprendre.

— Je suppose, puisqu'il y a une chapelle ardente et que la porte est entrouverte...

— On la voit ?

— Autant que je sache, le cercueil est fermé...

Elle soupira :

— J'aime mieux ça... C'est quand même moins impressionnant...

Il trouva Mme Maigret assise sur le banc vert et elle se montra surprise de le revoir si tôt.

Ils se mirent à marcher, comme les autres matins. Ils n'avaient que quelques minutes de retard sur l'horaire, un horaire qui, d'ailleurs, n'avait jamais été établi mais qu'ils suivaient comme si c'était d'une importance capitale.

— Il y a du monde ?

— Personne. On attend...

Cette fois, ils commencèrent par le parc des enfants presque désert encore et ils en firent le tour à l'ombre des arbres. Certains de ceux-ci, comme le long de l'Allier, étaient des essences rares, d'Amérique, des Indes, du Japon, et portaient un nom latin et un nom français sur une plaque de métal. Beaucoup avaient été envoyés en souvenir reconnaissant d'une cure à Vichy par des chefs d'État oubliés, des maharadjahs ou des petits princes orientaux.

Ils ne s'arrêtèrent presque pas devant les joueurs de boules. Mme Maigret ne demandait jamais à son mari où il allait. Il marchait droit devant lui, comme s'il avait un but, mais, la plupart du temps, s'il prenait une rue plutôt qu'une autre, c'était pour changer, trouver de nouvelles images, de nouveaux sons.

Un peu avant l'heure du verre d'eau, il s'engagea dans la rue Georges-Clemenceau, comme s'il avait des achats à faire, mais il tourna à gauche dans un des passages, le passage du Théâtre, où, devant une librairie, on voyait des livres d'occasion dans des boîtes et d'autres livres bariolés sur des tourniquets.

— Entre… dit-il à sa femme qui hésitait.

Le patron portait une longue blouse grise et était occupé à mettre de l'ordre. Il eut l'air de reconnaître Maigret, mais il attendit.

— Vous avez quelques minutes ?

— Je suis à votre disposition, monsieur Maigret. Je suppose que vous désirez me questionner au sujet de Mlle Lange ?

— C'était une de vos clientes, n'est-ce pas ?

— Elle venait au moins une fois par semaine, plus souvent deux, pour échanger ses livres. Elle avait un abonnement qui lui permettait d'emporter deux ouvrages à la fois…

— Il y a longtemps que vous la connaissiez ?

— J'ai repris le fonds il y a six ans. Je ne suis pas d'ici, mais de Paris, de Montparnasse. Elle venait déjà chez mon prédécesseur…

— Vous avez eu des entretiens avec elle ?

— Vous savez, elle ne parlait pas beaucoup…

— Elle ne vous demandait pas conseil pour le choix de ses lectures ?

— Elle avait ses idées. Venez voir par ici…

Derrière la librairie, une pièce était couverte du plancher au plafond de livres reliés de toile noire.

— Elle passait souvent une demi-heure, voire une heure, à examiner les volumes, lisant quelques lignes par-ci par-là…

— Sa dernière lecture a été *Lucien Leuwen*, de Stendhal.

— Stendhal était sa plus récente découverte… Elle a lu auparavant tout Chateaubriand, Alfred de Vigny, Jules Sandeau, Benjamin Constant, Musset, George Sand… Toujours les romantiques… Un jour, elle a emporté un Balzac, je ne sais plus lequel, et elle est venue le rendre le lendemain… Je lui ai demandé si cela lui avait déplu et elle a répondu quelque chose comme :

» — C'est trop brutal…

» Balzac, brutal !…

— Pas d'auteurs contemporains ?

— Elle n'a jamais essayé… Par contre, elle a lu et a relu la correspondance de George Sand et celle de Musset…

— Je vous remercie…

Il atteignait presque la porte quand le libraire le rappela.

— J'oubliais un détail qui vous amusera peut-être. Je m'étais étonné de trouver des livres annotés au crayon. Des phrases ou des mots étaient soulignés. Parfois il n'y avait qu'une croix en marge. Je me suis demandé quel client avait cette manie et j'ai fini par découvrir que c'était elle…

— Vous lui en avez parlé ?

— Il le fallait bien… Mon commis ne pouvait passer son temps à gommer ces marques…

— Quelle a été sa réaction ?

— L'air pincé, elle a dit :

» — Je vous demande bien pardon... Lorsque je lis, j'oublie que les livres ne sont pas à moi...

Les curistes, les troncs clairs des platanes, les taches de soleil étaient à leur place ainsi que les milliers de chaises jaunes.

Elle trouvait Balzac trop dur... Elle voulait sans doute dire trop réaliste... Elle se cantonnait dans la première moitié du XIXe siècle, ignorant superbement Flaubert, Hugo, Zola, Maupassant... Maigret n'en avait pas moins aperçu le premier jour, dans un coin du salon, une pile de magazines...

Comme malgré lui, il s'efforçait de fouiller toujours un peu plus le portrait qu'il se faisait d'elle. Elle n'avait que des lectures romantiques, sentimentales, mais son regard était parfois d'une dureté bien réelle.

— Tu as vu Lecœur ?

— Non. Il a été appelé à Clermont-Ferrand à cause d'un hold-up...

— Tu crois qu'il découvrira l'assassin ?

Maigret tressaillit. C'était à son tour d'être ramené à la réalité. En fait, il ne pensait pas en termes d'assassinat. Il en oubliait presque que la propriétaire de la maison à volets verts avait été étranglée et que la question numéro 1 était de retrouver son meurtrier.

Il cherchait quelqu'un, lui aussi. Il y pensait même plus souvent qu'il ne l'aurait voulu, au point que cela en devenait une obsession.

Ce qui l'intriguait, c'était l'homme qui, à un moment donné, avait trouvé place dans cette vie solitaire.

On n'en trouvait aucune trace rue du Bourbonnais, il n'existait pas une photographie de lui, pas une lettre, un court billet.

Rien ! Rien de personne d'autre non plus, sinon des factures.

Il fallait remonter à Paris, à la rue Notre-Dame-de-Lorette, douze ans plus tôt, pour qu'il soit fait mention d'un visiteur assez flou qui venait une fois ou deux par semaine passer une heure dans l'appartement de celle qui était encore une jeune femme.

Même la sœur, Francine, qui habitait alors la même ville, prétendait ne rien savoir.

Elle dévorait des livres, regardait la télévision, faisait son marché, son ménage, se promenait sous les ombrages du parc, comme les curistes, sans adresser la parole à quiconque, et elle écoutait la musique devant le kiosque en regardant droit devant elle.

Cela le déroutait. Il avait connu, au cours de sa carrière, des êtres, hommes ou femmes, farouchement épris de leur liberté. Il avait rencontré des maniaques qui, retirés du monde, se retranchaient dans les endroits les plus invraisemblables, souvent les plus sordides.

Or, même ceux-là gardaient toujours un lien quelconque avec la vie extérieure. Pour les vieilles, un banc de square, par exemple, où elles retrouvaient une autre vieille, ou l'église, le confessionnal, le curé… Des vieux avaient comme ancre un bistrot où chacun les reconnaissait et les accueillait familièrement…

Ici, Maigret rencontrait pour la première fois la solitude à l'état pur.

Une solitude qui n'était même pas agressive. Mlle Lange ne se montrait pas désagréable avec ses voisins, ses fournisseurs. Elle ne faisait pas mine de les dédaigner et, malgré son goût pour certaines couleurs et certaines formes de robes, elle ne jouait pas les grandes dames.

Simplement, elle ne s'occupait pas des autres. Elle n'en avait pas besoin. Elle avait des locataires parce qu'elle disposait de chambres vides et qu'elle en tirait un revenu. Entre ces chambres et le rez-de-chaussée, une frontière était tracée et elle avait embauché une petite bonne plus ou moins stupide pour faire le ménage du haut.

— Vous permettez, monsieur le divisionnaire ?

Une ombre, devant Maigret, une longue silhouette qui tenait une chaise par le dossier. Le commissaire avait vu l'homme rue du Bourbonnais. C'était un collaborateur de Lecœur, probablement Trigaud. Il s'asseyait et Maigret lui demandait :

— Comment avez-vous su que vous me trouveriez ici ?

— Dicelle me l'a dit…

— Et comment Dicelle…

— Il n'existe pas un policier, en ville, qui ne vous connaisse de vue, de sorte que, où que vous alliez…

— Il y a du nouveau ?

— Cette nuit, j'ai passé une heure à la gare, car ce ne sont pas les mêmes employés que de jour… J'y suis retourné ce matin… Ensuite, j'ai téléphoné au commissaire Lecœur, qui est toujours à Clermont…

— Il ne viendra pas aujourd'hui ?

— Il ne sait pas encore. En tout cas, il arrivera demain de bonne heure pour l'enterrement. Il suppose que vous y serez aussi...

— Vous n'avez pas vu Francine ?

— Elle est passée à la maison mortuaire... La levée du corps aura lieu à neuf heures... C'est sans doute elle qui a envoyé les fleurs...

— Combien de gerbes ?

— Une seule...

— Vous vous assurerez que c'est elle... Pardon ! J'oublie que cela ne me regarde pas...

— Ce n'est pas l'opinion du chef, puisqu'il m'a bien recommandé de vous rendre compte de ce que j'ai appris... Je pense qu'il y en a, à la brigade, y compris votre serviteur, qui vont voyager...

— Elle allait loin ?

Trigaud tira une liasse de papiers de sa poche, finit par trouver la feuille qu'il cherchait.

— Ils ne se souviennent pas de tous ses déplacements, bien entendu, mais certains noms de villes les ont frappés... Par exemple, Strasbourg le mois après un voyage à Brest... Ils ont remarqué aussi que les correspondances n'étaient pas toujours faciles et il lui arrivait de changer de train deux ou trois fois... Carcassonne... Dieppe... Lyon... C'est moins loin... Lyon constitue d'ailleurs une exception... La plupart des voyages étaient plus longs... Nancy, Montélimar...

— Pas de petites villes ? Pas de villages ?

— Seulement des villes assez importantes... Il est vrai qu'elle pouvait se rendre ensuite ailleurs par autocar...

— Pas de billets pour Paris ?

— Aucun...

— Cela dure depuis longtemps ?

— Le dernier employé que j'ai interrogé travaille depuis neuf ans derrière le même guichet.

» — C'était déjà une cliente régulière, m'a-t-il affirmé.

» À la gare, on la connaissait. On attendait sa visite. Il arrivait aux employés de parier sur la ville qu'elle allait choisir.

— Y avait-il des dates plus ou moins fixes ?

— Non, justement... Certaines fois, on ne la voyait pas pendant six semaines, surtout l'été, pendant la saison, sans doute à cause de ses locataires... Ses déplacements ne correspondaient pas à la fin du mois, à une échéance fixe...

— Lecœur vous a-t-il dit ce qu'il compte faire ?

— Il a commandé un certain nombre de photographies... Il commencera par envoyer des hommes dans les villes les plus proches... Il adressera aussi, dès aujourd'hui, des photos aux P.J. locales...

— Vous ne savez pas pourquoi Lecœur m'a fait avertir ?

— Il ne m'en a rien dit... Il doit croire que vous avez votre idée... Moi aussi, d'ailleurs...

On le supposait toujours plus malin qu'il ne l'était et, s'il protestait, les gens étaient persuadés que c'était une ruse.

— Il vient du monde, rue du Bourbonnais ?

— D'après Dicelle, cela a démarré vers dix heures... Une bonne femme en tablier a poussé la porte et passé la tête, puis elle s'est avancée de quelques pas et elle a trouvé la chapelle ardente... Alors, elle a tiré un chapelet de la poche de son tablier et ses lèvres se sont mises à remuer... Elle a tracé une croix avec l'eau bénite et elle est partie...

» C'est elle qui a déclenché le défilé... Elle a alerté les voisines... Celles-ci sont venues à leur tour, seules ou par deux...

— Pas d'hommes ?

— Quelques-uns, le boucher, un menuisier qui habite au bout de la rue, des gens du quartier...

Pourquoi le crime n'aurait-il pas été commis par quelqu'un du quartier ? On s'occupait de chercher partout, de retracer la vie de la demoiselle en lilas à Nice, à Paris, ses voyages aux quatre coins de la France, mais personne ne pensait aux voisins, aux milliers de gens qui habitaient le quartier de France.

Maigret non plus.

— Il n'y a rien que vous me suggériez de faire ?

Ce n'était pas de son propre chef que Trigaud prononçait cette phrase, qui devait lui avoir été suggérée par ce gros malin de Lecœur. Puisqu'on avait Maigret sous la main, pourquoi ne pas s'en servir ?

— Je me demande si les employés des guichets pourraient se souvenir de quelques dates précises, pas beaucoup, deux ou trois suffiraient...

— J'en ai déjà une... Le 11 juin... Le type se la rappelle parce qu'il s'agissait de Reims, que sa femme est originaire de Reims et que, ce jour-là, c'était son anniversaire...

— À votre place, j'irais m'assurer à la banque qu'il y a eu un versement le 13 ou le 14...

— Je vois ce que vous voulez dire… Un chantage, hé ?

— Ou une pension…

— Pourquoi verser une pension à des dates différentes et à intervalles irréguliers ?

— Je me le demande aussi…

Trigaud regarda Maigret de travers, persuadé qu'il lui cachait quelque chose ou qu'il se moquait de lui.

— J'aimerais mieux m'occuper du hold-up, grommela-t-il. Avec les truands, on sait à peu près où l'on va… Je m'excuse de vous avoir dérangé… Mes respects, madame…

Il se levait, embarrassé, ne sachant comment décrocher, et il avait le soleil en plein dans les yeux…

— Il est trop tard pour la banque… J'y passerai à deux heures… Puis, s'il le faut, je retournerai à la gare…

Maigret aussi, jadis, avait fait ce travail-là, traîné ses semelles pendant des heures sur le pavé brûlant ou mouillé, interrogé des gens qui se méfiaient et à qui il fallait soutirer les mots un à un.

— Allons prendre notre verre d'eau…

Pendant que Trigaud se rafraîchirait vraisemblablement d'un grand verre de bière…

— À la source, vers onze heures… J'espère que j'y serai…

Une pointe de mauvaise humeur perçait dans sa voix. Mme Maigret avait craint qu'il ne s'ennuie à Vichy, dans l'inaction, avec sa seule compagnie du matin au soir. Son calme souriant des premiers jours ne l'avait rassurée qu'à moitié et elle s'était demandée combien de temps cet état d'esprit durerait.

Or, depuis trois jours, il était réellement mécontent chaque fois qu'une de leurs promenades lui manquait.

Aujourd'hui, c'était l'enterrement. Il avait promis à Lecœur d'y assister. Le soleil brillait toujours, avec, dans les rues, le même mélange de fraîcheur matinale et de moiteur.

La rue du Bourbonnais présentait un spectacle inhabituel. Outre les habitants qu'on apercevait aux fenêtres, accoudés comme pour voir défiler un cortège, des curieux formaient une frange le long des trottoirs, plus épaisse à hauteur de la maison mortuaire.

Le corbillard automobile était déjà arrivé. Derrière stationnait une voiture sombre, fournie sans doute par les pompes funèbres, puis une autre que Maigret ne connaissait pas.

Lecœur venait à sa rencontre.

— Il a bien fallu que j'abandonne mes truands, expliqua-t-il. Des hold-up, il s'en produit tous les jours. Le public y est habitué et cela ne l'émeut plus. Tandis qu'une femme étranglée chez elle, dans une ville aussi calme que Vichy, sans motif apparent...

Maigret reconnut la tignasse rousse du photographe de *la Tribune*. Deux ou trois autres opéraient dans la rue et l'un d'eux prit un cliché des deux policiers traversant la rue.

En somme, il n'y avait rien à voir et les curieux se regardaient les uns les autres avec l'air de se demander ce qu'ils faisaient là.

— Vous avez des hommes dans la rue ?

— Trois... Je ne vois pas Dicelle, mais il ne doit pas être loin... Il a eu l'idée de se faire accompagner par le garçon charcutier qui connaît tout le monde... Celui-ci pourra lui désigner les gens qui ne sont pas du quartier...

Cela n'avait rien de triste, d'impressionnant. Chacun attendait, Maigret y compris.

— Vous allez au cimetière ? demanda-t-il à Lecœur.

— J'aimerais que vous y veniez avec moi, patron... J'ai amené ma voiture personnelle, pensant qu'une auto de la police serait peut-être de mauvais goût...

— Francine ?

— Elle est arrivée il y a quelques minutes avec son gigolo... Elle est à l'intérieur...

— Je ne vois pas leur voiture...

— Les employés des pompes funèbres, qui savent ce qui convient et ce qui ne convient pas dans ces occasions, leur ont probablement fait comprendre qu'une auto rouge décapotable n'était guère plus de mise dans un convoi funèbre qu'une auto de police... C'est eux qui occuperont la voiture noire...

— Elle vous a parlé ?

— Elle m'a vaguement salué en arrivant... Elle paraît nerveuse, inquiète... Avant d'entrer dans la maison, elle a observé les badauds tout à l'entour comme si elle cherchait quelqu'un des yeux...

— Je n'aperçois pas votre jeune Dicelle...

— Parce qu'il a déniché une fenêtre, quelque part, pour s'y installer avec son garçon charcutier.

Des gens sortaient de la maison, deux personnes y entraient encore, la quittaient presque aussitôt. Puis le conducteur du corbillard monta sur son siège.

Comme à un signal, quatre hommes faisaient non sans peine franchir la porte par le cercueil et le glissaient dans la voiture. L'un d'eux rentrait dans la maison, revenait avec une gerbe et avec un bouquet plus petit.

— Le bouquet vient des locataires…

Francine Lange attendait sur le seuil, vêtue d'une robe noire qui ne lui allait pas et qu'elle avait dû acheter la veille rue Georges-Clemenceau. On devinait son compagnon derrière elle dans la pénombre du corridor.

Le corbillard avança de quelques mètres. Francine monta dans la voiture noire en compagnie de son amant.

— Venez, patron…

Les gens, le long des trottoirs, ne bougeaient pas, et seuls les photographes couraient au milieu de la chaussée.

— C'est tout ? questionnait Maigret en se retournant.

— Il n'y a pas d'autre famille, pas d'amis…

— Les locataires ?

— Maleski a rendez-vous avec son médecin à dix heures et la grosse Mme Vireveau sa séance de massage…

On franchit deux ou trois rues que le commissaire connaissait pour y avoir erré à l'aventure. Il bourrait sa pipe, observait les maisons, s'étonnait de se retrouver devant la gare.

Le cimetière n'était pas loin, de l'autre côté de la ligne de chemin de fer. Il était désert. Le corbillard roula jusqu'à la fin des allées carrossables.

Ainsi, ils n'étaient que quatre dans une allée de gravier, à part les pompes funèbres. Lecœur et Maigret se rapprochèrent naturellement du couple. Le gigolo avait mis des lunettes de soleil.

— Vous repartez bientôt ? demanda Maigret à la jeune femme.

Il avait posé la question pour dire quelque chose, sans y attacher d'importance, et il s'apercevait qu'elle l'observait d'une façon intense, comme pour découvrir une arrière-pensée au-delà de ses paroles.

— Je devrai probablement rester deux ou trois jours afin de tout arranger…

— Qu'allez-vous faire des locataires ?

— Je leur laisse finir le mois. Il n'y a pas de raison de les en empêcher. Je me contenterai de fermer les pièces du rez-de-chaussée…

— Vous comptez vendre la maison ?…

Elle n'eut pas le temps de répondre car un des hommes en noir s'approchait d'elle. On transportait le cercueil, sur un brancard, jusqu'à une allée plus étroite, en bordure du cimetière, où une fosse était ouverte.

Un photographe – pas le grand roux, mais un autre – surgit Dieu sait d'où et prit quelques clichés tandis qu'on descendait le cercueil dans la tombe puis que, sur les indications du maître de cérémonie, Francine Lange jetait une pelletée de terre.

À quelques mètres, au-delà d'un mur bas, commençait un terrain vague où rouillaient des carcasses de voitures et, plus loin, se dressaient quelques maisons blanches.

Le corbillard s'éloignait. Le photographe aussi. Lecœur adressait un coup d'œil à Maigret qui ne comprenait pas car il paraissait plongé dans ses pensées. Au fait, à quoi pensait-il au juste ? À La Rochelle, qu'il aimait bien, à la rue Notre-Dame-de-Lorette, au temps de ses débuts, quand il était secrétaire du commissaire de police du IXe, aux joueurs de boules aussi…

Francine s'avançait vers eux, un mouchoir roulé en boule dans la main. Il n'avait pas servi à sécher ses larmes. Elle n'avait pas pleuré. Elle n'avait pas été plus émue que les croque-morts ou le fossoyeur. Rien n'avait été émouvant dans cet enterrement aussi peu romantique que possible.

Si elle tripotait son mouchoir, c'est qu'elle cherchait une contenance.

— Je ne sais pas comment cela se passe… D'habitude, après les enterrements, il y a un repas, n'est-ce pas ?… Mais vous n'avez certainement pas envie de déjeuner avec nous…

— Mes occupations… murmura Lecœur.

— Est-ce que je peux tout au moins vous offrir un verre ?

Maigret était surpris du changement qui s'était produit en elle. Même ici, dans le désert du cimetière, d'où le photographe lui-même disparaissait, elle ne cessait de regarder autour d'elle comme si un danger la menaçait.

— Nous aurons sans doute une autre occasion de nous rencontrer, répondait diplomatiquement Lecœur.

— Vous n'avez toujours rien découvert ?

Ce n'était pas lui qu'elle regardait en posant cette question, mais le commissaire Maigret, comme si c'était de lui qu'elle attendait quelque chose.

— L'enquête continue...

Maigret bourrait sa pipe à petits coups d'index, cherchant à comprendre. Cette fille-là avait certainement connu des coups durs et elle était capable de regarder la vie en face sans sourciller. Ce n'était pas la mort de sa sœur qui l'affectait car, le premier jour, elle s'était montrée pleine de vie et d'entrain.

— Dans ce cas, messieurs... Je ne sais pas comment dire... Au revoir, quoi !... Et merci d'être venus...

Si elle était restée une minute de plus, Maigret lui aurait peut-être demandé si personne ne l'avait menacée. Elle s'éloignait, perchée sur ses hauts talons, et dès qu'elle refermerait la porte de sa chambre d'hôtel elle allait se débarrasser de cette robe noire achetée pour la circonstance.

— Qu'est-ce que vous en dites ? demanda Maigret à son collègue de Clermont.

— Vous avez remarqué aussi ?... J'aimerais avoir un entretien avec elle entre quatre murs, mais il faut que je trouve une raison plausible pour la convoquer. Aujourd'hui, cela paraîtrait indécent... Elle semble avoir peur...

— C'est mon impression aussi...

— Vous croyez qu'elle a reçu des menaces ? Que feriez-vous à ma place ?

— Que voulez-vous dire ?

— Nous ne savons pas pourquoi sa sœur a été étranglée... Cela pourrait être, après tout, un drame de famille... Nous ne connaissons à peu près rien de ces gens-là... Il s'agit peut-être d'une affaire dans laquelle les deux femmes sont impliquées... Ne vous a-t-elle pas dit qu'elle restait encore deux ou trois jours à Vichy ?... Je n'ai pas beaucoup d'hommes disponibles, mais le hold-up attendra... Les professionnels, on finit toujours par les avoir...

Ils s'étaient installés dans la voiture et roulaient vers la sortie du cimetière.

— Je vais la faire surveiller aussi discrètement que possible, quoique, dans un hôtel, ce soit presque impossible... Où voulez-vous que je vous dépose ?

— Quelque part aux environs du parc...

— C'est vrai que vous êtes ici comme curiste... Je ne sais pas pourquoi je ne peux pas m'y faire...

Il crut d'abord que sa femme n'était pas arrivée, car il ne la voyait pas sur sa chaise. Ils étaient tellement habitués à se trouver chaque jour à la même place qu'il fut surpris de l'apercevoir sur une autre chaise, à l'ombre d'un autre arbre.

Il l'observa un moment sans être vu. Elle ne s'impatientait pas. En robe claire, les mains sur le giron, elle regardait passer les gens et un léger sourire de contentement éclairait son visage.

— Tu es là ! s'exclama-t-elle.

Puis, tout de suite :

— Nos chaises sont prises... Je les ai écoutés et je crois que ce sont des Hollandais... J'espère qu'ils ne sont que de passage et qu'on ne les trouvera pas tous les jours à notre place... Je ne pensais pas que cela serait fini si tôt...

— Le cimetière n'est pas loin...

— Il y avait du monde ?

— Dans la rue... Ensuite, nous n'étions que quatre...

— Elle avait amené son amant ? Viens prendre un verre...

Ils durent faire la queue un moment, puis Maigret acheta les journaux de Paris, qui parlaient à peine de l'étrangleur de Vichy. Un seul journal, la veille, avait publié justement ces mots en gros titre : *L'étrangleur de Vichy*. Et, un peu plus bas, c'était la photographie de Maigret qui figurait.

Il était curieux de connaître les résultats des recherches entreprises dans quelques-unes des villes où la dame, ou plutôt la demoiselle en lilas, se rendait à des dates irrégulières.

Pourtant, ses pensées étaient floues. Il lisait, l'esprit ailleurs, voyait les silhouettes des promeneurs au-dessus de son journal et bientôt ils durent reculer leurs chaises à cause du soleil qui les atteignait.

C'est ce que leur place, maintenant occupée par les Hollandais, avait de bon. Elle se situait à un endroit que le soleil n'atteignait pas aux heures où ils se trouvaient dans le parc.

— Tu ne veux pas un journal ?

— Non... Les deux rigolos viennent de passer et il t'a adressé un grand salut...

Ils s'étaient déjà perdus dans la foule.

— La sœur a pleuré ?

— Non.

Elle le préoccupait toujours. Lui aussi, s'il avait été chargé de l'enquête, aurait aimé la questionner dans le calme de son bureau.

Il y pensa encore plusieurs fois pendant la fin de la matinée. Ils marchèrent jusqu'à l'Hôtel de la Bérézina, montèrent se rafraîchir, se retrouvèrent à table. Toujours, sauf pour eux, des bouteilles de vin entamées à côté des flûtes de verre qui contenaient deux ou trois fleurs.

— Il y a des escalopes milanaises ou du foie de veau à la bourgeoise…

— Escalopes, soupira-t-il. On me les servira quand même nature. Moi, je ne fais que passer. Rian, lui, sera encore ici l'année prochaine et les années suivantes. C'est lui qui compte…

— Tu ne te sens pas mieux qu'à Paris ?

— Uniquement parce que je ne suis pas à Paris. D'ailleurs, je ne me suis jamais senti vraiment mal. Des lourdeurs, des vertiges, je suppose que cela arrive à tout le monde…

— Tu fais quand même confiance à Pardon…

— Il faut bien…

Ils avaient mangé les nouilles qui tenaient lieu de hors-d'œuvre et d'entrée et on venait de servir les escalopes quand on annonça à Maigret qu'il était demandé au téléphone.

Celui-ci se trouvait dans un petit salon dont la fenêtre donnait sur la rue.

— Allô !… Je ne vous dérange pas ?… Vous étiez déjà à table ?…

Il avait reconnu la voix de Lecœur et il grommela :

— Pour ce que je mange !…

— Il y a du nouveau… J'avais envoyé un de mes hommes pour surveiller l'Hôtel de la Gare… Il a eu l'idée, avant de commencer sa planque, de demander le numéro de la chambre de Francine Lange… Le réceptionniste l'a regardé d'un air surpris et lui a dit qu'elle était partie…

— Quand ?

— Une demi-heure à peine après nous avoir quittés… Il paraît que le couple est rentré et qu'avant de monter l'homme a demandé qu'on prépare la note… Ils ont dû boucler leurs valises à toute vitesse car, dix minutes après, ils téléphonaient pour appeler le bagagiste…

» Ils ont tout fourré dans la voiture rouge qui a foncé dans le trafic…

Maigret se taisait, Lecœur aussi, de sorte qu'il y eut un assez long silence.

— Qu'est-ce que vous en pensez, patron ?…

— Elle a peur…

— C'est entendu, mais elle avait déjà peur ce matin, ça se voyait… Elle nous a néanmoins déclaré qu'elle comptait rester encore deux ou trois jours à Vichy…

— Peut-être pour que vous ne la reteniez pas ?…

— De quel droit l'aurais-je retenue, à moins d'avoir quelque chose contre elle ?

— Vous connaissez la loi, mais elle ne la connaît pas.

— Nous saurons ce soir ou demain matin si elle est rentrée à La Rochelle…

— C'est le plus probable…

— Je le pense aussi, mais je n'en suis pas moins furieux… J'avais l'intention de la revoir et de bavarder longuement avec elle… Il est vrai que je vais peut-être en savoir davantage… Vous êtes libre, à deux heures ?…

C'était le moment de sa sieste et il répondit d'assez mauvaise grâce :

— Je n'ai rien de particulier à faire, évidemment.

— Pendant mon absence, ce matin, quelqu'un a téléphoné à la police locale et a demandé à me parler… J'y suis en ce moment… J'ai fini par accepter le bureau qu'on a offert de me prêter… Il s'agit d'une jeune fille qui a donné son nom… Madeleine Dubois… Et devinez ce qu'elle fait dans la vie ?…

Maigret se tut.

— Elle est téléphoniste de nuit à l'Hôtel de la Gare. Mon collègue de Vichy lui a répondu que je serais sans doute au bureau, avenue Victoria, vers deux heures… Il lui a demandé si elle ne pouvait pas lui dire de quoi il s'agissait mais elle a préféré me voir personnellement… Je l'attends donc tout à l'heure…

— J'y serai…

Il ne fit pas la sieste mais découvrit la délicieuse villa blanche à tourelles, plantée au milieu d'un parc, qui servait de siège à la police de Vichy. Un C.R.S. le conduisit au bout d'un couloir, au premier étage, où un bureau presque vide de meubles avait été abandonné à Lecœur.

— Il est deux heures moins cinq… remarqua celui-ci. J'espère qu'elle ne va pas changer d'avis… Au fait, il faut que je trouve une troisième chaise…

On l'entendit ouvrir des portes, dans le couloir, jusqu'à ce qu'il découvre ce qu'il cherchait.

À deux heures exactement, le C.R.S. de service frappait à la porte et annonçait :

— Mme Dubois…

Celle-ci entrait, une petite personne vive, aux cheveux sombres, au regard très mobile qui se posait tour à tour sur les deux hommes.

— À qui dois-je m'adresser ?…

Lecœur se présenta, ne parla pas de Maigret qui s'assit dans un coin.

— Je ne sais pas si ce que j'ai à vous dire vous intéressera… Sur le moment, je n'y ai pas attaché d'importance… L'hôtel est plein… J'ai eu beaucoup de travail jusqu'à une heure du matin puis, comme d'habitude, je me suis assoupie… Il s'agit d'une de nos clientes, Mme Lange…

— Je suppose que vous parlez de Mlle Francine Lange ?

— Je la croyais mariée. Je sais que sa sœur est morte et qu'on l'a enterrée ce matin… Hier soir, vers huit heures et demie, quelqu'un a demandé à lui parler…

— Un homme ?

— Un homme, oui, avec une drôle de voix… Je suis à peu près certaine qu'il souffre d'asthme, car j'ai eu un oncle qui était atteint de cette maladie et qui parlait de la même manière…

— Il n'a pas dit son nom ?

— Non.

— Il n'a pas demandé le numéro de la chambre ?

— Non… J'ai sonné et personne n'a répondu… Alors, j'ai dit que la personne qu'il demandait n'était pas chez elle… Il a rappelé une seconde fois vers neuf heures et cela ne répondait toujours pas au 406…

— Mlle Lange et son compagnon n'avaient qu'une chambre pour eux deux ?

— Oui… L'homme a rappelé une troisième fois à onze heures et, cette fois, Mlle Lange a répondu… J'ai établi la communication…

Elle parut embarrassée, jeta un petit coup d'œil à Maigret comme pour se rendre compte de l'effet qu'elle produirait sur lui. Elle avait dû le reconnaître, elle aussi.

— Vous avez écouté ?… murmura Lecœur gentiment.

— Je m'en excuse… Ce n'est pas mon habitude… Nous avons la réputation d'écouter les conversations, mais si les gens savaient comme c'est peu intéressant ils penseraient autrement… C'est peut-être à cause du meurtre de la sœur… Ou à cause de l'étrange voix de l'homme…

» — Qui est à l'appareil ? a-t-elle demandé.

» — Vous êtes bien Mlle Francine Lange ?

» — Oui…

» — Vous êtes seule dans la chambre ?

» Elle a hésité. Moi, j'étais à peu près sûre que son compagnon était avec elle.

» — Oui… Et d'ailleurs qu'est-ce que cela peut vous faire ?…

» — J'ai un message confidentiel à vous communiquer… Écoutez-moi bien… Si j'étais interrompu, je vous rappellerais dans une demi-heure…

» Il avait la respiration difficile, avec parfois une sorte de sifflement, comme mon oncle.

» — J'écoute… Vous ne m'avez toujours pas dit qui vous êtes…

» — Cela n'a pas d'importance… Il est indispensable que vous restiez quelques jours à Vichy… C'est dans votre intérêt… Je vous contacterai, je ne sais pas encore quand… Notre entretien pourra vous faire gagner une très grosse somme… Vous m'avez bien compris ?…

» Il s'est tu et a raccroché. Après quelques minutes, le 406 a sonné.

» — Ici, Mlle Lange… Je viens de recevoir un coup de téléphone… Pouvez-vous me dire s'il venait de Vichy ou d'ailleurs ?…

» — De Vichy…

» — Je vous remercie…

» Voilà… D'abord, j'ai pensé que cela ne me regardait pas. Puis ce matin, ne pouvant m'endormir, j'ai téléphoné ici et j'ai demandé qui était chargé de l'enquête…

Elle tripotait nerveusement son sac, son regard allant et venant d'un des deux hommes à l'autre.

— Vous croyez que c'est important ?

— Vous n'êtes pas retournée à l'hôtel ?

— Je ne prends mon service qu'à huit heures du soir…

— Mlle Lange est partie.

— Elle n'a pas assisté à l'enterrement de sa sœur ?

— Elle a quitté Vichy presque tout de suite après l'enterrement.

— Ah !...

Puis, après un silence :

— Vous supposez que cet homme voulait l'attirer dans un guet-apens, n'est-ce pas ? Ce ne serait pas l'étrangleur, par hasard ?

Elle pâlissait à l'idée d'avoir eu l'assassin de la demoiselle en lilas au bout du fil.

Maigret ne regrettait plus d'avoir manqué sa sieste.

5

La téléphoniste partie, les deux hommes restaient à leur place, Maigret fumant lentement sa pipe, Lecœur une cigarette qui menaçait de lui brûler la moustache. La fumée s'étirait au-dessus des têtes. Dans la cour, on entendait une douzaine de C.R.S. se livrer à la gymnastique.

Il y eut un assez long silence. L'un et l'autre étaient de vieux routiers qui connaissaient les ficelles du métier. Ils avaient eu affaire à toutes sortes de criminels, à toutes sortes de témoins.

— C'est évidemment lui qui a téléphoné… soupirait enfin Lecœur.

Maigret ne répondait pas tout de suite. Ils ne réagissaient pas de la même manière. Sans parler de méthodes, un mot qu'ils n'aimaient ni l'un ni l'autre, ils avaient une différente approche d'un problème.

Ainsi, depuis que la demoiselle en lilas avait été étranglée, Maigret s'était assez peu préoccupé de l'assassin. Ce n'était pas voulu. Il restait comme hanté par la femme qu'il revoyait sur sa chaise jaune devant le kiosque à musique, par son long visage, son sourire assez doux que démentait parfois la dureté du regard.

De petites touches s'étaient ajoutées à cette image quand il avait connu la maison de la rue du Bourbonnais, le séjour à Nice, sa vie à Paris, tout au moins le peu qu'on en savait, et jusqu'aux livres qu'elle lisait.

L'étrangleur n'était qu'une silhouette, un homme grand et fort que Mme Vireveau prétendait avoir vu, marchant très vite, au coin de la rue, et qu'un tenancier de bar avait aperçu aussi sans distinguer ses traits.

Insensiblement, il se mettait à penser à lui.

— Je me demande comment il a appris que Francine Lange était descendue à l'Hôtel de la Gare…

Les journaux qui avaient annoncé l'arrivée de la sœur de la victime n'avaient fourni aucune adresse.

Maigret avançait à pas prudents, avec hésitation.

— Pourquoi n'aurait-il pas tout bonnement téléphoné aux différents hôtels en demandant à parler à Mlle Lange…

Il l'imaginait, devant un annuaire du téléphone. La liste des hôtels devait être longue. Avait-il procédé par ordre alphabétique ?

— Vous pourriez peut-être appeler un hôtel dont le nom commence par A ou par B…

L'œil amusé, Lecœur décrocha l'appareil.

— Voulez-vous me demander l'Hôtel d'Angleterre ? Non. Pas la direction, ni la réception. Je désire parler à la téléphoniste… Allô !… La téléphoniste de l'Hôtel d'Angleterre ?… Ici, la Police judiciaire… Quelqu'un vous a-t-il demandé à être mis en communication avec une certaine Mlle Lange ?… Non, pas la victime... Sa sœur, Francine Lange... C'est cela... Demandez à votre collègue...

Il annonça à Maigret :

— Elles sont deux au standard... L'hôtel a cinq ou six cents chambres... Allô, oui... Hier matin ?... Passez-moi votre collègue, voulez-vous ?... Allô !... C'est vous qui avez reçu l'appel ?... Rien ne vous a frappée ?... Une voix rauque, dites-vous ?... Comme si l'homme... Oui... Je comprends... Merci...

Et, à Maigret :

— Hier matin, vers dix heures... Une voix rauque, ou plutôt celle d'un homme qui a de la peine à respirer...

Quelqu'un qui faisait une cure, Maigret l'avait pensé dès le premier jour, et qui avait rencontré Hélène Lange par hasard... Il l'avait suivie pour connaître son adresse...

Le téléphone sonnait. C'était l'inspecteur envoyé à Lyon. Il n'avait pas trouvé trace de la victime dans les hôtels de la ville, mais une employée de la poste se souvenait d'elle. Elle était venue deux fois, les deux fois pour retirer à la poste restante une grosse enveloppe de papier bulle. La première fois, cette enveloppe attendait depuis une semaine. La seconde, elle venait juste d'arriver.

— Vous avez les dates ?

Rêveur, fumant toujours sa pipe à bouffées gourmandes, Maigret regardait travailler son collègue.

— Allô !... Le Crédit Lyonnais ?... Vous avez établi la liste des versements que je vous ai demandée ?... Non... Je la ferai prendre tout à l'heure... Pouvez-vous me dire s'il y a eu un versement tout de suite après le

13 janvier de l'année dernière et un autre après le 22 février de cette année ?... J'attends, oui...

Cela ne prit pas longtemps.

— Un versement de huit mille francs le 15 janvier... Un autre de cinq mille francs le 23 février de cette année...

— La moyenne des versements est bien de cinq mille francs ?

— Presque tous... Les exceptions sont rares... J'ai le relevé sous les yeux... Je trouve, il y a cinq ans, une somme de vingt-cinq mille francs portée au crédit du compte... C'est la seule somme aussi importante...

— Toujours en billets ?...

— Toujours...

— À combien se monte le compte à ce jour ?

— Quatre cent cinquante-deux mille six cent cinquante...

Lecœur répétait ces chiffres à Maigret.

— Elle était riche... murmura-t-il. Et pourtant elle louait des chambres meublées pendant la saison...

Il fut surpris d'entendre le commissaire lui répondre :

— Il est très riche...

— C'est vrai... Il semble que cet argent provienne d'une même source... Un homme qui peut verser cinq mille francs par mois et, à l'occasion, des sommes plus importantes...

Or, cet homme-là ignorait qu'Hélène Lange possédait, à Vichy, une petite maison blanche à volets vert pâle dans le quartier de France. À chaque envoi, l'adresse était changée.

L'argent n'était-il pas versé à date fixe et n'était-ce pas exprès que Mlle Lange ne le retirait que quelques jours plus tard, afin d'être sûre que le bureau de poste choisi ne serait pas surveillé ?

Un homme riche, en tout cas très à son aise... Quand il avait eu la sœur au bout du fil, il ne lui avait pas donné un rendez-vous précis... Il lui avait demandé de rester encore quelques jours à Vichy et d'attendre son appel... Pourquoi ?...

— Il doit être marié... Il est ici avec sa femme, peut-être ses enfants... Il n'est pas libre quand il veut...

Lecœur semblait s'amuser à son tour en regardant travailler le cerveau de Maigret. Était-ce tellement le cerveau ? C'était à l'homme, maintenant, qu'il s'efforçait de s'intégrer...

— Rue du Bourbonnais, il n'a pas trouvé ce qu'il cherchait... Et Hélène Lange n'a pas parlé... Si elle avait parlé, elle ne serait probablement pas morte... Il a voulu lui faire peur pour obtenir le renseignement dont il avait besoin...

— Malgré sa femme, il était donc libre ce soir-là...

Maigret se taisait, ruminait l'objection.

— Que jouait-on lundi au théâtre ?

Lecœur décrochait le téléphone pour se renseigner.

— *La Tosca*... Toutes les places étaient louées...

Ce n'était pas un raisonnement rigoureux, certes. Ce n'était même pas un raisonnement. Maigret essayait d'imaginer l'homme, un personnage assez important, descendu sans doute dans un des meilleurs hôtels de Vichy. Il avait sa femme, des amis...

La veille ou l'avant-veille, il avait rencontré Hélène Lange et l'avait suivie afin de connaître son adresse.

Ce soir-là, on jouait *La Tosca* au théâtre du Grand Casino. Les femmes ne sont-elles pas plus férues que les hommes d'opéra italien ?

— Pourquoi n'irais-tu pas sans moi ?... La cure me fatigue... J'en profiterai pour me coucher de bonne heure...

Quel renseignement voulait-il obtenir d'Hélène Lange et pourquoi celle-ci refusait-elle obstinément de parler ?

Était-il entré dans la maison avant elle, forçant une serrure facile, et avait-il fouillé le contenu des meubles avant son arrivée ?

Ne l'avait-il rejointe, au contraire, qu'au moment où elle était de retour chez elle, et son crime était-il déjà commis quand il avait mis le logement en désordre ?

— Pourquoi avez-vous ce petit sourire, patron ?

— Parce que je pense à un détail idiot... Avant d'en arriver à l'Hôtel de la Gare, le meurtrier a dû, s'il a suivi l'ordre alphabétique, lancer une trentaine d'appels... Cela ne vous dit rien ?...

Il bourrait une nouvelle pipe.

— Toute la police le recherche... Il est probable que sa femme vit avec lui dans une chambre d'hôtel... Or, il va devoir répéter un grand nombre de fois un nom qui est le même que celui de la victime...

» Dans les hôtels, tous les appels passent par le standard... En outre, il y a sa femme, c'est une supposition plausible...

» Il est dangereux de téléphoner d'un café, d'un bar, où on peut être entendu...

» Si j'étais vous, Lecœur, je mettrais un certain nombre d'hommes à surveiller les cabines publiques...

— Mais puisqu'il a eu Francine Lange à l'appareil !...

— Il doit la rappeler...

— Elle n'est plus à Vichy...

— Il l'ignore...

À Paris, Maigret voyait sa femme trois fois par jour, comme la plupart des maris, à son réveil le matin, à midi et le soir. Encore lui arrivait-il souvent de ne pas rentrer déjeuner.

Il aurait donc pu faire n'importe quoi à son insu pendant le reste de la journée.

Mais à Vichy ? Ils passaient pratiquement ensemble vingt-quatre heures sur vingt-quatre et il n'était pas le seul dans ce cas.

— Il ne peut même pas s'attarder trop longtemps dans une cabine téléphonique... soupirait-il.

Sans doute descendait-il sous prétexte d'aller acheter des cigarettes ou de prendre l'air pendant que sa femme s'habillait ? Un coup de téléphone ou deux... Si elle était curiste, elle aussi, et si elle se rendait à l'hydrothérapie, cela lui donnait à nouveau du temps...

Il l'imaginait, profitant de chaque occasion, les provoquant, mentant comme un gamin à sa mère.

Un homme corpulent, d'un certain âge, riche, occupant une situation importante, s'efforçant, à Vichy, d'améliorer son asthme...

— Cela ne vous surprend pas que la sœur soit partie ?

Francine Lange aimait l'argent. Dieu sait par où elle avait passé, lorsqu'elle vivait à Paris, pour s'en procurer. Elle possédait maintenant un commerce prospère. Elle allait hériter de sa sœur.

Mais était-elle femme à faire fi d'une somme importante ?

Était-ce de la police qu'elle avait eu peur ? Cela ne paraissait pas probable. À moins qu'elle n'ait décidé de s'enfuir définitivement, de franchir les frontières.

Non ! Elle était retournée à La Rochelle, où la police pourrait la questionner tout aussi bien qu'à Vichy. Pour le moment, elle roulait encore, son gigolo au volant, tandis que les jeunes se retournaient avec envie sur la voiture rouge décapotée.

— Elle arrivera vers le milieu de l'après-midi, car ils doivent rouler vite…

— Les journaux ont-ils dit qu'elle vit à La Rochelle ?

— Non… Ils ont juste annoncé son arrivée…

— Elle avait déjà peur ce matin, à la maison mortuaire et au cimetière…

— Je me demande pourquoi c'est vous qu'il lui arrivait de regarder à la dérobée…

— Je crois que je comprends…

Maigret souriait non sans embarras.

— Les journalistes m'ont fait la réputation d'une sorte de confesseur… Elle a dû hésiter à se confier à moi, à me demander conseil… Puis elle s'est dit que le morceau était trop gros…

Lecœur fronçait les sourcils.

— Je ne vois pas…

— L'homme a essayé d'obtenir un renseignement d'Hélène Lange et ce renseignement était assez important pour lui faire perdre tout contrôle… Il est rare qu'on étrangle de sang-froid… Il est venu rue du Bourbonnais sans arme… Il n'avait pas l'intention de tuer… Or, il est reparti les mains vides…

Pensant à l'étranglement, Maigret ajouta :

— Si j'ose dire…

— Il suppose que la sœur possède le même renseignement ?

— C'est certain… Sinon, il ne se serait pas donné tant de mal et il n'aurait pas couru tant de risques pour savoir à quel hôtel elle était descendue… Il ne lui aurait pas téléphoné et ne lui aurait pas laissé entrevoir le versement d'une forte somme…

— Et elle, de son côté, sait ce qu'il lui veut ?…

— C'est possible… murmura Maigret en regardant l'heure à sa montre.

— C'est probable, non ?… La preuve, c'est qu'elle a eu assez peur pour partir sans rien nous en dire…

— Il faut que j'aille retrouver ma femme…

Il faillit ajouter :

— Comme l'autre !…

Comme cet homme corpulent, large d'épaules, obligé d'employer des ruses enfantines pour aller téléphoner d'une cabine publique.

Qui sait ? Les Maigret, au cours de leurs promenades quotidiennes, avaient peut-être croisé un certain nombre de fois ce couple-là. Il était possible qu'ils se soient trouvés les uns à côté des autres au moment du verre d'eau, que leurs chaises…

— N'oubliez pas les cabines téléphoniques…

— Il me faudrait autant d'hommes que vous en avez à Paris…

— J'en manque toujours… Quand téléphonerez-vous à La Rochelle ?…

— Vers six heures, avant de partir pour Clermont-Ferrand, où j'ai rendez-vous avec le juge d'instruction… Il m'attend chez lui… Cette histoire le tracasse, car il est très bien avec la Compagnie Fermière et celle-ci n'apprécie guère ce genre de publicité… Si vous voulez être ici…

Mme Maigret l'attendait sur un banc. Jamais de leur vie les Maigret ne s'étaient autant assis sur des bancs ou des chaises de squares. Il était en retard mais elle ne lui adressa aucun reproche, se contentant de noter qu'il n'avait pas tout à fait le même air que le matin.

Elle connaissait ce visage-là, à la fois renfrogné et songeur.

— Où allons-nous ?

— Nous marchons…

Comme les autres jours. Comme l'autre couple. La femme ne devait se douter de rien. Elle se promenait avec son mari sans soupçonner que celui-ci tressaillait à la vue de chaque uniforme de police.

Il était un meurtrier. Il ne pouvait pas fuir sans devenir suspect. Il devait continuer, comme les Maigret, sa routine quotidienne.

Était-il descendu dans un des deux ou trois hôtels de luxe ? Cela ne regardait pas Maigret, mais, s'il avait été à la place de Lecœur…

— Lecœur est un excellent policier… murmura-t-il.

Ce qui signifiait, dans son for intérieur :

— Il y pensera sûrement. Il n'y a pas tant de pensionnaires, dans ces hôtels-là, pour que…

Mais il aurait aimé aller renifler lui-même.

— Tu n'oublies pas ton rendez-vous avec Rian…

— C'est aujourd'hui ?

— Demain à quatre heures…

Il lui faudrait à nouveau se déshabiller, se laisser tripoter, monter sur la bascule, écouter le jeune médecin blond discuter gravement la quantité d'eau qu'il boirait désormais. Allait-on le changer de sources ?

Il pensa à Janvier qui s'était installé dans son bureau, car Lucas était en vacances aussi. Il avait choisi la montagne, quelque part du côté de Chamonix.

Des petits voiliers, à la queue leu leu, remontaient lentement le vent, virant bord sur bord, chacun à son tour. Des couples passaient en pédalo et au bas du mur qui bordait l'Allier les golfs miniatures se suivaient tous les cinquante mètres.

Maigret se surprenait à se retourner chaque fois qu'ils croisaient un homme d'un certain âge, d'un certain embonpoint.

Pour lui, le meurtrier d'Hélène Lange avait cessé d'être une vague entité. Il commençait à prendre forme, à acquérir une personnalité.

Il était dans la ville, le long d'une de ces promenades que les Maigret suivaient avec tant de constance. Il accomplissait à peu près les mêmes gestes qu'eux, voyait les mêmes spectacles, les voiliers, les pédalos, les chaises jaunes dans le parc et la foule qui défilait à un rythme monotone.

À tort ou à raison, Maigret lui voyait une femme au côté, une femme assez forte aussi, qui se plaignait peut-être d'avoir mal aux pieds.

Que disaient-ils en marchant ? De quoi parlaient tous ces couples parmi lesquels les Maigret évoluaient ?

Il avait tué Hélène Lange… On le recherchait. Un mot, un geste, une imprudence, et il serait arrêté.

L'écroulement d'une vie. Son nom à la première page des journaux. Ses amis stupéfaits, sa fortune et celle des siens menacées.

Une cellule à la place d'un appartement douillet…

Le changement pouvait se produire en quelques minutes, en quelques secondes. Un inconnu allait peut-être lui tapoter l'épaule et, quand il tournerait la tête, il se trouverait nez à nez avec une médaille de police.

— Vous êtes bien M…

Monsieur qui ? Peu importe. La surprise, l'indignation de sa femme.

— Mais c'est une erreur, commissaire !… Je le connais bien… C'est mon mari… Tout le monde vous dira… Défends-toi donc, Jean !…

Jean, ou Pierre, ou Gaston…

Maigret en arrivait à regarder autour de lui comme à la dérobée.

— Et pourtant, il continue…

— Il continue quoi ?

— À vouloir connaître la vérité…

— De quoi parles-tu ?

— Tu sais de qui je parle… Il a téléphoné à Francine Lange… Il veut un entretien avec elle…

— Il ne va pas se faire prendre ?

— Si elle avait prévenu Lecœur à temps, on aurait organisé une souricière… C'est encore possible… Il ne connaît pas sa voix… Lecœur y a sûrement pensé… Il suffit de placer une femme d'à peu près son âge dans la chambre 406… Lorsqu'il téléphonera…

Maigret s'arrêta au beau milieu de l'allée et grogna, les poings serrés, comme si cela le mettait en rage :

— Que diable peut-il bien chercher pour accepter de tels risques ?

Une voix d'homme répondit :

— Allô !… Qui demandez-vous ?

— Je voudrais parler à Mlle Francine Lange…

— De la part de qui ?

— Du commissaire divisionnaire Lecœur…

— Un instant…

Maigret était assis en face de celui-ci, dans le bureau nu, et tenait le second écouteur à l'oreille.

— Allô !… Vous ne pourriez pas rappeler demain matin ?…

— Non…

— Dans une demi-heure ?…

— Dans une demi-heure, je serai en route…

— Nous venons juste d'arriver… Francine… je veux dire Mlle Lange, est dans son bain…

— Demandez-lui de ma part d'en sortir…

Lecœur adressait un clin d'œil à son collègue de Paris. On entendit à nouveau la voix de Lucien Romanel.

— Elle sera à l'appareil dans un instant... Le temps de se sécher...

— Il me semble que vous n'avez pas roulé vite...

— Nous avons eu une panne... Nous avons perdu près d'une heure à chercher une pièce de rechange... La voici !...

— Allô !...

La voix paraissait plus lointaine que celle du gigolo.

— Mademoiselle Lange ?... Ce matin, vous m'avez annoncé que vous resteriez encore deux ou trois jours à Vichy...

— C'était mon intention... J'ai changé d'avis...

— Puis-je vous demander pourquoi ?

— Je pourrais vous répondre que j'ai changé d'avis, point final. C'est mon droit, non ?...

— Comme c'est le mien de me munir d'une commission rogatoire et de vous obliger à parler...

— Quelle différence cela fait-il que je sois à Vichy ou à La Rochelle ?

— Pour moi, une très grande... Maintenant, je répète ma question : qu'est-ce qui vous a fait changer d'avis ?

— J'ai eu peur...

— De quoi ?

— Vous le savez bien... Ce matin, j'avais déjà peur, mais je me disais qu'il n'oserait pas...

— Soyez plus claire, voulez-vous ? Peur de qui ?

— De l'homme qui a étranglé ma sœur... Je me suis dit que, s'il s'en est pris à elle, il est capable de s'en prendre à moi...

— Pour quelle raison ?

— Je ne sais pas...

— Vous le connaissez ?

— Non...

— Vous n'avez pas la moindre idée de qui il peut être ?

— Non...

— Pourtant, à midi, après m'avoir annoncé la prolongation de votre séjour à Vichy, vous quittiez l'hôtel en toute hâte...

— J'avais peur...

— Vous mentez... Plus exactement, vous aviez une raison particulière d'avoir peur...

— Je vous l'ai dite... Il a tué ma sœur... Il pouvait tout aussi bien...

— Pour quelle raison ?

— Je l'ignore...

— Et vous ignorez aussi la raison pour laquelle votre sœur a été tuée ?

— Si je la connaissais, je vous l'aurais dite...

— Dans ce cas, pourquoi ne m'avez-vous pas parlé du coup de téléphone ?

Il l'imaginait, en peignoir de bain, les cheveux mouillés, dans l'appartement où les valises venaient d'être ouvertes. L'appareil avait-il un second écouteur ? Sinon Romanel devait être devant elle et lui lancer des regards interrogateurs.

— Quel coup de téléphone ?

— Celui que vous avez reçu hier soir à votre hôtel…

— Je ne vois pas ce que vous…

— Faut-il que je vous rappelle les phrases de votre interlocuteur ? Ne vous a-t-il pas conseillé, justement, de rester encore deux ou trois jours à Vichy ? Ne vous a-t-il pas annoncé qu'il reprendrait contact avec vous et que cela pourrait vous rapporter une très forte somme ?…

— J'ai à peine écouté…

— Pour quelle raison ?…

— Parce que j'ai pris ça pour une blague… Ce n'est pas votre impression à vous ?

— Non.

Un non très sec, suivi d'un silence menaçant. À l'autre bout du fil, elle était désarçonnée et cherchait quelque chose à dire.

— Je ne suis pas de la police, moi… Je vous répète que j'ai pris ça pour une farce…

— On vous fait souvent des farces de ce genre ?

— Pas de ce genre…

— N'est-ce pas cet entretien téléphonique qui vous a effrayée assez pour vous pousser à quitter Vichy le plus tôt possible ?…

— Puisque vous ne me croyez pas…

— Je vous croirai quand vous serez sincère…

— Cela m'a impressionnée…

— Quoi ?

— De savoir que l'homme était encore en ville… Toutes les femmes doivent avoir peur à l'idée qu'un étrangleur rôde dans les rues…

— Les hôtels, pourtant, ne se sont pas vidés d'un seul coup… Vous aviez déjà entendu cette voix ?

— Je ne crois pas…

— Une voix bien particulière…

— Je n'ai pas remarqué… J'étais trop surprise…

— Tout à l'heure, vous parliez d'une mauvaise farce…

— Je suis fatiguée… Avant-hier après-midi, j'étais encore en vacances aux Baléares… J'ai à peine dormi depuis…

— Ce n'est pas une raison pour mentir…

— Je n'ai pas l'habitude des interrogatoires… À plus forte raison par téléphone, après avoir été tirée de mon bain…

— Si vous le préférez, vous recevrez dans une heure la visite officielle de mon collègue de La Rochelle et tout ce que vous direz sera dûment enregistré…

— Je fais de mon mieux pour vous répondre…

Les yeux de Maigret riaient. Lecœur abattait du bon travail. Il ne s'y serait pas pris tout à fait de la même façon, mais le résultat aurait été le même.

— Vous saviez, hier, que la police était à la recherche du meurtrier de votre sœur… Vous n'ignoriez pas que le moindre indice pouvait être précieux…

— Je suppose, oui…

— Or, il y a toutes les chances pour que votre interlocuteur invisible soit justement le meurtrier… Vous y avez pensé… Vous en avez même été persuadée, puisque vous avez eu peur… Or, vous êtes une femme qui n'a pas froid aux yeux…

— Je l'ai peut-être pensé, mais je n'étais pas sûre…

— Toute autre personne, à votre place, nous aurait téléphoné pour nous mettre au courant… Pourquoi ne l'avez-vous pas fait ?…

— Vous oubliez que je venais de perdre ma sœur, qui était ma seule parente, et que ses obsèques avaient lieu aujourd'hui…

— Ce qui ne vous a pas émue le moins du monde…

— Qu'en savez-vous ?

— Répondez à ma question…

— Vous m'auriez peut-être retenue…

— Ce ne sont pas des affaires urgentes qui vous appellent à La Rochelle, puisque vous deviez rester plusieurs jours encore aux Baléares…

— L'atmosphère m'oppressait… L'idée que cet homme…

— N'était-ce pas plutôt l'idée qu'à la suite de ce coup de téléphone nous pourrions vous poser certaines questions ?

— Vous auriez pu vous servir de moi comme appât… Quand il m'aurait rappelée pour me fixer un rendez-vous, vous m'y auriez envoyée et…

— Et… ?

— Rien… J'ai eu peur…

— Pourquoi votre sœur a-t-elle été étranglée ?

— Comment voulez-vous que je le sache ?…

— Quelqu'un l'a retrouvée après un certain nombre d'années, l'a suivie, est entré chez elle…

— Je croyais qu'elle l'avait surpris en train de la cambrioler…

— Vous n'êtes pas si naïve... Il avait une question à lui poser, une question capitale...

— Laquelle ?

— C'est bien ce que je cherche à découvrir... Votre sœur avait hérité, mademoiselle Lange...

— De qui ?...

— Je vous le demande...

— Nous avons hérité toutes les deux de ma mère... Elle n'était pas riche... Une boutique de mercerie à Marsilly et quelques milliers de francs sur un livret de caisse d'épargne...

— Son amant était riche ?

— Quel amant ?...

— Celui qui, à Paris, allait la voir une ou deux fois par semaine dans son appartement de la rue Notre-Dame-de-Lorette...

— Je ne suis pas au courant...

— Vous ne l'avez jamais rencontré ?

— Non...

— Ne coupez pas, mademoiselle... Nous risquons d'en avoir encore pour longtemps... Allô !...

— Je suis là...

— Votre sœur était sténo-dactylo... Vous étiez manucure...

— Je suis devenue visagiste...

— Soit... Deux petites filles de Marsilly dont les parents étaient sans fortune... Vous allez à Paris toutes les deux... Vous n'y arrivez pas ensemble mais, pendant plusieurs années, vous vous y trouvez l'une et l'autre...

— Qu'est-ce que cela a d'extraordinaire ?

— Vous prétendez ne rien savoir des faits et gestes de votre sœur… Vous ne pouvez même pas me dire où elle travaillait…

— D'abord, il y avait la différence d'âge entre nous… Ensuite, nous ne nous sommes jamais bien entendues, même petites…

— Je n'ai pas fini… Il se fait que, bientôt, on vous retrouve, encore jeune, à la tête d'un salon de coiffure de La Rochelle qui a dû vous coûter cher…

— J'ai payé une partie du fonds par annuités…

— Il est possible que nous ayons, plus tard, à éclaircir ce point… Votre sœur, elle, disparaît en quelque sorte de la circulation… Elle passe d'abord cinq années à Nice… Vous êtes allée la voir ?…

— Non.

— Vous aviez son adresse ?

— Elle m'a envoyé trois ou quatre cartes postales…

— En cinq ans ?

— Nous n'avions rien à nous dire…

— Et quand elle s'est installée à Vichy ?…

— Elle ne m'en a pas parlé…

— Elle ne vous a pas écrit qu'elle habitait désormais cette ville où elle avait acheté une maison ?

— Je l'ai su par des amis…

— Quels amis ?

— Je ne m'en souviens pas… Des gens qui l'ont rencontrée à Vichy…

— Et qui lui ont parlé ?…

— C'est possible… Vous m'embrouillez…

Lecœur; content de lui, adressait un nouveau clin d'œil à Maigret dont la pipe était éteinte et qui se livrait à une gymnastique délicate pour en bourrer une autre sans lâcher l'écouteur.

— Vous êtes allée au Crédit Lyonnais ?...

— Quel Crédit Lyonnais ?...

— Celui de Vichy...

— Non...

— Vous n'avez pas eu la curiosité de savoir de quelle somme vous héritez ?

— C'est mon notaire d'ici qui s'occupera de la succession... Je ne connais rien à ces choses-là...

— Vous êtes pourtant une femme d'affaires... Avez-vous une idée de la somme que votre sœur avait en banque ?...

Il y eut un nouveau silence.

— Je vous écoute...

— Je ne peux pas vous répondre...

— Pourquoi ?

— Parce que je ne sais pas...

— Vous seriez surprise d'apprendre que cela approche des cinq cent mille francs ?

— C'est beaucoup...

Elle disait cela d'une voix calme.

— C'est beaucoup pour une petite dactylo partie un beau jour de Marsilly et qui n'a travaillé qu'une dizaine d'années à Paris...

— Elle ne m'a pas fait de confidences...

— Réfléchissez avant de répondre, car nous avons des moyens de nous assurer de la véracité de vos dires... Lorsque vous vous êtes installée à La Rochelle, n'est-ce pas votre sœur qui a versé les premiers fonds ?...

Encore un silence. Or, le silence est plus impressionnant au téléphone que quand on a son interlocuteur devant soi. Il y a coupure complète.

— Vous avez besoin de réfléchir ?...

— Elle m'a prêté un peu d'argent...

— Combien ?...

— Il faudrait que je le demande à mon notaire...

— Votre sœur, à cette époque-là, n'habitait-elle pas Nice ?...

— C'est possible... Oui...

— Vous avez donc été en rapport avec elle... Pas seulement par un échange de cartes postales... Il est probable que vous êtes allée la voir afin de lui donner des détails sur votre projet...

— J'ai dû y aller...

— Vous me disiez le contraire il y a un instant...

— Je ne m'y retrouve plus dans vos questions...

— Elles sont cependant claires, mais vos réponses le sont moins...

— Vous avez fini ?

— Pas encore... Et je vous conseille plus vivement que jamais de ne pas raccrocher, ce qui me forcerait à prendre des mesures assez désagréables... Cette fois, je veux une réponse nette, par oui ou par non... Dans l'acte de vente du fonds de commerce, est-ce votre nom ou celui de votre sœur qui figure ?... Autrement dit, est-ce votre sœur la véritable propriétaire ?

— Non.

— Est-ce vous ?

— Non.

— Qui est-ce ?

— Les deux.

— Vous étiez donc associées et vous essayez de me faire croire que vous n'aviez aucun contact avec votre sœur...

— Ce sont des affaires de famille qui ne regardent personne...

— Pas quand un crime intervient...

— Cela n'a aucun rapport...

— Vous en êtes certaine ?

— Je le suppose...

— Vous le supposez si peu que vous avez quitté Vichy comme une folle...

— Vous avez encore des questions à poser ?...

Maigret fit signe que oui, saisit un crayon sur le bureau et écrivit quelques mots sur un bloc.

— Un instant... Ne quittez pas l'appareil...

— Ce sera long ?

— Voici... Vous avez eu un enfant, n'est-ce pas ?...

— Je vous en ai parlé.

— Vous avez accouché à Paris ?

— Non...

— Pourquoi ?

Sur le billet de Maigret, on lisait seulement : *Où a-t-elle accouché ? Où l'enfant a-t-il été inscrit ?*

Lecœur fignolait, peut-être à cause de la présence de son illustre collègue parisien.

— Je n'avais pas envie que ça se sache...

— Où vous êtes-vous rendue ?

— En Bourgogne...

— À quel endroit exactement ?

— Mesnil-le-Mont...

— C'est un village ?

— Plutôt un hameau...

— Il y a un médecin ?

— Il n'y en avait pas à cette époque-là.

— Et vous choisissiez, pour accoucher, un hameau sans médecin ?

— Comment croyez-vous que nos mères mettaient au monde ?

— C'est vous qui avez choisi cet endroit ? Vous y étiez déjà allée ?

— Non. J'ai regardé sur une carte routière...

— Vous y êtes allée seule ?

— Je me demande comment vous interrogez les coupables, si c'est ainsi que vous torturez les gens qui n'ont rien fait et qui, au contraire...

— Je vous ai demandé si vous y êtes allée seule...

— Non.

— Cela va déjà mieux. Vous voyez qu'il est plus simple de dire la vérité que de ruser. Qui vous accompagnait ?

— Ma sœur.

— Vous parlez bien de votre sœur Hélène ?

— Je n'en ai pas d'autre.

— C'était le temps où vous viviez à Paris toutes les deux et où vous ne vous rencontriez que par hasard... Vous ne saviez pas où elle travaillait... Elle aurait aussi bien pu être entretenue...

— Cela ne me regardait pas...

— Vous ne vous aimiez pas... Vous aviez aussi peu de rapports que possible l'une avec l'autre, mais elle abandonnait soudain son travail pour vous suivre dans un hameau perdu de Bourgogne...

Elle ne trouvait rien à dire.

— Combien de temps y êtes-vous restées ?

— Un mois...

— À l'hôtel ?

— À l'auberge...

— C'est une sage-femme qui vous a assistée ?

— Je ne suis pas sûre qu'elle ait été sage-femme mais elle aidait toutes les femmes enceintes du pays...

— Comment s'appelle-t-elle ?

— Elle avait plus de soixante-cinq ans à l'époque... Elle doit être morte...

— Vous ne vous rappelez pas son nom ?

— Mme Radèche...

— Vous avez déclaré l'enfant à la mairie ?...

— Bien sûr...

— Vous-même ?

— J'étais au lit... Ma sœur y est allée avec le patron de l'auberge, qui a servi de témoin...

— Vous avez vu, ensuite, le registre de l'état civil ?

— Pourquoi serais-je allée le voir ?

— Vous possédez une copie de l'acte de naissance ?

— Depuis si longtemps...

— Où êtes-vous allée ensuite ?

— Écoutez, je n'en peux plus... Si vous tenez absolument à me questionner pendant des heures, venez me voir ici...

Imperturbable, Lecœur prononçait :

— Où avez-vous conduit l'enfant ?

— À Saint-André... Saint-André-du-Lavion, dans les Vosges...

— En auto ?

— Je n'avais pas encore de voiture…

— Votre sœur non plus ?

— Elle n'a jamais conduit…

— Elle vous accompagnait ?

— Oui !… Oui !… Oui !… Et maintenant, pensez-en ce que vous voudrez… J'en ai marre, vous entendez ?… Marre !… Marre !… Marre !…

Sur quoi, elle raccrocha.

6

— À quoi penses-tu ?

La question de tous les couples, de tous ceux qui vivent côte à côte pendant des années, qui se regardent vivre l'un l'autre et qui, se butant devant le mur du visage, le mur du regard, ne peuvent s'empêcher de murmurer timidement :

— À quoi penses-tu ?

Mme Maigret, il est vrai, ne prononçait ces mots que quand elle sentait son mari détendu, comme s'il existait une zone dans laquelle elle ne se reconnaissait pas le droit de pénétrer.

Après le long téléphone avec La Rochelle, il y avait eu le calme du dîner, dans la salle à manger blanche et reposante de leur hôtel, avec ses plantes vertes, ses bouteilles de vin et ses fleurs sur les tables.

Personne, en apparence, ne s'occupait des Maigret, qui n'en étaient pas moins le centre d'une attention discrète, à la fois admirative et affectueuse.

Maintenant, c'était la promenade du soir. On entendait quelque part dans le ciel des roulements de tonnerre et, dans l'air immobile, passaient soudain de brèves bourrasques.

Ils avaient pris, comme machinalement, par la rue du Bourbonnais, où il y avait de la lumière à une des fenêtres du premier étage, dans la chambre de la grosse Mme Vireveau. Les Maleski étaient sortis, pour se promener ou pour aller au cinéma.

Le rez-de-chaussée était obscur, silencieux. Les meubles avaient repris leur place. Hélène Lange était effacée.

Un jour, sans doute, le contenu de la maison s'entasserait sur le trottoir et un commissaire-priseur facétieux mettrait à l'encan ce qui avait constitué le cadre d'une existence.

Francine avait-elle emporté les photographies ? C'était improbable. Il était improbable aussi qu'elle les fasse chercher. On les vendrait avec le reste.

Ils marchaient tous les deux vers le parc, où les promenades aboutissaient presque fatalement, quand Mme Maigret avait posé sa question.

— Je pensais que Lecœur est un excellent enquêteur, répondait son mari.

Les questions que le commissaire de Clermont-Ferrand avait posées coup sur coup, sans laisser à Francine le temps de se reprendre, étaient bien faites pour la démonter. Il avait tiré le meilleur parti possible des éléments en sa possession, obtenu des résultats tangibles, qui serviraient de base pour la suite de l'enquête.

Pourquoi Maigret n'était-il pas tout à fait satisfait ? Il s'y serait pris autrement, c'était probable. Deux hommes, même s'ils appliquent une même méthode, le font d'une façon différente.

Mais il ne s'agissait pas de méthode. Le commissaire, au fond, enviait le brio de son collègue, son assurance, sa confiance en lui.

Pour Maigret, par exemple, la demoiselle en lilas n'était pas seulement la victime d'un meurtre, ni une personne qui avait mené tel genre d'existence. Il commençait à la connaître et s'efforçait, presque à son insu, d'approfondir cette connaissance.

C'était avant tout l'histoire de deux sœurs qu'il remâchait tout en effectuant sa promenade tandis qu'un Lecœur sans angoisses était parti joyeux vers son rendez-vous avec le juge d'instruction.

Qu'est-ce que celui-ci connaîtrait réellement de l'affaire, cantonné dans son cabinet où tout ce qui avait été de la vie venait se résumer dans les phrases compassées de rapports officiels ?

Deux sœurs, dans un village de la côte atlantique, dans une boutique près de l'église. Maigret connaissait ce village-là, où l'on travaillait à la fois la terre et la mer. Quatre ou cinq gros fermiers, en effet, possédaient des parcs à huîtres et des bouchots où ils élevaient les moules.

Il revoyait les femmes, jeunes et vieilles, y compris les petites filles, partir au lever du jour, parfois dans la nuit, selon l'heure de la marée. Bottées de caoutchouc, elles portaient d'épais tricots, de vieux vestons d'homme.

Sur la grève, elles ramassaient les huîtres dont les bancs étaient découverts tandis que les hommes s'occupaient des moules fixées dans des branchages que maintenaient des piquets.

La plupart des filles n'avaient pas leur certificat d'études et les garçons ne dépassaient guère ce stade non plus, en tout cas à l'époque où les sœurs Lange habitaient le village.

Hélène était une exception. Elle était allée à l'école de la ville, avait acquis assez d'instruction pour travailler dans un bureau.

Partant le matin à vélo, revenant le soir, c'était une demoiselle.

Et, plus tard, sa sœur ne devait-elle pas s'être débrouillée, elle aussi ?

— Elles sont à Paris toutes les deux… On ne les voit plus au pays… Elles nous dédaignent…

Leurs anciennes amies continuaient à gratter le matin les bancs d'huîtres et à travailler aux bouchots. Elles s'étaient mariées, élevaient des enfants qui jouaient à leur tour place de l'Église.

Hélène Lange était arrivée à ses fins à force de volonté froide. Toute jeune, elle avait refusé la vie qui aurait dû être la sienne, s'était tracé une autre voie, choisissant un monde personnel illustré à ses yeux par quelques écrivains romantiques.

Balzac était trop dur pour elle, trop proche de Marsilly, de la boutique familiale et des bouchots où le froid roidissait les mains.

Francine s'était échappée, elle aussi, à sa façon. À quinze ans, un chauffeur de taxi l'avait déniaisée et elle ne voyait pas pourquoi elle serait avare de son corps attrayant et pulpeux, pourquoi elle n'userait pas, vis-à-vis des hommes, de son sourire aguicheur.

Chacune, en fin de compte, n'avait-elle pas réussi ?

La propriétaire de la maison de Vichy possédait un gros compte en banque et la cadette, rentrée au pays, étalait son opulence dans le meilleur salon de beauté de la ville.

Lecœur n'éprouvait pas le besoin de vivre avec elles, de les comprendre. Il établissait des faits, en tirait des déductions et, par conséquent, n'éprouvait pas de troubles de conscience.

À ces deux vies, un homme était mêlé, un homme dont nul ne connaissait le visage mais qui était ici, à Vichy, dans sa chambre d'hôtel, dans une allée du parc, dans une salle du Grand Casino, n'importe où.

Cet homme-là avait tué. Il était traqué. Il ne pouvait ignorer que la police, insensiblement, avec les moyens énormes dont elle dispose, se rapprochait de lui et le cernerait de plus en plus jusqu'au moment où une main indifférente se poserait sur son épaule.

Il avait une vie derrière lui, lui aussi. Il avait été enfant, jeune homme, amoureux, probablement marié, car l'inconnu qui, à Paris, se rendait un ou deux soirs par semaine rue Notre-Dame-de-Lorette n'y restait qu'une heure.

Hélène disparaissait et on la retrouvait, solitaire, à Nice, où elle semblait s'être plongée volontairement dans la foule anonyme.

Auparavant, elle avait fait un crochet par un petit village de Bourgogne, vécu un mois dans une auberge avec sa sœur, qui avait accouché.

Cet homme-là aussi, Maigret avait besoin de le connaître. Il était grand et fort. L'asthme, pour lequel il faisait sans doute une cure, lui donnait une voix reconnaissable.

Il avait tué pour rien. Il n'était pas allé rue du Bourbonnais pour tuer, mais pour poser une question.

Hélène Lange s'était tue. Même quand il l'avait saisie à la gorge pour l'effrayer, elle s'était refusée à parler et avait payé son silence de sa vie.

Il aurait pu renoncer. La prudence le lui ordonnait. Toute démarche de sa part devenait périlleuse. La machine policière s'était mise en marche.

Connaissait-il déjà l'existence de la sœur, de Francine Lange ? Celle-ci prétendait que non et c'était peut-être vrai.

Un journal lui apprenait qu'elle existait, qu'elle venait d'arriver à Vichy. Il se mettait en tête de la contacter, déployait des trésors de patience et de ruse pour découvrir le nom de l'hôtel où elle était descendue.

Si Hélène n'avait pas parlé, la cadette résisterait-elle à l'attrait d'une forte somme ?

L'homme était riche, important. Sinon, comment aurait-il versé plus de cinq cent mille francs au cours des dernières années ?

Cinq cent mille francs contre rien. Il ne recevait rien. Il ignorait même où vivait la femme à qui il envoyait l'argent en billets dans les différents bureaux de poste qu'elle lui désignait.

Sinon, Hélène Lange serait-elle morte plus tôt ?

— Restez encore à Vichy deux ou trois jours...

Il tentait sa dernière chance, quitte à se faire prendre. Il allait téléphoner. Il était peut-être préoccupé à le faire. Cela dépendait du moment où il pourrait échapper à sa femme.

Or, à proximité de la plupart des cabines publiques, un collaborateur de Lecœur guettait.

Maigret s'était-il trompé en pensant qu'il ne téléphonerait pas d'un café, d'un bar, de sa chambre d'hôtel ?

Ils passaient devant une de ces cabines, sa femme et lui. À travers la vitre, ils apercevaient une très jeune fille qui parlait avec une joyeuse animation.

— Tu crois qu'il se fera prendre ?

— Très vite, oui.

Parce que cet homme voulait trop passionnément quelque chose. Qui sait s'il ne vivait pas depuis des années avec cette idée fixe, depuis que, chaque mois, il envoyait l'argent en espérant toujours ce hasard qui avait mis quinze ans à se produire ?

C'était peut-être un excellent homme d'affaires qui, dans la vie courante, ne perdait jamais son sang-froid.

Quinze ans à remâcher une idée…

Il avait serré trop fort, sans vouloir tuer. Ou alors…

Maigret s'arrêtait de marcher au beau milieu d'une allée et sa femme s'arrêtait automatiquement, lui lançait un bref coup d'œil.

… Ou alors, il s'était trouvé devant quelque chose de si monstrueux, de si inattendu, de si inacceptable…

— Je me demande comment Lecœur s'y prendra, murmura-t-il.

— Pour quoi faire ?

— Pour qu'il avoue…

— Il faut d'abord qu'on le retrouve et qu'on l'arrête…

— Il se laissera arrêter…

Ce serait un soulagement pour lui de ne plus avoir à chercher, à tricher, à…

— J'espère qu'il n'est pas armé ?…

À cause de la question de sa femme, Maigret envisageait une nouvelle éventualité. L'homme, au lieu de se rendre, décidait d'en finir une fois pour toutes…

Lecœur avait-il recommandé à ses aides de se montrer prudents ? Maigret ne pouvait pas intervenir. Dans cette affaire, il n'était qu'un spectateur passif, aussi discret que possible.

Si même il se laissait arrêter, pourquoi parlerait-il ? Cela ne changerait rien à son geste, à la décision des jurés. Pour eux, il était un étrangleur, et les étrangleurs n'inspirent jamais l'indulgence, encore moins la sympathie, quelle que soit leur histoire.

— Avoue que tu aurais aimé t'occuper de…

Elle se permettait, à Vichy, des observations qu'elle ne lui aurait jamais faites à Paris. Parce qu'ils étaient en vacances ? Parce qu'ils passaient ensemble toutes les heures de la journée et qu'un contact plus intime s'établissait entre eux ?

Elle l'entendait presque penser.

— Je me le demande… Non… Je ne crois pas…

Pourquoi se tracassait-il ? Il était ici pour se reposer et pour nettoyer son organisme, selon l'expression du docteur Rian. Au fait, c'était demain qu'il devait voir le docteur et, pour une demi-heure, il ne serait qu'un patient préoccupé de son foie, de son estomac, de sa rate, de sa tension artérielle et de ses vertiges.

Quel âge avait Lecœur ? À peine cinq ans de moins que lui. Dans cinq ans, Lecœur, lui aussi, commencerait à penser à la retraite et à se demander ce qu'il ferait alors de ses journées.

Ils passaient devant les deux hôtels les plus luxueux de la ville, derrière le casino. De longues voitures étaient endormies au bord du trottoir. Un homme en smoking prenait le frais, dans un fauteuil de jardin qui flanquait la porte tournante.

Un lustre de cristal éclairait le hall au tapis d'Orient, aux colonnes de marbre, et un concierge galonné répondait aux questions d'une vieille dame en robe de soirée.

C'était peut-être cet hôtel-là que l'homme habitait, ou l'hôtel voisin, ou encore le Pavillon Sévigné, près du pont de Bellerive. Un chasseur tout jeunet, au regard déjà blasé, attendait devant l'ascenseur.

Lecœur s'était attaqué au point le plus faible, c'est-à-dire à Francine Lange, et celle-ci, surprise, en avait beaucoup dit.

Il s'arrangerait vraisemblablement pour la questionner à nouveau. Lui en apprendrait-elle davantage ? N'avait-elle pas sorti tout ce qu'elle savait ?

— Un instant… Il faut que j'achète du tabac…

Il entrait dans un café bruyant, où la plupart des consommateurs regardaient la télévision installée sur une console au-dessus des têtes. L'air sentait le vin et la bière. Le patron chauve n'arrêtait pas de remplir des verres qu'une fille en noir, à tablier blanc, emportait vers les tables.

Il regarda machinalement la cabine téléphonique, au fond de la salle, à côté des toilettes. La porte en était vitrée. La cabine était vide.

— Trois paquets de gris…

Ils n'étaient plus loin de l'Hôtel de la Bérézina et, quand ils s'en approchèrent, ils aperçurent le jeune Dicelle sur le seuil.

— Je peux vous parler un instant, patron ?

Mme Maigret n'en attendait pas davantage pour entrer et prendre sa clef au tableau.

— Pourquoi ne marcherions-nous pas ?

Les rues étaient vides. Les pas s'entendaient de loin.

— C'est Lecœur qui vous a conseillé de venir me voir ?

— Oui. Je l'ai eu au bout du fil. Il était chez lui, à Clermont, avec sa femme et ses enfants…

— Combien a-t-il d'enfants ?

— Trois… L'aîné a dix-huit ans et sera peut-être champion de natation…

— Que se passe-t-il ?

— Nous sommes une dizaine à surveiller les cabines téléphoniques… Le commissaire ne dispose pas d'assez d'hommes pour en mettre un par cabine et nous avons choisi celles du centre, surtout celles qui ne sont pas trop éloignées des principaux hôtels…

— Vous avez arrêté quelqu'un ?

— Pas encore… J'attends le commissaire, qui doit être en route… Tout a foiré par ma faute… J'étais en faction à proximité d'une cabine, boulevard Kennedy… C'était facile de me cacher, grâce aux arbres…

— Un homme est entré pour téléphoner ?

— Oui... Un homme grand, corpulent, répondant au signalement qui nous a été fourni... Il paraissait se méfier... Il a regardé autour de lui, mais il ne pouvait pas me voir...

» Il a commencé par composer un numéro... Ai-je trop avancé la tête ?... C'est possible... C'est possible aussi qu'il ait soudain changé d'avis... Après avoir composé trois chiffres, il s'est arrêté net et est sorti de la cabine...

— Vous l'avez arrêté ?

— Mes instructions étaient de ne l'arrêter dans aucun cas mais de le suivre. J'ai été surpris de le voir, à moins de vingt mètres, rejoindre une femme qui se tenait dans l'ombre en l'attendant...

— Quel genre de femme ?

— Une femme très bien, d'une cinquantaine d'années...

— Ils ont eu l'air de se concerter ?

— Non. Elle lui a pris le bras et ils se sont dirigés vers l'Hôtel des Ambassadeurs...

Celui dont Maigret, une heure plus tôt, avait contemplé le hall et le lustre de cristal.

— Ensuite ?

— Rien. L'homme s'est avancé vers le concierge qui lui a tendu sa clef et lui a souhaité le bonsoir...

— Vous l'avez bien vu ?

— Assez bien... À mon avis, il est plus âgé que sa femme... Il doit approcher de la soixantaine... Ils ont pénétré dans l'ascenseur et je ne les ai pas revus...

— Il était en smoking ?

— Non… Il portait un complet sombre très bien coupé… Il a les cheveux argentés rejetés en arrière, le teint rose et, je crois, une petite moustache blanche…

— Vous avez interrogé le concierge ?

— Bien entendu. Le couple occupe le 105, au premier étage, une grande chambre et un salon… C'est leur première année à Vichy, mais ils connaissaient le propriétaire, qui possède également un hôtel à La Baule… Il s'agit de Louis Pélardeau, industriel, domicilié à Paris, boulevard Suchet…

— Il suit la cure ?

— Oui… J'ai demandé s'il ne parlait pas d'une façon particulière et le concierge m'a confirmé qu'il est asthmatique… Le docteur Rian les soigne tous les deux…

— Mme Pélardeau suit la cure aussi ?

— Oui… Ils ne paraissent pas avoir d'enfants… Ils ont retrouvé à l'hôtel des amis de Paris et ils font table commune dans la salle à manger… Parfois, ils vont ensemble au théâtre…

— Quelqu'un surveille l'hôtel ?

— J'ai chargé un C.R.S. de le faire en attendant qu'un collègue arrive sur les lieux, ce qui doit être le cas à présent… Le C.R.S., qui aurait pu m'envoyer paître, s'est montré très coopératif…

Dicelle était excité.

— Qu'est-ce que vous en pensez ?… C'est lui, n'est-ce pas ?…

Maigret ne répondit pas tout de suite, prit le temps de rallumer sa pipe. Ils n'étaient pas à cent mètres de chez la demoiselle en lilas.

— Je pense que c'est lui… soupira-t-il.

Le jeune inspecteur le regarda avec étonnement, car on aurait juré que le commissaire ne prononçait ces mots qu'à regret.

— Je dois attendre mon chef devant l'hôtel… Il y sera sûrement d'ici une vingtaine de minutes…

— Il vous a demandé que je sois là ?

— Il m'a dit que vous m'accompagneriez sûrement…

— Je dois d'abord avertir ma femme…

L'entracte, au théâtre du Grand Casino, avait déversé dans la rue une foule nombreuse, et beaucoup de spectateurs, surtout de femmes en robes légères ou très décolletées, regardaient avec inquiétude le ciel qu'illuminaient des éclairs.

Des nuages passaient bas, très vite, mais il y avait surtout, venant de l'ouest, une masse sombre, méchante, presque solide.

Devant l'Hôtel des Ambassadeurs, Maigret et Dicelle attendaient en silence tandis que, derrière son comptoir de bois verni, sur un fond de casiers et de clefs qui pendaient, le concierge les observait.

Lecœur arriva au moment où de grosses gouttes de pluie froide commençaient à tomber et où résonnait la sonnerie annonçant la fin de l'entracte. Il dut accomplir plusieurs manœuvres délicates pour ranger sa voiture et s'avança enfin, le front soucieux.

— Il est dans sa chambre ? questionna-t-il.

Dicelle s'empressa de répondre :

— Le 105, au premier. Ses fenêtres donnent sur la rue…

— Sa femme est là aussi ?

— Oui. Ils sont rentrés ensemble...

Une silhouette sortit de l'ombre et un policier que Maigret ne connaissait pas vint demander à mi-voix :

— Je continue la planque ?

— Oui...

Lecœur allumait une cigarette, se mettait à l'abri sur le seuil.

— Je n'ai pas le droit de l'arrêter entre le coucher et le lever du soleil, sauf en cas de flagrant délit...

Il mettait une certaine ironie dans cette récitation d'un article du Code d'instruction criminelle, ajoutait, songeur :

— Je n'ai même pas assez de charges contre lui pour obtenir un mandat d'arrêt...

Il semblait appeler Maigret à la rescousse, mais celui-ci ne bronchait pas.

— Je n'aime pas le laisser mariner toute la nuit... Il se doute qu'il est repéré... Il s'est passé quelque chose qui l'a empêché de donner son coup de téléphone... La présence de sa femme à quelques pas de la cabine téléphonique me mystifie...

Il ajouta comme un reproche :

— Vous ne dites rien, patron ?...

— Je n'ai rien à dire...

— Que feriez-vous à ma place ?

— Je n'attendrais pas non plus... J'éviterais de monter là-haut, où ils sont sans doute occupés à se déshabiller... Il serait plus discret de lui envoyer un petit mot...

— Disant quoi, par exemple ?

— Que quelqu'un, dans le hall, a une communication personnelle à lui faire...

— Vous croyez qu'il descendra ?

— Je le parierais...

— Tu nous attends ici, Dicelle ?... Ce n'est pas la peine d'entrer en force à l'hôtel...

Lecœur se dirigea vers le concierge tandis que Maigret restait debout au milieu du hall, regardant vaguement l'immense salon presque vide. Tous les lustres en étaient allumés et, très loin, dans un autre monde, semblait-il, quatre personnes âgées, deux hommes et deux femmes, jouaient au bridge avec des mouvements lents. La distance donnait une impression d'irréalité, comme une scène tournée au ralenti.

Le chasseur se précipita vers l'ascenseur, une enveloppe à la main. La voix assourdie de Lecœur prononça :

— On verra bien ce que cela donne...

Puis, comme s'il était frappé par l'atmosphère solennelle, il retira son chapeau. Maigret, lui aussi, avait son chapeau de paille à la main. Dehors, l'orage se déchaînait et la pluie tombait dru devant la porte. Plusieurs personnes, dont on ne voyait que le dos, s'étaient réfugiées sur le seuil.

Le chasseur ne resta pas longtemps absent et vint leur dire :

— M. Pélardeau descend tout de suite...

Ils s'étaient tournés malgré eux vers l'ascenseur. Maigret pouvait constater, chez son collègue qui lissait sa moustache entre le pouce et l'index, une certaine fébrilité.

Une sonnerie, là-haut. L'ascenseur montait, s'arrêtait un moment pour bientôt réapparaître.

Un homme en sortait, vêtu de sombre, le teint rose, les cheveux argentés, faisait des yeux le tour du hall et s'avançait vers les deux hommes, le regard interrogateur.

Lecœur avait dans le creux de la main sa médaille de commissaire qu'il montra discrètement.

— Je désirerais avoir un entretien avec vous, monsieur Pélardeau.

— Maintenant ?

C'était bien la voix rauque qu'on leur avait décrite. L'homme ne s'affolait pas. Il avait certainement reconnu Maigret et semblait surpris de voir celui-ci jouer un rôle muet.

— Maintenant, oui. Ma voiture est à la porte. Je vous conduirai à mon bureau…

Le visage devenait moins rose. Pélardeau avait une soixantaine d'années mais se tenait très droit et, dans son maintien, dans ses expressions de physionomie, gardait beaucoup de dignité.

— Je suppose qu'il ne servirait à rien de refuser ?

— À rien, sinon à compliquer les choses…

Un coup d'œil vers le concierge, puis vers le salon où les quatre silhouettes se dessinaient toujours dans le lointain. Un coup d'œil aussi à la pluie qui tombait.

— Il est superflu que je monte chercher un chapeau ou un imperméable, n'est-ce pas ?

Maigret rencontra le regard de Lecœur et, des yeux, lui désigna le plafond. Il était inutile, cruel, de laisser la femme en suspens, là-haut. La nuit s'annonçait longue et il y avait peu de chances pour que son mari revienne la rassurer.

Lecœur murmura :

— Vous pouvez faire monter un mot à Mme Pélardeau... À moins qu'elle ne soit au courant...

— Non... Que dois-je lui écrire ?...

— Je ne sais pas... Que vous allez être retenu plus longtemps que vous ne le pensiez ?...

L'homme se dirigea vers le comptoir.

— Vous avez un bout de papier, Marcel ?

Il était plus triste qu'accablé ou effrayé. Avec le crayon à bille qui traînait, il écrivit quelques mots, refusa l'enveloppe que le concierge lui tendait.

— Attendez quelques minutes pour le faire monter...

— Bien, monsieur Pélardeau...

Le concierge eut envie d'ajouter quelque chose, chercha ses mots et, ne les trouvant pas, se tut.

— Par ici...

Lecœur donnait des instructions à voix basse à un Dicelle déjà trempé, ouvrait la portière arrière.

— Entrez...

L'industriel se courba et pénétra le premier dans l'auto.

— Vous aussi, patron...

Maigret comprit que son collègue ne voulait pas laisser leur prisonnier seul à l'arrière. L'instant plus tard, ils roulaient dans les rues où des gens couraient tandis que d'autres restaient à l'abri des arbres. Il y en avait même, sous le kiosque, à la place des musiciens.

L'auto pénétra dans la cour du bâtiment de la police, avenue Victoria, et Lecœur n'eut que quelques mots à dire au C.R.S. de garde. Seule une partie des lampes étaient allumées dans les couloirs et le chemin parut long à Maigret.

— Entrez… Ce n'est pas confortable, mais je préfère ne pas vous emmener dès maintenant à Clermont-Ferrand…

Il se débarrassait de son chapeau, hésitait à retirer sa veste dont les épaules étaient mouillées comme celles de ses deux compagnons. En comparaison avec l'air soudain rafraîchi du dehors, il faisait très chaud dans la pièce où l'air stagnait.

— Asseyez-vous…

Maigret avait retrouvé son coin, où il bourrait lentement sa pipe sans détourner le regard du visage de l'industriel. Celui-ci avait pris place sur une chaise et attendait, calme en apparence.

C'était un calme dramatique, presque déchirant, le commissaire le sentait. Pas un trait du visage ne bougeait. Les yeux allaient d'un policier à l'autre et il essayait sans doute de comprendre le rôle effacé joué par Maigret.

Lecœur, pour se donner du temps, posait un bloc-notes devant lui, un crayon, murmurait comme pour lui-même :

— Vos réponses à mes questions ne seront pas enregistrées, car ceci n'est pas un interrogatoire officiel…

L'homme inclina la tête en signe d'assentiment.

— Vous vous appelez Louis Pélardeau et vous êtes industriel. Vous habitez à Paris, boulevard Suchet.

— C'est exact.

— Vous êtes marié, je suppose ?

— Oui.

— Vous avez des enfants ?

Il eut une hésitation, prononça avec une curieuse amertume :

— Non.

— Vous êtes ici en cure ?

— Oui.

— C'est la première fois que vous venez à Vichy ?

— Il m'est arrivé de traverser la ville en voiture…

— Jamais pour y rencontrer une personne déterminée ?

— Non.

Lecœur inséra une cigarette dans son fume-cigarette, l'alluma, resta encore un bon moment silencieux.

— Vous n'ignorez pas, je suppose, la raison pour laquelle je vous ai amené ici ?

L'homme réfléchit, le visage toujours indéchiffrable, mais Maigret avait déjà compris. Ce calme, ce manque d'expression, ce n'était pas tant de la maîtrise de soi-même que le résultat d'une extrême émotion.

Il était en état de choc et Dieu sait comment les images, autour de lui, lui apparaissaient, comment la voix de Lecœur résonnait à ses oreilles.

— Je préférerais ne pas répondre…

— Vous m'avez suivi sans protester…

— Oui…

— Vous vous attendiez à ce qui vous arrive ?…

Il se tourna vers Maigret comme pour l'appeler au secours, puis il répéta d'une voix lasse :

— Je préférerais ne pas répondre…

Lecœur crayonnait un mot sur son bloc, cherchait une autre attaque.

— Vous avez eu la surprise, à Vichy, de rencontrer une personne que vous n'aviez plus vue depuis quinze ans…

Les yeux étaient légèrement humides mais on n'y voyait pas de larmes. C'était peut-être le fait de la lumière crue. Cette pièce, au bout d'un couloir, servait si rarement qu'elle était à peine meublée et que l'éclairage se réduisait à une ampoule pendant au bout de son fil.

— Ce soir, lorsque vous êtes sorti avec votre femme, saviez-vous que vous vous arrêteriez pour téléphoner ?

Il hésita, fit un signe affirmatif de la tête.

— Votre femme n'est donc pas au courant ?

— Du coup de téléphone que je devais donner ?

— Si vous voulez.

— Non.

— Elle ignore certains de vos faits et gestes ?

— Absolument.

— Vous êtes quand même entré dans une cabine publique…

— Elle m'a accompagné au dernier moment… Je n'ai pas eu la patience d'attendre une nouvelle occasion… Je lui ai dit que j'avais laissé la clef de notre appartement sur la porte et que je donnais un coup de fil au concierge…

— Pourquoi n'avez-vous pas fini de composer le numéro ?

— J'ai senti que j'étais observé…

— Vous n'avez rien vu ?

— Quelque chose a bougé derrière un arbre… En même temps, j'ai pensé que ce coup de téléphone était inutile…

— Pourquoi ?

Il ne répondit pas. Il tenait les deux mains sur ses genoux, à plat, des mains un peu grasses, blanches et soignées.

— Si vous désirez fumer…

— Je ne fume pas…

— La fumée ne vous dérange pas ?

— Ma femme fume beaucoup… Trop…

— Vous vous doutiez que ce n'était pas Francine Lange que vous auriez au bout du fil ?

Il ne répondit pas, une fois encore, mais il ne nia pas non plus.

— Vous l'avez appelée hier soir… Vous lui avez annoncé un nouveau coup de téléphone pour lui donner rendez-vous… J'ai tout lieu de supposer que l'heure et le lieu de ce rendez-vous étaient, ce soir, fixés dans votre esprit…

— Je m'excuse de ne pas coopérer davantage…

Il devait reprendre son souffle et un léger sifflement sortait de sa gorge entre certains mots.

— Ce n'est pas de la mauvaise volonté de ma part, croyez-le…

— Vous attendez d'être assisté d'un avocat ?

Sa main droite fit un geste vague, comme pour balayer cette idée.

— Il faudra cependant que vous en preniez un…

— Je le ferai, puisque la loi l'exige…

— Comprenez-vous bien, monsieur Pélardeau, que, dès à présent, vous êtes privé de votre liberté ?

Lecœur avait eu le tact de ne pas prononcer le mot prisonnier et Maigret lui en sut gré.

L'homme leur en imposait à tous deux, surtout dans ce bureau exigu, aux murs neutres. Assis sur une chaise en bois tourné, il paraissait plus grand que nature et il gardait un calme surprenant, une dignité inattendue.

Ils avaient interrogé l'un et l'autre des centaines de suspects et il en fallait beaucoup pour les impressionner. Ce soir, ils l'étaient.

— Je pourrais remettre cette conversation à demain, mais cela ne servirait à rien, n'est-ce pas ?

L'homme paraissait penser que c'était l'affaire du commissaire et non la sienne.

— Au fait, dans quelle branche de l'industrie travaillez-vous ?

— Les tréfileries…

On abordait un sujet dont il pouvait parler et il fournissait quelques détails, comme pour ne pas dire non à tout, ou se taire systématiquement.

— J'ai hérité de mon père une tréfilerie assez modeste, près du Havre… J'ai pu l'agrandir, en bâtir d'autres à Rouen, puis à Strasbourg…

— Vous êtes donc à la tête d'une affaire importante ?

— Oui.

Il paraissait s'en excuser.

— Vos bureaux sont à Paris ?

— Le siège social. Nous avons des bureaux plus modernes à Rouen et à Strasbourg, mais j'ai tenu à conserver le vieux siège social boulevard Voltaire…

Pour lui, c'était du passé. En quelques minutes, ce soir, tandis qu'un chasseur à galons dorés montait par l'ascenseur, un billet à la main, toute une partie de sa vie avait cessé d'exister.

Il le savait et c'était peut-être pourquoi il se laissait aller à en parler.

— Il y a longtemps que vous êtes marié ?

— Trente ans...

— Vous avez eu, autrefois, à votre service une certaine Hélène Lange ?

— Je préfère ne pas répondre.

Il en était ainsi chaque fois qu'on approchait du point sensible.

— Vous rendez-vous compte, monsieur Pélardeau, que vous ne me facilitez pas ma tâche ?

— Excusez-moi.

— Si vous avez l'intention de nier les faits que je vais avoir à vous reprocher, je préférerais le savoir dès maintenant...

— J'ignore ce que vous allez dire...

— Prétendez-vous que vous êtes innocent ?

— Dans un sens, non...

Lecœur et Maigret se regardèrent, car il venait de prononcer ce mot terrible simplement, naturellement, sans qu'un trait de son visage bouge.

Maigret revoyait les ombrages du parc, la verdure qui, à certains endroits, prenaient des tons irréels sous la lumière des lampadaires, les musiciens aux uniformes chamarrés.

Il revoyait surtout le visage long et mince d'Hélène Lange qui n'était encore, pour lui et sa femme, que la dame ou la demoiselle en lilas.

— Vous connaissiez Mlle Lange ?

Il resta immobile, le souffle suspendu, comme s'il étouffait. Il eut en effet une crise d'asthme. Son visage devint très rouge. Il tira un mouchoir de sa poche, ouvrit la bouche et se mit à tousser éperdument, le corps plié en deux.

Maigret se félicitait de ne pas être à la place de son collègue. Pour une fois, il laissait le travail désagréable à un autre.

— Je vous…

— Prenez votre temps, je vous en prie…

Les yeux embués, il s'efforçait en vain d'arrêter la quinte, qui dura plusieurs minutes.

Quand il se redressa, encore coloré, il commença par s'essuyer le visage.

— Pardonnez-moi…

On l'entendait à peine.

— Cela me prend plusieurs fois par jour… Le docteur Rian prétend que la cure me fera du bien…

L'ironie de ces mots le frappa soudain.

— Je veux dire : m'aurait fait du bien…

Ils avaient le même médecin, Maigret et lui. Ils s'étaient déshabillés dans la même pièce ripolinée, étendus sur la même table couverte d'un drap blanc…

— Vous m'avez demandé… ?

— Si vous connaissiez Hélène Lange…

— Cela ne me servirait à rien de le nier…

— Vous la haïssiez ?

Si Maigret l'avait pu, il aurait fait signe à son collègue qu'il s'engageait dans une mauvaise voie.

L'homme, en effet, regardait Lecœur avec un étonnement qui n'était pas feint et, un instant, ce personnage de soixante ans se montra d'une candeur presque enfantine.

— Pourquoi ? murmurait-il. Pourquoi l'aurais-je haïe ?

Il se tourna vers Maigret comme pour le prendre à témoin.

— Vous l'avez aimée ?

On assistait à une transformation inattendue. Il fronçait les sourcils, cherchant à comprendre. Les deux dernières questions l'avaient surpris, comme si tout était remis en question.

— Je ne vois pas bien… balbutia-t-il.

Puis, une fois de plus, il les regarda tour à tour, laissant traîner plus longtemps son regard sur le visage de Maigret.

On sentait un malentendu quelque part.

— Vous lui rendiez visite dans son appartement de la rue Notre-Dame-de-Lorette…

— Oui…

Il semblait ajouter : « Mais en quoi cela importe-t-il ? »

— Je suppose que c'était vous qui payiez le loyer ?

Il répondit d'un signe discret.

— Elle était votre secrétaire ?

— Une de mes employées…

— Votre liaison a duré plusieurs années…

Le malentendu subsistait, c'était visible.

— J'allais la voir une ou deux fois par semaine…

— Votre femme était au courant ?

— Non, évidemment…

— Elle l'a été à un certain moment ?

— Jamais…

— Et maintenant ?…

Le pauvre Pélardeau donnait l'impression d'un homme qui se heurte sans cesse au même mur.

— Maintenant non plus… Cela n'a aucun rapport…

Aucun rapport avec quoi ? Avec le crime ? Avec ses coups de téléphone ? Chacun parlait son langage, chacun suivait son idée, et ils étaient surpris l'un et l'autre de ne pas se comprendre.

7

Le regard de Lecœur tomba sur l'appareil téléphonique posé sur la table et il parut hésiter. Puis il aperçut une petite plaque avec un bouton blanc et il finit par presser celui-ci.

— Vous permettez ?… Je ne sais pas où ça sonne, pour autant que ça sonne quelque part… On verra bien s'il vient quelqu'un…

Il éprouvait le besoin d'une pause et ils attendirent en silence en évitant de se regarder. Des trois hommes, c'était peut-être Pélardeau le plus calme, le plus maître de lui, tout au moins extérieurement. Il est vrai qu'en ce qui le concernait tout était joué et qu'il n'avait plus rien à perdre.

On finit par entendre, très loin, résonner les marches d'un escalier de fer, puis il y eut des pas dans un couloir, dans un autre, enfin des coups discrets frappés à la porte.

— Entrez !

C'était un C.R.S. tout jeune, bien astiqué, qui, devant ces trois hommes d'un certain âge, donnait une impression de force vitale.

Lecœur, qui n'était qu'un étranger dans la maison, lui demanda :

— Vous avez un moment de libre ?

— Bien sûr, monsieur le commissaire. Nous étions occupés à jouer aux cartes...

— Voulez-vous garder M. Pélardeau pendant notre absence ?

Le C.R.S. n'était au courant de rien et regardait avec étonnement cet homme élégant qui lui en imposait.

— Volontiers, monsieur le commissaire...

Quelques instants plus tard, Lecœur et Maigret atteignaient le péristyle. Les marches étaient précédées d'une marquise sous laquelle on était à l'abri de la pluie qui dessinait d'épaisses hachures dans l'obscurité.

— J'étouffais, là-dedans... J'ai pensé que cela ne vous déplairait pas non plus de prendre l'air...

L'énorme nuage d'où partaient les éclairs était juste au-dessus de la ville et le vent tombait. La rue était déserte, sauf pour une voiture qui passait parfois au ralenti en soulevant des gerbes d'eau.

Le chef de la P.J. de Clermont-Ferrand allumait une cigarette, regardait la pluie rebondir sur le ciment, secouer le feuillage du jardin.

— Je sens que j'ai pataugé lamentablement, patron... J'aurais dû vous céder la place...

— Qu'est-ce que j'aurais fait d'autre ?... Vous lui avez donné confiance... Il en était à un point où il paraissait vain de répondre à vos questions... Il préférait se taire, quoi qu'il arrive... C'était un homme au bout de son rouleau, qui ne réagissait plus, qui acceptait…

— J'en ai eu l'impression…

— Petit à petit vous lui avez arraché quelques réponses… Il a commencé à se montrer intéressé… Puis il s'est passé une chose que je ne comprends pas encore… Une phrase que vous avez dite l'a frappé…

— Laquelle ?

— Je l'ignore… Ce que je sais, c'est qu'il s'est produit un déclic… Je n'ai pas cessé d'observer son visage… J'y ai soudain lu un étonnement immense… Il faudrait pouvoir peser tous les mots qui ont été dits… Il était certain que nous en savions davantage…

— Que nous savions quoi ?…

Maigret se tut et tira sur sa pipe.

— Un fait qui, pour lui, est évident, mais qui nous a échappé…

— J'aurais peut-être dû faire enregistrer notre entretien…

— Il se serait tu…

— Vous ne voulez vraiment pas continuer l'interrogatoire, patron ?

— Non seulement ce serait irrégulier et son avocat, plus tard, pourrait en tirer profit, mais je ne ferais pas mieux que vous, peut-être moins bien…

— Je ne sais plus par quel bout le prendre et, le plus fort, c'est que, tout coupable qu'il soit, j'en ai pitié… Ce n'est pas le genre de criminel auquel nous avons généralement affaire… Quand nous avons quitté l'hôtel, tout à l'heure, il m'a semblé qu'un monde venait de se refermer brutalement derrière lui...

— Il l'a senti, lui aussi...

— Vous croyez ?

— Il a voulu garder coûte que coûte une certaine dignité et il considérerait toute pitié comme une aumône...

— Je me demande s'il finira par craquer...

— Il parlera...

— Cette nuit ?

— Peut-être...

— Sur quel terrain ?...

Maigret ouvrit la bouche pour dire quelque chose, la referma, se remit à fumer sa pipe. Puis il prononça évasivement :

— À un moment donné, pas trop vite, vous pourriez faire allusion à Mesnil-le-Mont... En lui demandant, par exemple, s'il y est allé...

Il paraissait n'y attacher personnellement que peu d'importance.

— Vous croyez que oui ?

— Je suis incapable de répondre...

— Pour quelle raison se serait-il rendu là-bas et quel rapport cela pourrait-il avoir avec les événements de Vichy ?...

— Une vague intuition... s'excusa Maigret. Quand on est emporté par le courant, on se raccroche à n'importe quoi...

Le C.R.S. de faction lui aussi était jeune et, à ses yeux, les deux hommes qui bavardaient sous la marquise étaient des personnages prestigieux qui avaient atteint le sommet de la hiérarchie.

— J'aurais volontiers avalé un verre de bière…

Il y avait un bar au coin de la rue, mais il n'était pas question de foncer dans le déluge. Quant à Maigret, le mot bière amenait à ses lèvres un sourire résigné. Il avait promis à Rian. Il tenait parole.

— Nous montons ?

Ils trouvèrent le C.R.S. adossé au mur. Il se redressa vivement et se mit au garde-à-vous tandis que le prisonnier les observait tour à tour.

— Merci, mon petit… Vous pouvez aller…

Lecœur reprenait sa place et déplaçait un peu le bloc-notes, le crayon, l'appareil téléphonique.

— Je vous ai donné quelques minutes pour réfléchir, monsieur Pélardeau… Je ne veux pas vous presser de questions destinées à vous confondre… Pour le moment, j'essaie de me faire une idée… Il n'est pas facile d'entrer tout de go dans la vie d'un homme sans commettre d'erreurs…

Il cherchait le ton, comme les musiciens dans la fosse d'orchestre avant le lever du rideau, et l'homme le regardait avec attention, mais sans émotion apparente.

— Vous étiez marié depuis un certain temps, je suppose, quand vous avez rencontré Hélène Lange ?

— J'avais dépassé la quarantaine… Je n'étais plus un jeune homme et je comptais quatorze ans de vie conjugale…

— Vous avez fait un mariage d'amour ?…

— C'est un mot auquel on donne un sens différent à mesure qu'on avance dans la vie…

— Il ne s'agissait pas d'un mariage de raison, ou de convenances ?

— Non… J'avais choisi… Et, de ce côté, je ne regrette rien, sinon le déchirement que je vais causer à ma femme… Nous sommes de très bons amis… Nous l'avons toujours été et j'ai trouvé auprès d'elle la plus large compréhension…

— Même au sujet d'Hélène Lange ?…

— Je ne lui en ai pas parlé…

— Pourquoi ?…

Il les regarda tour à tour.

— C'est un sujet qu'il m'est difficile d'aborder… Je ne suis pas un homme à femmes… J'ai beaucoup travaillé dans ma vie et, longtemps, je suis peut-être resté assez naïf…

— Une passion ?…

— J'ignore le mot qui convient… Je découvrais un être tout différent de ceux que je connaissais… Hélène m'attirait et m'effrayait… Son exaltation me déroutait…

— Vous êtes devenu son amant ?…

— Après très longtemps…

— Elle vous faisait attendre ?

— Non. C'était moi… Elle n'avait pas eu de liaison avant moi… Mais tout ceci, pour vous, est banal, n'est-ce pas ?… Je l'aimais… Enfin, je croyais l'aimer… Elle ne demandait rien, se contentait d'une toute petite place dans ma vie, de ces visites hebdomadaires dont vous avez parlé…

— Il n'a pas été question que vous divorciez ?…

— Jamais ! D'ailleurs, j'aimais toujours ma femme, d'une autre manière, et je n'aurais pas accepté de la quitter…

Pauvre homme ! Il était certainement plus à l'aise dans ses bureaux, dans ses usines, ou à présider un conseil d'administration.

— C'est elle qui vous a quitté ?

— Oui…

Lecœur jeta un bref coup d'œil à Maigret.

— Dites-moi, monsieur Pélardeau, vous êtes-vous rendu à Mesnil-le-Mont ?…

Il devint pourpre, baissa la tête, balbutia :

— Non…

— Vous avez su qu'elle s'y trouvait ?

— Pas à ce moment-là…

— Vous étiez déjà séparés quand elle s'y est rendue ?

— Elle m'avait annoncé qu'elle ne me reverrait pas…

— Pourquoi ?

À nouveau l'ahurissement, l'incompréhension. À nouveau, ces regards d'homme qui ne sait plus où il en est.

— Elle ne voulait pas que notre enfant…

Ce fut au tour de Lecœur d'écarquiller les yeux tandis que Maigret ne bronchait pas, tassé sur lui-même, détendu, comme un gros chat satisfait.

— De quel enfant parlez-vous ?

— Mais… de celui d'Hélène… De mon fils…

Malgré lui, il prononçait ce dernier mot avec fierté.

— Vous prétendez qu'elle a eu un enfant de vous ?

— Philippe, oui…

Lecœur bouillait.

— Elle est parvenue à vous faire croire que…

Mais son interlocuteur, patient, hochait la tête.

— Elle ne m'a rien fait croire… J'ai la preuve…

— Quelle preuve ?

— L'extrait d'acte de naissance…

— Établi par le maire de Mesnil-le-Mont ?

— Bien entendu…

— Il porte, comme nom de la mère, celui d'Hélène Lange ?

— Évidemment…

— Et vous n'êtes pas allé voir cet enfant que vous considériez comme votre fils ?

— Que je considère comme mon fils… Qui est mon fils… Je ne suis pas allé là-bas parce que j'ignorais encore où Hélène accoucherait…

— Pourquoi ce mystère ?

— Parce qu'elle ne voulait pas que son enfant se trouve plus tard dans une situation… comment dire ?… dans une situation équivoque…

— Vous ne pensez pas que ces scrupules sont démodés ?

— Pour certains, peut-être… Hélène aussi, dans ce sens, était démodée… Elle avait un haut sentiment de…

— Écoutez, monsieur Pélardeau… Je crois que je commence à comprendre, mais il faut que nous laissions de côté, pour l'instant, ces questions de sentiments… Je m'excuse de devenir brutal… Les faits existent, et on ne peut rien contre eux, ni vous ni moi…

— Je ne vois pas où vous voulez en venir…

Une inquiétude encore vague commençait à devenir sensible sous son assurance apparente.

— Connaissiez-vous Francine Lange ?

— Non...
— Vous ne l'avez jamais rencontrée à Paris ?
— Jamais. Ni ailleurs...
— Vous ignoriez qu'Hélène avait une sœur ?
— Non... Elle m'a parlé d'une sœur plus jeune qu'elle... Elles étaient toutes les deux orphelines... Hélène avait dû abandonner ses études pour travailler afin que sa sœur...

Incapable d'y tenir, Lecœur se dressait, restait debout, et si le bureau avait été plus grand, il se serait mis à l'arpenter furieusement.

— Continuez... Continuez...

Il se passait la main sur le front.

— ... afin que sa sœur puisse recevoir l'éducation qu'elle méritait...

— Qu'elle méritait, hein !... Ne m'en veuillez pas, monsieur Pélardeau... Je vais vous faire très mal... Je devrais peut-être m'y prendre autrement, vous préparer à la vérité...

— Quelle vérité ?...

— Sa sœur, à quinze ans, travaillait dans un salon de coiffure, à La Rochelle, et était la maîtresse d'un chauffeur de taxi, avant de le devenir de je ne sais combien d'hommes...

— J'ai lu ses lettres...
— De qui ?...
— De Francine... Elle était en pension dans une école suisse très connue...
— Vous y êtes allé ?
— Non, bien entendu...
— Vous avez gardé ces lettres ?
— Je n'ai fait que les parcourir...

— Et, pendant ce temps-là, Francine était manucure dans un palace des Champs-Élysées... Commencez-vous à comprendre ?... Tout ce que vous avez vu n'était qu'une façade...

L'homme luttait encore. Ses traits, restés fermes, commençaient pourtant à se détendre et sa bouche eut soudain une moue si pitoyable que Maigret et Lecœur détournèrent la tête.

— Ce n'est pas possible... balbutia-t-il.

— C'est malheureusement la vérité...

— Mais pourquoi ?

C'était un dernier appel au destin. Qu'on lui dise donc tout de suite que ce n'était pas vrai, qu'on lui avoue que la police essayait de le démonter et inventait pour cela ces histoires ignobles...

— Je vous demande pardon, monsieur Pélardeau... Jusqu'à ce soir, jusqu'à ces dernières minutes, j'ignorais, moi aussi, à quel point les deux sœurs étaient complices...

Il hésita à se rasseoir. Il était encore trop nerveux pour le faire.

— Hélène ne vous a jamais parlé de mariage ?

— Non...

Le non était déjà moins catégorique.

— Même quand elle vous a annoncé qu'elle était enceinte ?...

— Elle ne voulait pas briser mon ménage...

— Donc, elle vous en a parlé...

— Pas dans le sens que vous croyez... Pour m'annoncer, justement, qu'elle allait disparaître...

— Se suicider ?

— Il n'en a pas été question… Puisque l'enfant ne pouvait être légitime…

Lecœur soupira, regarda Maigret une fois de plus. Ils se comprenaient. Ils imaginaient les scènes qui avaient dû se dérouler entre Hélène Lange et son amant.

— Vous ne me croyez pas… Moi-même…

— Essayez de regarder la vérité en face… Cela ne peut que vous faire du bien…

— Moi, au point où j'en suis ?…

Il désignait les murs autour de lui, comme il aurait désigné les murs d'une prison.

— Laissez-moi finir, si ridicule que cela vous paraisse… Elle voulait consacrer le reste de sa vie à élever notre enfant comme elle avait élevé sa sœur…

— Sans que jamais vous le voyiez ?

— Comment lui aurait-on expliqué ma présence ?

— Vous auriez pu être un oncle, un ami…

— Hélène haïssait le mensonge…

Il y avait tout à coup une pointe d'ironie dans sa voix, ce qui était bon signe.

— Ainsi, elle refusait que votre fils sache un jour que vous étiez son père ?…

— Plus tard, à sa majorité, elle lui aurait parlé…

Il ajouta de sa voix toujours rauque :

— Il a maintenant quinze ans…

Lecœur et Maigret gardaient un silence pénible.

— Quand je l'ai rencontrée, à Vichy, j'ai décidé de…

— Continuez…

— De le voir… De savoir où il était…

— Vous l'avez su ?

Il secouait la tête et il y avait enfin de vraies larmes dans ses yeux.

— Non…

— Où Hélène vous a-t-elle dit qu'elle allait accoucher ?

— Dans un village qu'elle connaissait… Elle n'a pas précisé lequel… Ce n'est que deux mois plus tard qu'elle m'a envoyé l'extrait d'acte de naissance… La lettre venait de Marseille…

— Combien d'argent lui avez-vous donné à son départ ?

— Cela importe ?

— Beaucoup… vous le verrez.

— Vingt mille francs… Je lui en ai envoyé trente mille à Marseille… Ensuite, j'ai tenu à lui faire une pension, afin que notre fils reçoive la meilleure éducation possible…

— Cinq mille francs par mois ?

— Oui…

— Sous quel prétexte vous faisait-elle adresser cet argent dans des villes différentes ?

— Elle n'était pas sûre de ma force de caractère…

— C'est le terme qu'elle employait ?

— Oui… J'avais fini par accepter de ne pas voir l'enfant avant ses vingt et un ans…

Lecœur semblait demander à Maigret :

— Que faut-il faire ?

Et Maigret abaissait deux ou trois fois les paupières, serrait davantage le tuyau de sa pipe entre ses dents.

8

Lecœur s'était rassis, lentement. Il se tournait vers l'homme aux traits brouillés qu'il venait de faire passer par tant d'émotions et prononçait comme à regret :

— Je vais encore vous faire mal, monsieur Pélardeau…

Un sourire amer semblait répondre : « Vous croyez qu'on peut me faire plus mal ? »

— J'ai beaucoup de sympathie, et même de respect, pour l'homme que vous êtes… Je ne joue aucune comédie afin d'obtenir des aveux dont nous n'avons d'ailleurs pas besoin… Ce que je dois vous dire, comme ce que je vous ai dit jusqu'ici, est la stricte vérité, et je regrette qu'elle soit aussi crue…

Un temps, pour donner à son interlocuteur le temps de se préparer.

— Vous n'avez jamais eu de fils d'Hélène Lange…

Il s'attendait à une protestation véhémente, voire à une scène violente. Or, il se trouva devant un être abattu, sans réaction, qui ne prononça pas un mot.

— Vous ne l'avez jamais soupçonné ?

Pélardeau leva la tête, la secoua, montra sa gorge, pour expliquer qu'il ne pouvait pas parler tout de suite. Il eut à peine le temps de tirer son mouchoir de sa poche avant d'être secoué par une crise d'asthme plus violente que la précédente.

Dans le silence, Maigret se rendit compte que, dehors aussi, le silence était tombé, que le tonnerre avait cessé, que la pluie ne rebondissait plus sur le pavé.

— Je vous demande pardon…

— Il vous est arrivé de soupçonner la vérité, n'est-ce pas ?

— Une fois… Une seule…

— Quand…

— Ici… Le soir où…

— Combien de jours avant l'aviez-vous rencontrée ?

— Deux jours…

— Vous l'avez suivie ?

— De loin… Pour savoir où elle habitait… Je m'attendais à la voir avec mon fils, ou à voir celui-ci sortir de la maison…

— Lundi soir, vous vous êtes montré au moment où elle allait rentrer ?…

— Non… J'ai vu sortir les locataires… Je savais qu'elle se trouvait dans le parc, à écouter la musique… Elle a toujours aimé la musique… Je n'ai eu aucune peine à ouvrir la porte… La clef de ma chambre a suffi…

— Vous avez fouillé les tiroirs.

— J'ai vu d'abord qu'il n'y avait qu'un lit…

— Les photos ?

— D'elle... Rien que d'elle... J'aurais tout donné pour découvrir une photo d'enfant...

— Et pour trouver des lettres ?

— Oui... Je me sentais devant un vide inexplicable... Même si Philippe était en pension, il devait...

— Elle vous a surpris chez elle en rentrant ?

— Oui... Je l'ai suppliée de me dire où était notre fils... Je me rappelle lui avoir demandé s'il était mort, s'il avait eu un accident...

— Elle refusait de répondre ?

— Elle était plus calme que moi... Elle me rappelait notre pacte...

— La promesse de vous rendre votre fils quand il aurait vingt et un ans ?...

— Oui... De mon côté, j'avais juré de ne pas essayer de prendre contact avec lui...

— Elle vous donnait de ses nouvelles ?

— Avec beaucoup de détails... Ses premières dents... Ses maladies infantiles... La nurse qu'elle avait engagée à une époque où elle se sentait faible... Puis l'école... Elle me racontait sa vie presque jour par jour...

— Sans mentionner l'endroit ?...

Oui... Ces derniers temps, il voulait, paraît-il, devenir médecin...

Il regarda le commissaire sans fausse pudeur.

— Il n'a jamais existé ?

— Si... Mais il n'était pas votre fils...

— Il y avait un autre homme ?

Lecœur faisait non de la tête.

— C'est Francine Lange qui a accouché d'un garçon, à Mesnil-le-Mont... Jusqu'à ce que vous me l'affirmiez, j'ignorais, je l'avoue, que l'enfant avait été inscrit à l'état civil comme celui d'Hélène Lange... L'idée a dû venir aux deux sœurs quand Francine s'est trouvée enceinte... Comme je connais cette dernière, sa première pensée a dû être de le supprimer... Sa sœur a vu plus loin...

— J'y ai pensé, l'espace d'un éclair... Je vous l'ai dit... Ce soir-là, après avoir supplié, j'ai menacé... Pendant quinze ans, j'ai vécu dans la pensée de ce fils que je connaîtrais un jour... Nous n'avons pas d'enfants, ma femme et moi... Quand je me suis senti père... Mais à quoi bon ?...

— Vous l'avez saisie au cou ?...

— Pour lui faire peur, pour qu'elle parle... Je lui criais de dire la vérité... Je ne pensais pas à la sœur, mais je craignais que l'enfant soit mort, ou devenu infirme...

Il laissa pendre ses deux mains comme s'il ne restait dans son grand corps aucune parcelle d'énergie.

— J'ai serré trop fort... Je ne m'en suis pas rendu compte... Si seulement son visage avait exprimé une émotion quelconque !... Mais non !... Elle n'avait même pas peur...

— Quand vous avez appris par le journal que sa sœur était à Vichy, vous avez repris espoir ?

— Si l'enfant était vivant, si Hélène savait seule où il se trouvait, il n'y avait plus personne pour s'occuper de lui... Je m'attendais à être arrêté d'un jour à l'autre... Vous avez dû relever mes empreintes digitales...

— Sans les comparer avec les vôtres... Nous aurions quand même fini par arriver jusqu'à vous...

— Il fallait que je sache, que je prenne des dispositions…

— Vous avez téléphoné à différents hôtels, en suivant l'ordre alphabétique…

— Comment le savez-vous ?

C'était enfantin, mais Lecœur avait besoin d'une satisfaction.

— Vous appeliez de différentes cabines publiques…

— Vous m'aviez donc repéré ?…

— Presque…

— Mais Philippe ?

— Le fils de Francine Lange a été mis en nourrice, peu de temps après sa naissance, dans une famille Berteaux, des petits fermiers de Saint-André-du-Lavion, dans les Vosges… Avec votre argent, les deux sœurs ont acheté un salon de coiffure, à La Rochelle… Ni l'une ni l'autre ne s'est occupée de l'enfant, qui a continué à vivre à la campagne jusqu'à ce que, à deux ans et demi, il tombe dans une mare…

— Il est mort ?

— Oui… Pour vous, il devait rester en vie, et Hélène a inventé son enfance au fur et à mesure, ses premières classes, ses jeux et enfin, les derniers temps, son goût pour la médecine…

— C'est monstrueux…

— Oui…

— Qu'une femme puisse…

Il secouait la tête.

— Je ne mets pas vos paroles en doute… Mais quelque chose en moi se révolte contre cette vérité…

— Ce n'est pas la première fois qu'un tel cas se rencontre dans les annales criminelles… Je pourrais vous citer des précédents…

— Non… suppliait-il.

Il était tassé sur lui-même, sans ressort, sans plus rien à se raccrocher.

— Vous aviez raison, tout à l'heure, en disant que vous n'aviez pas besoin d'un avocat… Il vous suffirait de raconter votre histoire devant les jurés…

Il restait immobile, la tête dans les mains.

— Votre femme doit s'inquiéter… À mon avis, la vérité lui fera moins mal que ce qu'elle pourra imaginer…

Il semblait ne plus avoir pensé à elle et il montrait enfin son visage congestionné.

— Que vais-je lui dire…

— Vous ne pourrez malheureusement rien lui dire à présent… Je n'ai pas le droit de vous laisser en liberté, même pour un temps assez court… Je dois vous emmener à Clermont-Ferrand… À moins que le juge d'instruction ne s'y oppose, ce qui me surprendrait, votre femme sera autorisée à vous rendre visite…

Cette pensée troublait Pélardeau, qui finit par regarder Maigret d'un air désespéré.

— Vous ne pourriez pas vous en charger, vous ?

Maigret interrogea son collègue d'un coup d'œil et Lecœur haussa les épaules comme pour dire que ce n'était pas son affaire.

— Je ferai de mon mieux…

— Vous devrez vous y prendre avec précaution, car, depuis quelques années, elle n'a pas le cœur solide... Nous ne sommes plus jeunes ni l'un ni l'autre...

Maigret non plus. Il se sentait vieux, ce soir. Il avait hâte de retrouver sa femme, le ronron quotidien de leurs promenades à travers Vichy et les petites chaises jaunes du parc.

Ils descendirent ensemble.

— Je vous dépose, patron ?

— Je préfère marcher...

Les pavés luisaient. La voiture noire s'éloigna en emportant vers Clermont-Ferrand Lecœur et Pélardeau.

Maigret alluma sa pipe et enfonça machinalement les mains dans ses poches. Il ne faisait pas froid mais le thermomètre, grâce à l'orage, était quand même descendu de plusieurs degrés.

De l'eau s'égouttait des deux arbustes qui flanquaient la porte de l'Hôtel de la Bérézina.

— C'est toi, enfin !... soupira Mme Maigret en sortant du lit pour l'accueillir. J'ai rêvé que tu étais Quai des Orfèvres, à mener un interrogatoire qui n'en finissait pas et à faire monter sans cesse des verres de bière...

Après l'avoir observé un moment, elle murmura :

— C'est fini ?

— Oui...

— Qui est-ce ?

— Un homme très bien, qui dirige des milliers d'employés et d'ouvriers, mais qui est resté très naïf...

— J'espère que, demain, tu vas dormir ?

— Hélas, non... Il faut que j'aille expliquer à sa femme...

— Elle ne sait pas ?

— Non.

— Elle est ici ?

— À l'Hôtel des Ambassadeurs...

— Et lui ?

— Dans une demi-heure, il entrera à la prison de Clermont-Ferrand...

Pendant qu'il se déshabillait, elle continuait à l'observer, lui trouvant un drôle d'air.

— Combien d'années crois-tu qu'il...

Et Maigret, bourrant la dernière pipe de la journée, dont il ne tirait que quelques bouffées avant de se mettre au lit :

— J'espère qu'il sera acquitté...

FIN

Épalinges (Vaud), le 11 septembre 1967.

Table

Le Livre de Poche s'engage pour l'environnement en réduisant l'empreinte carbone de ses livres. Celle de cet exemplaire est de :
600 g éq. CO_2
Rendez-vous sur www.livredepoche-durable.fr

Composition réalisée par FACOMPO, Lisieux

Imprimé en France par CPI
en mars 2016
N° d'impression : 2021988
Dépôt légal 1re publication : avril 2013
Édition 02 - mars 2016
LIBRAIRIE GÉNÉRALE FRANÇAISE
31, rue de Fleurus - 75278 Paris Cedex 06

31/7571/8